PREMIÈRES POÉSI...

D0676651

DU MÊME AUTEUR

Paru dans Le Livre de Poche

THÉATRE (3 tomes)

ALFRED DE MUSSET

Premières Poésies
Poésies Nouvelles

NOTICE ET NOTES DE GENEVIÈVE BULLI

LE LIVRE DE POCHE

© 1966, Éditions Gallimard et Librairie Générale Française.

PREMIÈRES POÉSIES

AU LECTEUR
DES DEUX VOLUMES DE VERS
DE L'AUTEUR

Ce livre est toute ma jeunesse;
Je l'ai fait sans presque y songer.
Il y paraît, je le confesse,
Et j'aurais pu le corriger.

Mais quand l'homme change sans cesse,
Au passé pourquoi rien changer?
Va-t'en pauvre oiseau passager;
Que Dieu te mène à ton adresse!

Qui que tu sois, qui me liras,
Lis-en le plus que tu pourras,
Et ne me condamne qu'en somme.

Mes premiers vers sont d'un enfant,
Les seconds d'un adolescent,
Les derniers à peine d'un homme.

1840.

DON PAEZ [1]

I had been happy, if the general camp,
Pioneers and all, had tasted her sweet body
So I had nothing known.

OTHELLO [2].

I

Je n'ai jamais aimé, pour ma part, ces bégueules
Qui ne sauraient aller au Prado toutes seules,
Qu'une duègne toujours de quartier en quartier
Talonne, comme fait sa mule au muletier;
Qui s'usent, à prier, les genoux et la lèvre,
Se courbant sur le grès, plus pâles dans leur fièvre
Qu'un homme qui, pieds nus, marche sur un serpent,
Ou qu'un faux monnayeur, au moment qu'on le pend.
Certes, ces femmes-là, pour mener cette vie,
Portent un cœur châtré de toute noble envie;
Elles n'ont pas de sang et pas d'entrailles. — Mais,
Sur ma tête et mes os, frère, je vous promets
Qu'elles valent encor quatre fois mieux que celles
Dont le temps se dépense en intrigues nouvelles.
Celles-là vont au bal, courent les rendez-vous,
Savent dans un manchon cacher un billet doux,

Serrer un ruban noir sur un beau flanc qui ploie,
Jeter d'un balcon d'or une échelle de soie,
Suivre l'imbroglio dè ces amours mignons,
Poussés en une nuit comme des champignons.
Si charmantes, d'ailleurs! aimant en enragées
Les moustaches, les chiens, la valse et les dragées.
Mais, oh! la triste chose et l'étrange malheur,
Lorsque dans leurs filets tombe un homme de cœur!
Frère, mieux lui vaudrait, comme ce statuaire
Qui pressait dans ses bras son amante de pierre,
Réchauffer de baisers un marbre, mieux vaudrait
Une louve affamée en quelque âpre forêt.
Ce que je dis ici, je le prouve en exemple.
J'entre donc en matière, et, sans discours plus ample,
Ecoutez une histoire.

　　　　　Un mardi, cet été,
Vers deux heures de nuit, si vous aviez été
Place San-Bernardo, contre la jalousie
D'une fenêtre en brique, à frange cramoisie,
Et que, le cerveau mû de quelque esprit follet,
Vous eussiez regardé par le trou du volet,
Vous auriez vu, d'abord, une chambre tigrée,
De candélabres d'or ardemment éclairée;
Des marbres, des tapis montant jusqu'aux lambris;
Çà et là, les flacons d'un souper en débris;
Des vins, mille parfums; à terre, une mandore
Qu'on venait de quitter, et frémissant encore,
De même que le sein d'une femme frémit
Après qu'elle a dansé. — Tout était endormi;
La lune se levait; sa lueur souple et molle,
Glissant aux trèfles gris de l'ogive espagnole,
Sur les pâles velours et le marbre changeant
Mêlait aux flammes d'or ses longs rayons d'argent.

Si bien que, dans le coin le plus noir de la chambre,
Sur un lit incrusté de bois de rose et d'ambre,
En y regardant bien, frère, vous auriez pu,
Dans l'ombre transparente, entrevoir un pied nu.
— Certes, l'Espagne est grande, et les femmes d'Es-
                                          [pagne
Sont belles; mais il n'est château, ville ou campagne,
Qui, contre ce pied-là, n'eût en vain essayé
(Comme dans *Cendrillon*) de mesurer un pied.
Il était si petit, qu'un enfant l'eût pu prendre
Dans sa main. — N'allez pas, frère, vous en sur-
La dame dont ici j'ai dessein de parler   [prendre;
Etait de ces beautés qu'on ne peut égaler :
Sourcils noirs, blanches mains, et pour la petitesse
De ses pieds, elle était Andalouse et comtesse.

Cependant, les rideaux, autour d'elle tremblant,
La laissaient voir pâmée aux bras de son galant;
Œil humide, bras morts, tout respirait en elle
Les langueurs de l'amour, et la rendait plus belle.
Sa tête avec ses seins roulait dans ses cheveux,
Pendant que sur son corps mille traces de feux,
Que sa joue empourprée, et ses lèvres arides,
Qui se pressaient encor, comme en des baisers vides,
Et son cœur gros d'amour, plus fatigué qu'éteint,
Tout d'une folle nuit vous eût rendu certain.
Près d'elle, son amant, d'un œil plein de caresse,
Cherchant l'œil de faucon de sa jeune maîtresse,
Se penchait sur sa bouche, ardent à l'apaiser,
Et pour chaque sanglot lui rendait un baiser.
Ainsi passait le temps. — Sur la place moins sombre,
Déjà le blanc matin faisant grisonner l'ombre,

L'horloge d'un couvent s'ébranla lentement;
Sur quoi le jouvenceau courut, en un moment,
D'abord à son habit, ensuite à son épée;
Puis, voyant sa beauté de pleurs toute trempée :
« Allons, mon adorée, un baiser, et bonsoir!
— Déjà partir, méchant! — Bah! je viendrai vous voir
Demain, midi sonnant; adieu, mon amoureuse!
— Don Paez; don Paez! Certe, elle est bien heureuse,
La galante pour qui vous me laissez sitôt.
— Mauvaise! vous savez qu'on m'attend au château.
Ma galante, ce soir, mort-Dieu, c'est ma guérite.
— Eh! pourquoi donc alors l'aller trouver si vite?
Par quel serment d'enfer êtes-vous donc lié?
— Il le faut. Laisse-moi baiser ton petit pied!
— Mais regardez un peu, qu'un lit de bois de rose,
Des fleurs, une maîtresse, une alcôve bien close,
Tout cela ne vaut pas, pour un fin cavalier,
Une vieille guérite au coin d'un vieux pilier!
— La belle épaule blanche, ô ma petite fée!
Voyons, un beau baiser. — Comme je suis coiffée!
Vous êtes un vilain! — La paix! Adieu, mon cœur;
Là, là, ne faites pas ce petit air boudeur.
Demain, c'est jour de fête, un tour de promenade,
Veux-tu? — Non, ma jument anglaise est trop malade.
— Adieu donc; que le diable emporte ta jument!
— Don Paez! mon amour, reste encore un moment.
— Ma charmante, allez-vous me faire une querelle?
Ah! je m'en vais si bien vous décoiffer, ma belle,
Qu'à vous peigner, demain, vous passerez un jour!
— Allez-vous-en, vilain! — Adieu, mon seul amour! »
Il jeta son manteau sur sa moustache blonde,
Et sortit; l'air était doux, et la nuit profonde;
Il détourna la rue à grands pas, et le bruit
De ses éperons d'or se perdit dans la nuit.

Oh! dans cette saison de verdure et de force,
Où la chaude jeunesse, arbre à la rude écorce,
Couvre tout de son ombre, horizon et chemin,
Heureux, heureux celui qui frappe de la main
Le col d'un étalon rétif, ou qui caresse
Les seins étincelants d'une folle maîtresse [1].

II

Don Paez, l'arme au bras, est sur les arsenaux;
Seul, en silence, il passe au revers des créneaux;
On le voit comme un point; il fume son cigare
En route, et d'heure en heure, au bruit de la fanfare,
Il mêle sa réponse au qui-vive effrayant
Que des lansquenets gris s'en vont partout criant.
Près de lui, çà et là, ses compagnons de guerre,
Les uns dans leurs manteaux s'endormant sur la terre,
D'autres jouant aux dés. — Propos, récits d'amours,
Et le vin (comme on pense), et les mauvais discours
N'y manquent pas. — Pendant que l'un fait, après
Sur quelque brave fille une méchante histoire, [boire,
L'autre chante à demi, sur la table accoudé.
Celui-ci, de travers examinant son dé,
A chaque coup douteux grince dans sa moustache.
Celui-là, relevant le coin de son panache,
Fait le beau parleur, jure; un autre, retroussant
Sa barbe à moitié rouge, aiguisée en croissant,
Se verse d'un poignet chancelant, et se grise
A la santé du roi, comme un chantre d'église.
Pourtant un maigre suif, allumé dans un coin,
Chancelle sur la nappe à chaque coup de poing.
Voici donc qu'au milieu des rixes, des injures,

Des bravos, des éclats qu'allument les gageures,
L'un d'eux : « Messieurs, dit-il, vous êtes gens du roi,
Braves gens, cavaliers volontaires. — Bon. — Moi,
Je vous déclare ici trois fois gredin et traître,
Celui qui ne va pas proclamer, reconnaître,
Que les plus belles mains qu'en ce chien de pays
On puisse voir encor de Burgos à Cadix,
Sont celles de dona Cazales de Séville,
Laquelle est ma maîtresse, au dire de la ville! »

Ces mots, à peine dits, causèrent un haro
Qui du prochain couvent ébranla le carreau.
Il n'en fut pas un seul qui de bonne fortune
Ne se dît passé maître, et n'en vantât quelqu'une :
Celle-ci pour ses pieds, celle-là pour ses yeux;
L'autre c'était la taille, et l'autre les cheveux.
Don Paez, cependant, debout et sans parole,
Souriait; car, le sein plein d'une ivresse folle,
Il ne pouvait fermer ses paupières sans voir
Sa maîtresse passer, blanche avec un œil noir!

« Messieurs, cria d'abord notre moustache rousse,
La petite Inésille est la peau la plus douce
Où j'aie encor frotté ma barbe jusqu'ici.
— Monsieur, dit un voisin rabaissant son sourcil,
Vous ne connaissez pas l'Arabelle; elle est brune
Comme un jais. — Quant à moi, je n'en puis citer
                                        [une,
Dit quelqu'un, j'en ai trois. — Frères, cria de loin
Un dragon jaune et bleu qui dormait dans du foin,
Vous m'avez éveillé; je rêvais à ma belle.
— Vrai, mon petit ribaud! dirent-ils, quelle est-elle? »
Lui, bâillant à moitié : « Par Dieu! c'est l'Orvado,
Dit-il, la Juana, place San-Bernardo. »

Dieu fit que don Paez l'entendit; et la fièvre
Le prenant aux cheveux, il se mordit la lèvre :
« Tu viens là de lâcher quatre mots imprudents,
Mon cavalier, dit-il, car tu mens par tes dents!
La comtesse Juana d'Orvado n'a qu'un maître,
Tu peux le regarder, si tu veux le connaître.
— Vrai? reprit le dragon; lequel de nous ici
Se trompe? Elle est à moi, cette comtesse aussi.
— Toi? s'écria Paez; mousqueton d'écurie,
Prendras-tu ton épée, ou s'il faut qu'on t'en prie?
Elle est à toi, dis-tu? Don Etur! sais-tu bien
Que j'ai suivi quatre ans son ombre comme un chien?
Ce que j'ai fait ainsi, penses-tu que le fasse
Ce peu de hardiesse empreinte sur ta face,
Lorsque j'en saigne encor, et qu'à cette douleur
J'ai pris ce que mon front a gardé de pâleur?
— Non, mais je sais qu'en tout, bouquets et sérénades,
Elle m'a bien coûté deux ou trois cents cruzades.
— Frère, ta langue est jeune et facile à mentir.
— Ma main est jeune aussi, frère, et rude à sentir.
— Que je la sente donc, et garde que ta bouche
Ne se rouvre une fois, sinon je te la bouche
Avec ce poignard, traître, afin d'y renfoncer
Les faussetés d'enfer qui voudraient y passer.
— Oui-da! celui qui parle avec tant d'arrogance,
A défaut de son droit, prouve sa confiance;
Et quand avons-nous vu la belle? Justement
Cette nuit?

       — Ce matin.

                 — Ta lèvre sûrement
N'a pas de ses baisers sitôt perdu la trace?
— Je vais te les cracher, si tu veux, à la face.
— Et ceci, dit Etur, ne t'est pas inconnu? »

Comme, à cette parole, il montrait son sein nu,
Don Paez, sur son cœur, vit une mèche noire
Que gardait sous du verre un médaillon d'ivoire;
Mais dès que son regard, plus terrible et plus prompt
Qu'une flèche, eut atteint le redoutable don,
Il recula soudain de douleur et de haine,
Comme un taureau qu'un fer a piqué dans l'arène :
« Jeune homme, cria-t-il, as-tu dans quelque lieu
Une mère, une femme? ou crois-tu pas en Dïeu?
Jure-moi par ton Dieu, par ta mère et ta femme,
Par tout ce que tu crains, par tout ce que ton âme
Peut avoir de candeur, de franchise et de foi,
Jure que ces cheveux sont à toi, rien qu'à toi!
Que tu ne les as pas volés à ma maîtresse,
Ni trouvés, — ni coupés par derrière à la messe!
— J'en jure, dit l'enfant, ma pipe et mon poignard.
— Bien! reprit don Paez, le traînant à l'écart,
Viens ici, je te crois quelque vigueur à l'âme.
En as-tu ce qu'il faut pour tuer une femme?
— Frère, dit don Etur, j'en ai trois fois assez
Pour donner leur paiement à tous serments faussés.
— Tu vois, prit don Paez, qu'il faut qu'un de nous
                                        [meure.
Jurons donc que celui qui sera dans une heure
Debout, et qui verra le soleil de demain,
Tuera la Juana d'Orvado de sa main.
— Tope, dit le dragon, et qu'elle meure, comme
Il est vrai qu'elle va causer la mort d'un homme. »
Et sans vouloir pousser son discours plus avant,
Comme il disait ce mot, il mit la dague au vent.
Comme on voit dans l'été, sur les herbes fauchées [1],
Deux louves, remuant les feuilles desséchées,
S'arrêter face à face, et se montrer la dent;
La rage les excite au combat; cependant

Elles tournent en rond lentement, et s'attendent;
Leurs mufles amaigris l'un vers l'autre se tendent.
Tels, et se renvoyant de plus sombres regards,
Les deux rivaux penchés, sur le bord des remparts,
S'observent; — par instants entre leur main rapide
S'allume sous l'acier un éclair homicide.
Tandis qu'à la lueur des flambeaux incertains,
Tous viennent à voix basse agiter leurs destins,
Eux, muets, haletants vers une mort hâtive,
Pareils à des pêcheurs courbés sur une rive,
Se poussent à l'attaque, et, prompts à riposter,
Par l'injure et le fer tâchent de s'exciter.
Etur est plus ardent, mais don Paez plus ferme.
Ainsi que sous son aile un cormoran s'enferme,
Tel il s'est enfermé sous sa dague; — le mur
Le soutient; à le voir, on dirait à coup sûr
Une pierre de plus dans les pierres gothiques
Qu'agitent les falots en spectres fantastiques.
Il attend. — Pour Etur, tantôt d'un pied hardi,
Comme un jeune jaguar, en criant il bondit;
Tantôt calme à loisir, il le touche et le raille,
Comme pour l'exciter à quitter la muraille.

Le manège fut long. Pour plus d'un coup perdu,
Plus d'un bien adressé fut aussi bien rendu,
Et déjà leurs cuissards, où dégouttaient des larmes,
Laissaient voir clairement qu'ils saignaient sous leurs
Don Paez le premier, parmi tous ces débats,   [armes.
Voyant qu'à ce métier ils n'en finissaient pas :
« A toi, dit-il, mon brave! et que Dieu te pardonne! »
Le coup fut mal porté, mais la botte était bonne;
Car c'était une botte à lui rompre du coup,
S'il l'avait attrapé, la tête avec le cou.

Etur l'évita donc, non sans peine, et l'épée
Se brisa sur le sol, dans son effort trompée.
Alors, chacun saisit au corps son ennemi,
Comme après un voyage on embrasse un ami.
— Heur et malheur! On vit ces deux hommes
[s'étreindre
Si fort que l'un et l'autre ils faillirent s'éteindre,
Et qu'à peine leur cœur eut pour un battement
Ce qu'il fallait de place en cet embrassement.
— Effroyable baiser! — où nul n'avait d'envie
Que de vivre assez long [1] pour prendre une autre vie;
Où chacun, en mourant, regardait l'autre, et si,
En le faisant râler, il râlait bien aussi;
Où, pour trouver au cœur les routes les plus sûres
Les mains avaient du fer, les bouches des morsures.
— Effroyable baiser! — Le plus jeune en mourut.
Il blêmit tout à coup comme un mort, et l'on crut,
Quand on voulut après le tirer à la porte,
Qu'on ne pourrait jamais, tant l'étreinte était forte,
Des bras de l'homicide ôter le trépassé.
— C'est ainsi que mourut Etur de Guadassé.

Amour, fléau du monde, exécrable folie [2],
Toi qu'un lien si frêle à la volupté lie,
Quand par tant d'autres nœuds tu tiens à la douleur,
Si jamais, par les yeux d'une femme sans cœur,
Tu peux m'entrer au ventre et m'empoisonner l'âme,
Ainsi que d'une plaie on arrache une lame,
Plutôt que comme un lâche on me voie en souffrir,
Je t'en arracherai, quand j'en devrais mourir.

III

Connaîtriez-vous point, frère, dans une rue
Déserte, une maison sans porte, à moitié nue,
Près des barrières, triste; — on n'y voit jamais rien,
Sinon un pauvre enfant fouettant un maigre chien;
Des lucarnes sans vitre, et par le vent cognées,
Qui pendent, comme font des toiles d'araignées;
Des pignons délabrés, où glisse par moment
Un lézard au soleil; — d'ailleurs, nul mouvement.
Ainsi qu'on voit souvent, sur le bord des marnières,
S'accroupir vers le soir de vieilles filandières,
Qui, d'une main calleuse agitant leur coton,
Faibles, sur leur genou laissent choir leur menton;
De même l'on dirait que, par l'âge lassée,
Cette pauvre maison, honteuse et fracassée,
S'est accroupie un soir au bord de ce chemin.
C'est là que don Paez, le lendemain matin,
Se rendait. — Il monta les marches inégales,
Dont la mousse et le temps avaient rompu les dalles.
— Dans une chambre basse, après qu'il fut entré,
Il regarda d'abord d'un air mal assuré.
Point de lit au dedans. — Une fumée étrange
Seule dans ce taudis atteste qu'on y mange.
Ici, deux grands bahuts, des tabourets boiteux,
Cassant à tout propos quand on s'assoit sur eux;
— Des pots; — mille haillons; — et sur la cheminée,
Où chantent les grillons la nuit et la journée,
Quatre méchants portraits pendus, représentant
Des faces qui feraient fuir en enfer Satan.
« Femme, dit don Paez, es-tu là? » Sur la porte
Pendait un vieux tapis de laine rousse, en sorte

Que le jour en tout point trouait le canevas;
Pour l'écarter du mur, Paez leva le bras.

« Entre », répond alors une voix éraillée.
Sur un mauvais grabat, de lambeaux habillée,
Une femme, pieds nus, découverte à moitié,
Gisait. — C'était horreur de la voir, — et pitié.
Peut-être qu'à vingt ans elle avait été belle;
Mais un précoce automne avait passé sur·elle;
Et noire comme elle est, on dirait à son teint,
Que sur son front hâlé ses cheveux ont déteint.
A dire vrai, c'était une fille de joie.
Vous l'eussiez vue un temps en basquine de soie,
Et l'on se retournait quand, avec son grelot,
La Belisa [1] passait sur sa mule au galop.
C'étaient des boléros, des fleurs, des mascarades.
La misère aujourd'hui l'a prise. — Les alcades,
Connaissant le taudis pour triste et mal hanté,
La laissent sous son toit mourir par charité.
Là, depuis quelques ans, elle traîne une vie
Que soutient à grand'peine une sale industrie :
Elle passe à Madrid pour sorcière, et les gens
Du peuple vont la voir à l'insu des sergents.

Don Paez, cependant, hésitant à sa vue,
Elle lui tend les bras, et sur sa gorge nue,
Qui se levait encor pour un embrassement,
Elle veut l'attirer.

DON PAEZ

                    Quatre mots seulement,
Vieille. — Me connais-tu? Prends cette bourse, et songe
Que je ne veux de toi ni conte ni mensonge.

BELISA

De l'or, beau cavalier? Je sais ce que tu veux;
Quelque fille de France, avec de beaux cheveux
Bien blonds! — J'en connais une.

DON PAEZ

                    Elle perdrait sa peine;
Je n'ai plus maintenant d'amour que pour ma haine.

BELISA

Ta haine? Ah! je comprends. — C'est quelque
                         [trahison;
Ta belle t'a fait faute, et tu veux du poison.

DON PAEZ

Du poison, j'en voulais d'abord. — Mais la blessure
D'un poignard est, je crois, plus profonde et plus sûre.

BELISA

Mon fils, ta main est faible encore; — tu manqueras
Ton coup, et mon poison ne le manquera pas.
Regarde comme il est vermeil; il donne envie
D'y goûter; — on dirait que c'est de l'eau-de-vie.

DON PAEZ

Non. — Je ne voudrais pas, vois-tu, la voir mourir
Empoisonnée; — on a trop longtemps à souffrir.
Il faudrait rester là deux heures, et peut-être
L'achever. — Ton poison, c'est une arme de traître;
C'est un chat qui mutile et qui tue à plaisir
Un misérable rat dont il a le loisir.
Et puis cet attirail, cette mort si cruelle,
Ces sanglots, ces hoquets. — Non, non; elle est trop
                         [belle!

Elle mourra d'un coup.

BELISA

Alors que me veux-tu?

DON PAEZ

Ecoute. — A-t-on raison de croire à la vertu
Des philtres? — Dis-moi vrai.

BELISA

Vois-tu sur cette planche
Ce flacon de couleur brune, où trempe une branche?
Approches-en ta lèvre, et tu sauras après
Si les discours qu'on tient sur les philtres sont vrais.

DON PAEZ

Donne. — Je vais t'ouvrir ici toute mon âme :
Après tout, vois-tu bien, je l'aime, cette femme.
Un cep, depuis cinq ans planté dans un rocher,
Tient encore assez ferme à qui veut l'arracher.
C'est ainsi, Belisa, qu'au cœur de ma pensée
Tient et résiste encor cette amour insensée.
Quoi qu'il en soit, il faut que je frappe. — Et j'ai peur
De trembler devant elle.

BELISA

As-tu si peu de cœur?

DON PAEZ

Elle mourra, sorcière, en m'embrassant.

BELISA

Ecoute.
Es-tu bien sûr de toi? Sais-tu ce qu'il en coûte
Pour boire ce breuvage?

Don Paez

En meurt-on ?

Belisa

Tu seras
Tout d'abord comme pris de vin. — Tu sentiras
Tous tes esprits flottants, comme une langueur sourde
Jusqu'au fond de tes os, et ta tête si lourde
Que tu la croirais prête à choir à chaque pas. —
Tes yeux se lasseront, — et tu t'endormiras : —
Mais d'un sommeil de plomb, sans mouvement, sans
[rêve.
C'est pendant ce moment que le charme s'achève.
Dès qu'il aura cessé, mon fils, quand tu serais
Plus cassé qu'un vieillard, ou que dans les forêts
Sont ces vieux sapins morts qu'en marchant le pied
Et que par les fossés s'en va poussant la bise, [brise,
Tu sentiras ton cœur bondir de volupté,
Et les anges du ciel marcher à ton côté!

Don Paez

Et souffre-t-on beaucoup pour en mourir ensuite?

Belisa

Oui, mon fils.

Don Paez

Donne-moi ce flacon. — Meurt-on vite?

Belisa

Non. — Lentement.

Don Paez

Adieu, ma mère!

Le flacon

Vide, il le reposa sur le bord du balcon. —
Puis tout à coup, stupide, il tomba sur la dalle,
Comme un soldat blessé que renverse une balle.
« Viens, dit la Belisa l'attirant, viens dormir
Dans mes bras, et demain tu viendras y mourir. »

IV

Comme elle est belle au soir, aux rayons de la lune,
Peignant sur son col blanc sa chevelure brune!
Sous la tresse d'ébène on dirait, à la voir,
Une jeune guerrière avec un casque noir!
Son voile déroulé plie et s'affaisse à terre.
Comme elle est belle et noble! et comme, avec mystère,
L'attente du plaisir et le moment venu
Font sous son collier d'or frissonner son sein nu!
Elle écoute. — Déjà, dressant mille fantômes,
La nuit comme un serpent se roule autour des dômes;
Madrid, de ses mulets écoutant les grelots,
Sur son fleuve endormi promène ses falots.
— On croirait que, féconde en rumeurs étouffées,
La ville s'est changée en un palais de fées,
Et que tous ces granits dentelant les clochers
Sont aux cimes des toits des follets accrochés.
La senora, pourtant, contre sa jalousie,
Collant son front rêveur à sa vitre noircie,
Tressaille chaque fois que l'écho d'un pilier
Répète derrière elle un pas dans l'escalier.

— Oh! comme à cet instant bondit un cœur de
Quand l'unique pensée où s'abîme son âme [femme!
Fuit et grandit sans cesse, et devant son désir
Recule comme une onde, impossible à saisir!
Alors, le souvenir excitant l'espérance,
L'attente d'être heureux devient une souffrance;
Et l'œil ne sonde plus qu'un gouffre éblouissant [1],
Pareil à ceux qu'en songe Alighieri descend.
Silence! — Voyez-vous, le long de cette rampe,
Jusqu'au faîte en grimpant tournoyer une lampe?
On s'arrête; — on l'éteint. — Un pas précipité
Retentit sur la dalle, et vient de ce côté.
— Ouvre la porte, Inès, et vois-tu pas, de grâce,
Au bas de la poterne un manteau gris qui passe?
Vois-tu sous le portail marcher un homme armé?
C'est lui, c'est don Paez! — Salut, mon bien-aimé!

Don Paez

Salut; — que le Seigneur vous tienne sous son aide!

Juana

Etes-vous donc si las, Paez, ou suis-je laide,
Que vous ne venez pas m'embrasser aujourd'hui?

Don Paez

J'ai bu de l'eau-de-vie à dîner, je ne puis.

Juana

Qu'avez-vous, mon amour? pourquoi fermer la porte
Au verrou? don Paez a-t-il peur que je sorte?

Don Paez

C'est plus aisé d'entrer que de sortir d'ici.

JUANA

Vous êtes pâle, ô ciel! Pourquoi sourire ainsi?

DON PAEZ

Tout à l'heure, en venant, je songeais qu'une femme
Qui trahit son amour, Juana, doit avoir l'âme
Faite de ce métal faux dont sont fabriqués
La mauvaise monnaie et les écus marqués.

JUANA

Vous avez fait un rêve aujourd'hui, je suppose?

DON PAEZ

Un rêve singulier. — Donc, pour suivre la chose,
Cette femme-là doit, disais-je, assurément,
Quelquefois se méprendre et se tromper d'amant.

JUANA

M'oubliez-vous, Paez, et l'endroit où nous sommes?

DON PAEZ

C'est un péché mortel, Juana, d'aimer deux hommes.

JUANA

Hélas! rappelez-vous que vous parlez à moi.

DON PAEZ

Oui, je me le rappelle; oui, par la sainte foi,
Comtesse!

JUANA

Dieu! vrai Dieu! quelle folie étrange
Vous a frappé l'esprit, mon bien-aimé! mon ange!

C'est moi, c'est ta Juana. — Tu ne le connais pas,
Ce nom qu'hier encor tu disais dans mes bras?
Et nos serments, Paez, nos amours infinies!
Nos nuits, nos belles nuits! nos belles insomnies!
Et nos larmes, nos cris dans nos fureurs perdus!
Ah! mille fois malheur, il ne s'en souvient plus!

Et comme elle parlait ainsi, sa main ardente
Du jeune homme au hasard saisit la main pendante.
Vous l'eussiez vu soudain pâlir et reculer,
Comme un enfant transi qui vient de se brûler.
« Juana, murmura-t-il, tu l'as voulu! » Sa bouche
N'en put dire plus long, car déjà sur la couche
Ils se tordaient tous deux, et sous les baisers nus
Se brisaient les sanglots du fond du cœur venus.
Oh! comme, ensevelis dans leur amour profonde,
Ils oubliaient le jour, et la vie, et le monde!
C'est ainsi qu'un nocher, sur les flots écumeux,
Prend l'oubli de la terre à regarder les cieux!
Mais, silence! écoutez. — Sur leur sein qui se froisse,
Pourquoi ce sombre éclair, avec ces cris d'angoisse?
Tout se tait. — Qui les trouble, ou qui les a surpris?
— Pourquoi donc cet éclair, et pourquoi donc ces cris?
— Qui le saura jamais? — Sous une nue obscure
La lune a dérobé sa clarté faible et pure. —
Nul flambeau, nul témoin que la profonde nuit
Qui ne raconte pas les secrets qu'on lui dit.
Qui le saura? — Pour moi, j'estime qu'une tombe
Est un asile sûr où l'espérance tombe,
Où pour l'éternité l'on croise les deux bras,
Et dont les endormis ne se réveillent pas.

PORTIA [1]

> Qu'est le hasard? — C'est le marbre qui
> reçoit la vie des mains du statuaire. La Pro-
> vidence donne le hasard.
>
> S<small>CHILLER</small> [2].

I

L<small>ES</small> premières clartés du jour avaient rougi
L'Orient, quand le comte Onorio Luigi
Rentra du bal masqué. — Fatigue ou nonchalance,
La comtesse à son bras s'appuyait en silence,
Et d'une main distraite écartait ses cheveux
Qui tombaient en désordre, et voilaient ses beaux
                                        [yeux.
Elle s'alla jeter, en entrant dans la chambre,
Sur le bord de son lit. — On était en décembre,
Et déjà l'air glacé des longs soirs de janvier
Soulevait par instant la cendre du foyer.
Luigi n'approcha pas toutefois de la flamme
Qui l'éclairait de loin. — Il regardait sa femme;
Une idée incertaine et terrible semblait
Flotter dans son esprit, que le sommeil troublait.
Le comte commençait à vieillir. — Son visage
Paraissait cependant se ressentir de l'âge
Moins que des passions qui l'avaient agité.
C'était un Florentin; jeune, il avait été
Ce qu'on appelle à Rome un coureur d'aventure [3]
Débauché par ennui, mais triste par nature,
Voyant venir le temps, il s'était marié;
Si bien qu'ayant tout vu, n'ayant rien oublié, —

Pourquoi ne pas le dire? il était jaloux. — L'homme
Qui vit sans jalousie, en ce bas monde, est comme
Celui qui dort sans lampe; il peut sentir le bras
Qui vient pour le frapper, mais il ne le voit pas.

Pour le palais Luigi, la porte en était libre.
Le comte eût mis en quatre et jeté dans le Tibre
Quiconque aurait osé toucher sa femme au pied;
Car nul pouvoir humain, quand il avait prié,
Ne l'eût fait d'un instant différer ses vengeances.
Il avait acheté du ciel ses indulgences;
On le disait du moins. — Qui dans Rome eût pensé
Qu'un tel homme pût être impunément blessé?
Mariée à quinze ans, noble, riche, adorée,
De tous les biens du monde à loisir entourée,
N'ayant dès le berceau connu qu'une amitié,
Sa femme ne l'avait jamais remercié;
Mais quel soupçon pouvait l'atteindre? Et qu'était-elle,
Sinon la plus loyale et la moins infidèle
Des épouses?

               Luigi s'était levé. Longtemps
Il parut réfléchir en marchant à pas lents.
Enfin, s'arrêtant court : « Portia, vous êtes lasse,
Dit-il, car vous dormez tout debout. — Moi, de grâce?
Prit-elle [1] en rougissant; oui, j'ai beaucoup dansé.
Je me sens défaillir malgré moi. — Je ne sais,
Reprit Onorio, quel était ce jeune homme
En manteau noir; il est depuis deux jours à Rome.
Vous a-t-il adressé la parole? — De qui
Parlez-vous, mon ami? dit Portia. — De celui
Qui se tenait debout à souper, ce me semble,
Derrière vous; j'ai cru vous voir parler ensemble.

Vous a-t-on dit quel est son nom? — Je n'en sais rien
Plus que vous, dit Portia. — Je l'ai trouvé très bien,
Dit Luigi, n'est-ce pas? Et gageons qu'à cette heure,
Il n'est pas comme vous défaillant, que je meure;
Joyeux plutôt. — Joyeux? sans doute; et d'où vous
                                            [vient,
S'il vous plaît, ce dessein d'en parler qui vous tient?
— Et, prit Onorio, d'où ce dessein contraire,
Lorsque j'en viens parler, de vous en vouloir taire?
Le propos en est-il étrange? Assurément
Plus d'un méchant parleur le tient en ce moment.
Rien n'est plus curieux ni plus gai, sur mon âme,
Qu'un manteau noir au bal. — Mon ami, dit la dame,
Le soleil va venir tout à l'heure, pourquoi
Demeurez-vous ainsi? Venez auprès de moi.
— J'y viens, et c'est le temps, vrai Dieu, que l'on
De quitter son habit quand le soleil se lève! [achève
Dormez si vous voulez, mais tenez pour certain
Que je n'ai pas sommeil quand il est si matin.
— Quoi, me laisser ainsi toute seule? J'espère
Que non, — n'ayant rien fait, seigneur, pour vous
                                         [déplaire.
— Madame », dit Luigi s'avançant quatre pas [1], —
Et comme hors du lit pendait un de ses bras,
De même que l'on voit d'une coupe approchée
Se saisir ardemment une lèvre séchée,
Ainsi vous l'auriez vu sur ce bras endormi
Mettre un baiser brûlant, — puis, tremblant à demi :
« Tu ne le connais pas, ô jeune Vénitienne!
Ce poison florentin qui consume une veine,
La dévore, et ne veut qu'un mot pour arracher
D'un cœur d'homme dix ans de joie, et dessécher
Comme un marais impur ce premier bien de l'âme,

Qui fait l'amour d'un homme, et l'honneur d'une
[femme!
Mal sans fin, sans remède, affreux, que j'ai sucé
Dans le lait de ma mère, et qui rend insensé.
— Quel mal? dit Portia.
       — C'est quand on dit d'un homme
Qu'il est jaloux. Ceux-là, c'est ainsi qu'on les nomme.
— Maria! dit l'enfant, est-ce de moi, mon Dieu!
Que vous seriez jaloux?
       — Moi, madame! à quel lieu?
Jaloux? vous l'ai-je dit! sur la foi de mon âme,
Aucunement! jaloux pourquoi donc? Non, madame,
Je ne suis pas jaloux; allez, dormez en paix. »

Comme il s'éloignait d'elle à ce discours, après
Qu'il se fut au balcon accoudé d'un air sombre
(Et le croissant déjà pâlissait avec l'ombre),
En regardant sa femme, il vit qu'elle fermait
Ses bras sur sa poitrine, et qu'elle s'endormait.

Qui ne sait que la nuit a des puissances telles,
Que les femmes y sont, comme les fleurs, plus belles,
Et que tout vent du soir qui les peut effleurer
Leur enlève un parfum plus doux à respirer?
Ce fut pourquoi, nul bruit ne frappant son ouïe,
Luigi, qui l'admirait si fraîche épanouie,
Si tranquille, si pure, œil mourant, front penché,
Ainsi qu'un jeune faon dans les hauts blés couché,
Sentit ceci, — qu'au front d'une femme endormie,
Il n'est âme si rude et si bien affermie
Qui ne trouve de quoi voir son plus dur chagrin
Se fondre comme au feu d'une flamme l'airain.

Car, à qui s'en fier, mon Dieu! si la nature
Nous fait voir à sa face une telle imposture,
Qu'il faille séparer la créature en deux,
Et défendre son cœur de l'amour de ses yeux!

Cependant que, debout dans son antique salle,
Le Toscan sous sa lampe inclinait son front pâle,
Au pied de son balcon il crut entendre, au long
Du mur, une voix d'homme, avec un violon. —
Sur quoi, s'étant sans bruit avancé sous la barre [1],
Il vit distinctement deux porteurs de guitare, —
L'un inconnu, — pour l'autre, il n'en pouvait douter,
C'était son manteau noir, — il le voulut guetter.
Pourtant rien ne trahit ce qu'en sentit son âme,
Sinon qu'il mit la main lentement à sa lame,
Comme pour éprouver, la tirant à demi,
Qu'ayant là deux rivaux, il avait un ami. —

Tout se taisait. Il prit le temps de reconnaître
Les traits du cavalier; puis, fermant sa fenêtre
Sans bruit, et sans que rien sur ses traits eût changé,
Il vit si dans le lit sa femme avait bougé.
— Elle était immobile, et la nuit défaillante
La découvrait au jour plus belle et plus riante.
Donc notre Florentin, ayant dit ses avés
Du soir, se mit au lit. — Frère, si vous avez
Par le monde jamais vu quelqu'un de Florence,
Et de son sang en lui pris quelque expérience,
Vous savez que la haine en ce pays n'est pas
Un géant comme ici fier et levant le bras;
C'est une empoisonneuse en silence accroupie
Au revers d'un fossé, qui de loin vous épie,
Boiteuse, retenant son souffle avec sa voix,
Et, crainte de faillir, s'y prenant à deux fois.

II

L'église était déserte, et les flambeaux funèbres
Croisaient en chancelant leurs feux dans les ténèbres,
Quand le jeune étranger s'arrêta sur le seuil.
Sa main n'écarta pas son long manteau de deuil
Pour puiser l'eau bénite au bord de l'urne sainte.
Il entra sans respect dans la divine enceinte,
Mais aussi sans mépris. — Quelques religieux
Priaient bas, et le chœur était silencieux.
Les orgues se taisaient, les lampes immobiles
Semblaient dormir en paix sous les voûtes tranquilles;
Un écho prolongé répétait chaque pas.
Solitudes de Dieu! qui ne vous connaît pas?
Dômes mystérieux, solennité sacrée,
Quelle âme, en vous voyant, est jamais demeurée
Sans doute ou sans terreur? — Toutefois devant vous
L'inconnu ne baissa le front ni les genoux.
Il restait en silence et comme dans l'attente.
— L'heure sonne. — Ce fut une femme tremblante
De vieillesse sans doute, ou de froid (car la nuit
Etait froide), qui vint à lui. « Le temps s'enfuit,
Dit-il, entendez-vous le coq chanter? La rue
Paraît déserte encor, mais l'ombre diminue;
Marchez donc devant moi. » La vieille répliqua :
« Voici la clef; allez jusqu'à ce mur, c'est là
Qu'on vous attend; allez vite, et faites en sorte
Qu'on vous voie. — Merci », dit l'étranger. — La   [porte
Retomba lentement derrière lui. « Le ciel
Les garde! » dit la vieille en marchant à l'autel.

Où donc, noble jeune homme, à cette heure où les
                                              [ombres
Sous les pieds du passant tendent leurs voiles sombres,
Où donc vas-tu si vite? et pourquoi ton coursier
Fait-il jaillir le feu de l'étrier d'acier?
Ta dague bat tes flancs, et ta tempe ruisselle :
Jeune homme, où donc vas-tu? qui te pousse ou
                                              [t'appelle?
Pourquoi comme un fuyard sur l'arçon te courber?
Frère, la terre est grise, et l'on y peut tomber.
Pourtant ton serviteur fidèle, hors d'haleine,
Voit de loin ton panache, et peut le suivre à peine.
Que Dieu soit avec toi, frère, si c'est l'amour
Qui t'a dans l'ombre ainsi fait devancer le jour!
L'amour sait tout franchir, et bienheureux qui laisse
La sueur de son front aux pieds de sa maîtresse!
Nulle crainte en ton cœur, nul souci du danger,
Va! — Car ce qui t'attend là-bas, jeune étranger,
Que ce soit une main à la tienne tendue,
Que ce soit un poignard au tournant d'une rue,
Qu'importe? — Va toujours, frère, Dieu seul est grand!
Mais, près de ce palais, pourquoi ton œil errant
Cherche-t-il donc à voir et comme à reconnaître
Ce kiosque, à la nuit close entr'ouvrant sa fenêtre?
Tes vœux sont-ils si haut et si loin avancés?
Jeune homme, songes-y; ce réduit, tu le sais,
Se tient plus invisible à l'œil, que la pensée
Dans le cœur de son maître, inconnue et glacée.
Pourtant au pied du mur, sous les arbres caché,
Comme un chasseur, l'oreille au guet, tu t'es penché.
D'où partent ces accents? et quelle voix s'élève
Entre ces barreaux, douce et faible comme un rêve?

« Dalti, mon cher trésor, mon amour, est-ce toi? —
Portia? flambeau du ciel! Portia, ta main; c'est moi. »

Rien de plus. — Et déjà sur l'échelle de soie
Une main l'attirait, palpitante de joie;
Déjà deux bras ardents, de baisers enchaîné,
L'avaient comme une proie à l'alcôve traîné.

O vieillards décrépits! têtes chauves et nues!
Cœurs brisés, dont le temps ferme les avenues!
Centenaires voûtés, spectres à chef branlant,
Qui, pâles au soleil, cheminez d'un pied lent!
C'est vous qu'ici j'invoque, et prends en témoignage.
Vous n'avez pas toujours été sans vie, et l'âge
N'a pas toujours plié de ses mains de géant
Votre front à la terre, et votre âme au néant!
Vous avez eu des yeux, des bras et des entrailles!
Dites-nous donc, avant que de vos funérailles
L'heure vous vienne prendre, ô vieillards, dites-nous
Comme un cœur à vingt ans bondit au rendez-vous!

« Amour, disait l'enfant, après que, demi-nue,
Elle s'était, mourante, à ses pieds étendue,
Vois-tu comme tout dort? Que ce silence est doux!
Dieu n'a dans l'univers laissé vivre que nous. »
Puis elle l'admirait avec un doux sourire,
Comme elles font toujours. Quelle femme n'admire
Ce qu'elle aime, et quel front peut-elle préférer
A celui que ses yeux ne peuvent rencontrer
Sans se voiler de pleurs! « Voyons, lui disait-elle,
T'es-tu fait beau pour moi, qui me suis faite belle?
Pour qui ce collier d'or? pour qui ces fins bijoux?
Ce beau panache noir? Etait-ce un peu pour nous? »
Et puis elle ajouta : « Mon amour! que personne
Ne vous ait vu venir surtout, car j'en frissonne. »

Mais le jeune Dalti ne lui répondait pas;
Aux rayons de la lune, il avait de ses bras
Entouré doucement sa pâle bien-aimée;
Elle laissait tomber sa tête parfumée
Sur son épaule, et lui regardait, incliné,
Son beau front, d'espérance et de paix couronné!

« Portia, murmura-t-il, cette glace dans l'ombre
Jette un reflet trop pur à cette alcôve sombre;
Ces fleurs ont trop d'éclat, tes yeux trop de langueurs;
Que ne m'accablais-tu, Portia, de tes rigueurs!
Peut-être, Dieu m'aidant, j'eusse trouvé des armes.
Mais quand tu m'as noyé de baisers et de larmes,
Dis, qui peut m'en défendre, ou qui m'en guérira?
Tu m'as fait trop heureux; ton amour me tuera! »

Et comme sur le bord de la longue ottomane,
Elle attachée à lui comme un lierre au platane,
Il s'était renversé tremblant à ce discours,
Elle le vit pâlir : « O mes seules amours,
Dit-il, en toute chose il est une barrière
Où, pour grand qu'on se sente, on se jette en arrière;
De quelque fol amour qu'on ait empli son cœur,
Le désir est parfois moins grand que le bonheur,
Le ciel, ô ma beauté, ressemble à l'âme humaine :
Il s'y trouve une sphère où l'aigle perd haleine,
Où le vertige prend, où l'air devient le feu,
Et l'homme doit mourir où commence le Dieu. »

La lune se voilait; la nuit était profonde,
Et nul témoin des cieux ne veillait sur le monde.
La lampe tout à coup s'éteignit. « Reste là,
Dit Portia, je m'en vais l'allumer. » Elle alla
Se baisser au foyer. — La cendre à demi morte
Couvrait à peine encore une étincelle, en sorte

Qu'elle resta longtemps. — Mais lorsque la clarté
Eut enfin autour d'eux chassé l'obscurité :
« Ciel et terre, Dalti! Nous sommes trois, dit-elle.
— Trois », répéta près d'eux une voix à laquelle
Répondirent au loin les voûtes du château.
Immobile, caché sous les plis d'un manteau,
Comme au seuil d'une porte une antique statue,
Onorio, debout, avait frappé leur vue.
— D'où venait-il ainsi? Les avait-il guettés
En silence longtemps, et longtemps écoutés?
De qui savait-il l'heure, et quelle patience
L'avait fait une nuit épier la vengeance?
Cependant son visage était calme et serein,
Son fidèle poignard n'était pas dans sa main,
Son regard ne marquait ni colère ni haine;
Mais ses cheveux, plus noirs, la veille, que l'ébène,
Chose étrange à penser, étaient devenus blancs.
Les amants regardaient, sous les rayons tremblants
De la lampe déjà par l'aurore obscurcie,
Ce vieillard d'une nuit, cette tête blanchie,
Avec ses longs cheveux plus pâles que son front.
« Portia, dit-il, d'un ton de voix lent et profond,
Quand ton père, en mourant, joignit nos mains, la
Resta pourtant ouverte; en retirer la tienne [mienne
Etait aisé. Pourquoi l'as-tu donc fait si tard? »

Mais le jeune Dalti s'était levé. « Vieillard,
Ne perdons pas de temps. Vous voulez cette femme?
En garde! Qu'un de nous la rende avec son âme.

— Je le veux », dit le comte; et deux lames déjà
Brillaient en se heurtant. — Vainement la Portia

Se traînait à leurs pieds, tremblante, échevelée.
Qui peut sous le soleil tromper sa destinée?
Quand des jours et des nuits qu'on nous compte
Le terme est arrivé, la terre sous nos pas   [ici-bas
S'entr'ouvrirait plutôt : que sert qu'on s'en défende?
Lorsque la fosse attend, il faut qu'on y descende.

Le comte ne poussa qu'un soupir, et tomba.

Dalti n'hésita pas. « Viens, dit-il à Portia,
Sortons. » Mais elle était sans parole, et mourante.
Il prit donc d'une main le cadavre, l'amante
De l'autre, et s'éloigna. La nuit ne permit pas
De voir de quel côté se dirigeaient ses pas.

III

Une heure est à Venise, — heure des sérénades,
Lorsqu'autour de Saint-Marc sous les sombres arcades,
Les pieds dans la rosée, et son masque à la main,
Une nuit de printemps joue avec le matin.
Nul bruit ne trouble plus, dans les palais antiques,
La majesté des saints debout sous les portiques.
La ville est assoupie, et les flots prisonniers
S'endorment sur le bord de ses blancs escaliers.
C'est alors que de loin, au détour d'une allée,
Se détache en silence une barque isolée,
Sans voile, pour tout guide ayant son matelot,
Avec son pavillon flottant sous son falot.
Telle, au sein de la nuit, et par l'onde bercée,
Glissait, par le zéphyr lentement balancée,

La légère chaloupe où le jeune Dalti
Agitait en ramant le flot áppesanti.
Longtemps, au double écho de la vague plaintive,
On le vit s'éloigner, en voguant, de la rive;
Mais lorsque la cité, qui semblait s'abaisser
Et lentement au loin dans les flots s'enfoncer,
Eut, en se dérobant, laissé l'horizon vide,
Semblable à l'alcyon qui, dans son cours rapide,
S'arrête tout à coup, la chaloupe écarta
Ses rames sur l'azur des mers, et s'arrêta.
« Portia, dit l'étranger, un vent plus doux commence
A se faire sentir. — Chante-moi ta romance. »

Peut-être que le seuil du vieux palais Luigi
Du pur sang de son maître était encor rougi;
Que tous les serviteurs sur les draps funéraires
N'avaient pas achevé leurs dernières prières;
Peut-être qu'alentour des sinistres apprêts.
Les moines, s'agitant comme de noirs cyprès,
Et mêlant leurs soupirs aux cantiques des vierges [1],
N'avaient pas sur la tombe encore éteint les cierges;
Peut-être de la veille avait-on retrouvé
Le cadavre perdu, le front sous un pavé;
Son chien pleurait sans doute et le cherchait encore,
Mais quand Dalti parla, Portia prit sa mandore [2],
Mêlant sa douce voix, que l'écho répétait,
Au murmure moqueur du flot qui l'emportait.
— Quel homme fut jamais si grand, qu'il se pût croire
Certain, ayant vécu, d'avoir une mémoire
Où son souvenir, jeune et bravant le trépas,
Pût revivre une vie, et ne s'éteindre pas?
Les larmes d'ici-bas ne sont qu'une rosée
Dont un matin au plus la terre est arrosée,

Que la brise secoue, et que boit le soleil;
Puis l'oubli vient au cœur, comme aux yeux le
[sommeil.

Dalti, le front baissé, tantôt sur son amante
Promenait ses regards, tantôt sur l'eau dormante.
Ainsi muet, penchant sa tête sur sa main,
Il sembla quelque temps demeurer incertain.
« Portia, dit-il enfin, ce que vous pouviez faire,
Vous l'avez fait; c'est bien. Parlez-moi sans mystère :
Vous en repentez-vous? — Moi, dit-elle, de quoi?
— D'avoir, dit l'étranger, abandonné pour moi
Vos biens, votre maison et votre renommée
(Il fixa de ses yeux perçants sa bien-aimée.
Et puis il ajouta d'un ton dur), — votre époux. »
Elle lui répondit : « J'ai fait cela pour vous;
Je ne m'en repens pas.
                    — O nature, nature!
Murmura l'étranger, vois cette créature :
Sous les cieux les plus doux qui la pouvaient nourrir,
Cette fleur avait mis dix-huit ans à s'ouvrir.
A-t-elle pu tomber et se faner si vite,
Pour avoir une nuit touché ma main maudite?
C'est bien, poursuivit-il, c'est bien, elle est à moi.
Viens, dit-il à Portia, viens et relève-toi.
T'est-il jamais venu dans l'esprit de connaître
Qui j'étais? qui je suis?
                    — Eh! qui pouvez-vous être,
Mon ami, si ce n'est un riche et beau seigneur?
Nul ne vous parle ici, qui ne vous rende honneur.
— As-tu, dit le jeune homme, autour des promenades,
Rencontré quelquefois, le soir, sous les arcades,
De ces filles de joie errant en carnaval,
Qui traînent dans la boue une robe de bal?

Elles n'ont pas toujours au bout de la journée
Du pain pour leur souper. Telle est leur destinée;
Car souvent de besoin ces spectres consumés
Prodiguent aux passants des baisers affamés.
Elles vivent ainsi. C'est un sort misérable,
N'est-il pas vrai? Le mien cependant est semblable.

— Semblable à celui-là! dit l'enfant. Je vois bien,
Dalti, que vous voulez rire, et qu'il n'en est rien.
— Silence! dit Dalti, la vérité tardive
Doit se montrer à vous ici, quoi qu'il arrive.
Je suis fils d'un pêcheur.

                                — Maria; Maria!
Prenez pitié de nous, si c'est vrai, dit Portia.

— C'est vrai, dit l'étranger. Ecoutez mon histoire.
Mon père était pêcheur; mais je n'ai pas mémoire
Du jour où pour partir le destin l'appela,
Me laissant pour tout bien la barque où nous voilà.
J'avais quinze ans, je crois; je n'aimais que mon père,
Ma venue en ce monde ayant tué ma mère,
Mon véritable nom est Daniel Zoppieri.
Pendant les premiers temps mon travail m'a nourri,
Je suivais le métier qu'avait pris ma famille;
L'astre mystérieux qui sur nos têtes brille
Voyait seul quelquefois tomber mes pleurs amers
Au sein des flots sans borne et des profondes mers;
Mais c'était tout. D'ailleurs, je vivais seul, tranquille,
Couchant où je pouvais, rarement à la ville.
Mon père cependant, qui, pour un batelier,
Etait fier, m'avait fait d'abord étudier;
Je savais le toscan, et j'allais à l'église;
Ainsi dès ce temps-là je connaissais Venise.

Un soir, un grand seigneur, Michel Gianinetto,
Pour donner un concert me loua mon bateau.
Sa maîtresse (c'était, je crois, la Muranèse [1])
Y vint seule avec lui; la mer était mauvaise;
Au bout d'une heure au plus un orage éclata.
Elle, comme un enfant qu'elle était, se jeta
Dans mes bras, effrayée, et me serra contre elle.
Vous savez son histoire, et comme elle était belle;
Je n'avais jusqu'alors rien rêvé de pareil,
Et de cette nuit-là je perdis le sommeil. »
L'étranger, à ces mots, parut reprendre haleine;
Puis, Portia l'écoutant et respirant à peine,
Il poursuivit :
                « Venise! ô perfide cité,
A qui le ciel donna la fatale beauté,
Je respirai cet air dont l'âme est amollie,
Et dont ton souffle impur empesta l'Italie!
Pauvre et pieds nus, la nuit, j'errais sous tes palais.
Je regardais tes grands, qu'un peuple de valets
Entoure, et rend pareils à des paralytiques,
Tes nobles arrogants, et tous tes magnifiques [2]
Dont l'ombre est saluée, et dont aucun ne dort
Que sous un toit de marbre et sur un pavé d'or.
Je n'étais cependant qu'un pêcheur; mais, aux fêtes,
Quand j'allais au théâtre écouter les poètes,
Je revenais le cœur plein de haine, et navré.
Je lisais, je cherchais; c'est ainsi, par degré,
Que je chassai, Portia, comme une ombre légère,
L'amour de l'Océan, ma richesse première.
Je vous vis, — je vendis ma barque et mes filets.
Je ne sais pas pourquoi, ni ce que je voulais,
Pourtant je les vendis. C'était ce que sur terre
J'avais pour tout trésor, ou pour toute misère.

Je me mis à courir, emportant en chemin
Tout mon bien qui tenait dans le creux de ma main.
Las de marcher bientôt, je m'assis, triste et morne,
Au fond d'un carrefour, sur le coin d'une borne.
J'avais vu par hasard, auprès d'un mauvais lieu
De la place Saint-Marc, une maison de jeu.
J'y courus. Je vidai ma main sur une table,
Puis, muet, attendant l'arrêt inévitable,
Je demeurai debout. Ayant gagné d'abord,
Je résolus de suivre et de tenter le sort.
Mais pourquoi vous parler de cette nuit terrible?
Toute une nuit, Portia, le démon invincible
Me cloua sur la place, et je vis devant moi
Pièce à pièce tomber la fortune d'un roi.
Ainsi je demeurai, songeant au fond de l'âme,
Chaque fois qu'en criant tournait la roue infâme,
Que la mer était proche, et qu'à me recevoir
Serait toujours tout prêt ce lit profond et noir.
Le banquier cependant, voyant son coffre vide,
Me dit que c'était tout. Chacun d'un œil avide
Suivait mes mouvements; je tendis mon manteau.
On me jeta dedans la valeur d'un château,
Et la corruption de trente courtisanes.
Je sortis. — Je restai trois jours sous les platanes
Où je vous avais vue, ayant pour tout espoir,
Quand vous y passeriez, d'attendre et de vous voir.
Tout le reste est connu de vous.

                                    — Bonté divine!
Dit l'enfant, est-ce là tout ce qui vous chagrine?
Quoi? de n'être pas noble? Est-ce que vous croyez
Que je vous aimerais plus quand vous le seriez?
— Silence! dit Dalti, vous n'êtes que la femme

Du pêcheur Zoppieri; non, sur ma foi, madame,
Rien de plus.

     — Et quoi rien, mon amour?

           — Rien de plus,
Vous dis-je; ils sont partis comme ils étaient venus,
Ces biens. Ce fut hier la dernière journée
Où j'ai (pour vous du moins) tenté la destinée.
J'ai perdu; voyez donc ce que vous décidez.
— Vous avez tout perdu?

       — Tout, sur trois coups de dés;
Tout, jusqu'à mon palais, cette barque exceptée
Que j'ai depuis longtemps en secret rachetée :
Maudissez-moi, Portia; mais je ne ferai pas,
Sur mon âme, un effort pour retenir vos pas.
Pourquoi je vous ai prise, et sans remords menée
Au point de partager ainsi ma destinée,
Ne le demandez pas. Je l'ai fait; c'est assez.
Vous pouvez me quitter et partir; choisissez. »
Portia, dès le berceau, d'amour environnée,
Avait vécu comtesse ainsi qu'elle était née.
Jeune, passant sa vie au milieu des plaisirs,
Elle avait de bonne heure épuisé les désirs,
Ignorant le besoin, et jamais, sur la terre,
Sinon pour l'adoucir, n'ayant vu de misère.
Son père, déjà vieux, riche et noble seigneur,
Quoique avare, l'aimait et n'avait de bonheur
Qu'à la voir admirer, et quand on disait d'elle
Qu'étant la plus heureuse, elle était la plus belle.
Car tout lui souriait, et même son époux,
Onorio, n'avait plié les deux genoux
Que devant elle et Dieu. Cependant, en silence,
Comme Dalti parlait, sur l'Océan immense [1]

Longtemps elle sembla porter ses yeux errants.
L'horizon était vide, et les flots transparents
Ne reflétaient au loin sur leur abîme sombre,
Que l'astre au pâle front qui s'y mirait dans l'ombre.
Dalti la regardait, mais sans dire un seul mot.

— Avait-elle hésité? — Je ne sais; — mais bientôt,
Comme une tendre fleur que le vent déracine,
Faible, et qui lentement sur sa tige s'incline,
Telle elle détourna la tête, et lentement
S'inclina tout en pleurs jusqu'à son jeune amant.
« Songez bien, dit Dalti, que je ne suis, comtesse,
Qu'un pêcheur; que demain, qu'après, et que sans
                                              [cesse
Je serai ce pêcheur. Songez bien que tous deux
Avant qu'il soit longtemps nous allons être vieux;
Que je mourrai peut-être avant vous.

                              — Dieu rassemble
Les amants, dit Portia; nous partirons ensemble.
Ton ange en t'emportant me prendra dans ses bras. »

Mais le pêcheur se tut, car il ne *croyait* pas.

CHANSONS
A METTRE EN MUSIQUE [1]
ET FRAGMENTS

> Allons, bel oiseau bleu, chantez la romance à madame.
>
> *La Folle Journée* [2].

L'ANDALOUSE

Avez-vous, vu, dans Barcelone,
Une Andalouse au sein bruni?
Pâle comme un beau soir d'automne!
C'est ma maîtresse, ma lionne [3]!
La marquesa d'Amaëgui!

J'ai fait bien des chansons pour elle,
Je me suis battu bien souvent.
Bien souvent j'ai fait sentinelle,
Pour voir le coin de sa prunelle,
Quand son rideau tremblait au vent.

Elle est à moi, moi seul au monde.
Ses grands sourcils noirs sont à moi,

Son corps souple et sa jambe ronde,
Sa chevelure qui l'inonde,
Plus longue qu'un manteau de roi!

C'est à moi son beau col qui penche
Quand elle dort dans son boudoir,
Et sa basquina sur sa hanche,
Son bras dans sa mitaine blanche,
Son pied dans son brodequin noir!

Vrai Dieu! Lorsque son œil pétille
Sous la frange de ses réseaux,
Rien que pour toucher sa mantille,
De par tous les saints de Castille,
On se ferait rompre les os.

Qu'elle est superbe en son désordre,
Quand elle tombe, les seins nus,
Qu'on la voit, béante, se tordre
Dans un baiser de rage, et mordre
En criant des mots inconnus!

Et qu'elle est folle dans sa joie,
Lorsqu'elle chante le matin,
Lorsqu'en tirant son bas de soie,
Elle fait, sur son flanc qui ploie,
Craquer son corset de satin!

Allons, mon page, en embuscades!
Allons! la belle nuit d'été!
Je veux ce soir des sérénades
A faire damner les alcades
De Tolose au Guadalété [1].

LE LEVER

Assez dormir, ma belle!
Ta cavale isabelle
Hennit sous tes balcons.
Vois tes piqueurs alertes,
Et sur leurs manches vertes
Les pieds noirs des faucons.

Vois écuyers et pages,
En galants équipages,
Sans rochet ni pourpoint,
Têtes chaperonnées,
Traîner les haquenées,
Leur arbalète au poing.

Vois bondir dans les herbes
Les lévriers superbes,
Les chiens trapus crier.
En chasse, et chasse heureuse!
Allons, mon amoureuse,
Le pied dans l'étrier!

Et d'abord, sous la moire,
Avec ce bras d'ivoire
Enfermons ce beau sein,
Dont la forme divine,
Pour que l'œil la devine,
Reste aux plis du coussin.

Oh! sur ton front qui penche,
J'aime à voir ta main blanche
Peigner tes cheveux noirs;
Beaux cheveux qu'on rassemble
Les matins, et qu'ensemble
Nous défaisons les soirs!

Allons, mon intrépide,
Ta cavale rapide
Frappe du pied le sol,
Et ton bouffon balance,
Comme un soldat sa lance,
Son joyeux parasol!

Mets ton écharpe blonde
Sur ton épaule ronde,
Sur ton corsage d'or,
Et je vais, ma charmante,
T'emporter dans ta mante,
Comme un enfant qui dort!

MADRID

Madrid, princesse des Espagnes,
Il court par tes mille campagnes
Bien des yeux bleus, bien des yeux noirs.
La blanche ville aux sérénades,
Il passe par tes promenades
Bien des petits pieds tous les soirs.

Madrid, quand tes taureaux bondissent,
Bien des mains blanches applaudissent,
Bien des écharpes sont en jeux.
Par tes belles nuits étoilées,
Bien des senoras long voilées
Descendent tes escaliers bleus.

Madrid, Madrid, moi, je me raille
De tes dames à fine taille
Qui chaussent l'escarpin étroit;
Car j'en sais une par le monde
Que jamais ni brune ni blonde
N'ont valu le bout de son doigt[1]!

J'en sais une, et certes la duègne
Qui la surveille et qui la peigne
N'ouvre sa fenêtre qu'à moi;
Certes, qui veut qu'on le redresse,
N'a qu'à l'approcher à la messe,
Fût-ce l'archevêque ou le roi.

Car c'est ma princesse andalouse!
Mon amoureuse! ma jalouse!
Ma belle veuve au long réseau!
C'est un vrai démon! c'est un ange!
Elle est jaune comme une orange,
Elle est vive comme un oiseau!

Oh! quand sur ma bouche idolâtre
Elle se pâme, la folâtre,
Il faut voir, dans nos grands combats,
Ce corps si souple et si fragile,
Ainsi qu'une couleuvre agile,
Fuir et glisser entre mes bras!

Or si d'aventure on s'enquête
Qui m'a valu telle conquête,
C'est l'allure de mon cheval,
Un compliment sur sa mantille,
Puis des bonbons à la vanille
Par un beau soir de carnaval.

MADAME LA MARQUISE

Vous connaissez que j'ai pour mie
Une Andalouse à l'œil lutin,
Et sur mon cœur, tout endormie,
Je la berce jusqu'au matin.

Voyez-la, quand son bras m'enlace,
Comme le col d'un cygne blanc,
S'enivrer, oublieuse et lasse,
De quelque rêve nonchalant.

Gais chérubins! veillez sur elle.
Planez, oiseaux, sur notre nid;
Dorez du reflet de votre aile
Son doux sommeil, que Dieu bénit!

Car toute chose nous convie
D'oublier tout, fors notre amour :
Nos plaisirs, d'oublier la vie;
Nos rideaux, d'oublier le jour.

Pose ton souffle sur ma bouche,
Que ton âme y vienne passer!
Oh! restons ainsi dans ma couche,
Jusqu'à l'heure de trépasser!

Restons! L'étoile vagabonde
Dont les sages ont peur de loin [1]
Peut-être, en emportant le monde,
Nous laissera dans notre coin.

Oh! viens! dans mon âme froissée
Qui saigne encor d'un mal bien grand [2],
Viens verser ta blanche pensée,
Comme un ruisseau dans un torrent!

Car sais-tu, seulement pour vivre,
Combien il m'a fallu pleurer?
De cet ennui qui désenivre
Combien en mon cœur dévorer?

Donne-moi, ma belle maîtresse,
Un beau baiser, car je te veux
Raconter ma longue détresse,
En caressant tes beaux cheveux.

Or voyez qui je suis, ma mie,
Car je vous pardonne pourtant
De vous être hier endormie
Sur mes lèvres, en m'écoutant.

Pour ce, madame la marquise,
Dès qu'à la ville il fera noir,
De par le roi sera requise
De venir en notre manoir;

Et sur mon cœur, tout endormie,
La bercerai jusqu'au matin,
Car on connaît que j'ai pour mie
Une Andalouse à l'œil lutin.

1829.

[A MADAME X...]

Quand je t'aimais, pour toi j'aurais donné ma vie,
Mais c'est toi, de t'aimer, toi qui m'ôtas l'envie.
A tes pièges d'un jour on ne me prendra plus;
Tes ris sont maintenant et tes pleurs superflus.
Ainsi, lorsqu'à l'enfant la vieille salle obscure
Fait peur, il va tout nu décrocher quelque armure;
Il s'enferme, il revient tout palpitant d'effroi
Dans sa chambre bien chaude et dans son lit bien
                                                    [froid.
Et puis, lorsqu'au matin le jour vient à paraître,
Il trouve son fantôme aux plis de sa fenêtre,
Voit son arme inutile, il rit et, triomphant,
S'écrie : « Oh! que j'ai peur! oh! que je suis enfant[1]! »

AU *YUNG-FRAU*[2]

Yung-frau, le voyageur qui pourrait sur ta tête
S'arrêter, et poser le pied sur sa conquête,

Sentirait en son cœur un noble battement,
Quand son âme, au penchant de ta neige éternelle,
Pareille au jeune aiglon qui passe et lui tend l'aile,
Glisserait et fuirait sous le clair firmament.

Yung-Frau, je sais un cœur qui, comme toi, se cache
Revêtu, comme toi, d'une robe sans tache,
Il est plus près de Dieu que tu ne l'es du ciel.
Ne t'étonne donc point, ô montagne sublime,
Si la première fois que j'en ai vu la cime,
J'ai cru le lieu trop haut pour être d'un mortel.

A ULRIC G [1].

Ulric, nul œil des mers n'a mesuré l'abîme,
Ni les hérons plongeurs, ni les vieux matelots [2]
Le soleil vient briser ses rayons sur leur cime,
Comme un soldat vaincu brise ses javelots.

Ainsi, nul œil, Ulric, n'a pénétré les ondes
De tes douleurs sans borne, ange du ciel tombé.
Tu portes dans ta tête et dans ton cœur deux mondes,
Quand le soir, près de moi, tu vas triste et courbé.

Mais laisse-moi du moins regarder dans ton âme,
Comme un enfant craintif se penche sur les eaux;
Toi si plein, front pâli sous des baisers de femme,
Moi si jeune, enviant ta blessure et tes maux.

Juillet 1829.

VENISE

Dans Venise la rouge,
Pas un bateau qui bouge
Pas un pêcheur dans l'eau,
      Pas un falot.

Seul, assis à la grève,
Le grand lion soulève,
Sur l'horizon serein,
      Son pied d'airain.

Autour de lui, par groupes,
Navires et chaloupes,
Pareils à des hérons
      Couchés en ronds,

Dorment sur l'eau qui fume,
Et croisent dans la brume,
En légers tourbillons,
      Leurs pavillons.

La lune qui s'efface
Couvre son front qui passe
D'un nuage étoilé
      Demi-voilé.

Ainsi, la dame abbesse
De Sainte-Croix rabaisse
Sa cape aux larges plis
      Sur son surplis.

Et les palais antiques,
Et les graves portiques,
Et les blancs escaliers
　　Des chevaliers,

Et les ponts, et les rues,
Et les mornes statues,
Et le golfe mouvant
　　Qui tremble au vent,

Tout se tait, fors les gardes
Aux longues hallebardes,
Qui veillent aux créneaux
　　Des arsenaux.

— Ah! maintenant plus d'une
Attend, au clair de lune,
Quelque jeune muguet,
　　L'oreille au guet.

Pour le bal qu'on prépare,
Plus d'une qui se pare,
Met devant son miroir
　　Le masque noir.

Sur sa couche embaumée,
La Vanina pâmée
Presse encor son amant,
　　En s'endormant;

Et Narcisa, la folle,
Au fond de sa gondole,
S'oublie en un festin
　　Jusqu'au matin.

Et qui, dans l'Italie,
N'a son grain de folie [1]?
Qui ne garde aux amours
    Ses plus beaux jours?

Laissons la vieille horloge,
Au palais du vieux doge,
Lui compter de ses nuits
    Les longs ennuis.

Comptons plutôt, ma belle,
Sur ta bouche rebelle
Tant de baisers donnés...
    Ou pardonnés.

Comptons plutôt tes charmes,
Comptons les douces larmes,
Qu'à nos yeux a coûté
    La volupté!

STANCES

Que j'aime à voir, dans la vallée
    Désolée,
Se lever comme un mausolée
Les quatre ailes d'un noir moutier!
Que j'aime à voir, près de l'austère
    Monastère,
Au seuil du baron feudataire,
La croix blanche et le bénitier!

Vous, des antiques Pyrénées
     Les aînées,
Vieilles églises décharnées,
Maigres et tristes monuments,
Vous que le temps n'a pu dissoudre,
     Ni la foudre,
De quelques grands monts mis en poudre
N'êtes-vous pas les ossements?

J'aime vos tours à tête grise,
     Où se brise
L'éclair qui passe avec la brise.
J'aime vos profonds escaliers
Qui, tournoyant dans les entrailles
     Des murailles,
A l'hymne éclatant des ouailles
Font répondre tous les piliers!

Oh! lorsque l'ouragan qui gagne
     La campagne,
Prend par les cheveux la montagne,
Que le temps d'automne jaunit,
Que j'aime, dans le bois qui crie
     Et se plie,
Les vieux clochers de l'abbaye,
Comme deux arbres de granit!

Que j'aime à voir, dans les vesprées
     Empourprées,
Jaillir en veines diaprées
Les rosaces d'or des couvents!
Oh! que j'aime, aux voûtes gothiques
     Des portiques,
Les vieux saints de pierre athlétiques
Priant tout bas pour les vivants!

SONNET

Que j'aime le premier frisson d'hiver! le chaume,
Sous le pied du chasseur, refusant de ployer!
Quand vient la pie aux champs que le foin vert
                                        [embaume,
Au fond du vieux château s'éveille le foyer;

C'est le temps de la ville. — Oh! lorsque l'an dernier,
J'y revins, que je vis ce bon Louvre et son dôme,
Paris et sa fumée, et tout ce beau royaume
(J'entends encore au vent les postillons crier),

Que j'aimais ce temps gris, ces passants, et la Seine
Sous ses mille falots assise en souveraine!
J'allais revoir l'hiver. — Et toi, ma vie, et toi!

Oh! dans tes longs regards j'allais tremper mon âme;
Je saluais tes murs. — Car, qui m'eût dit, madame,
Que votre cœur sitôt avait changé pour moi?

BALLADE A LA LUNE [1]

C'était, dans la nuit brune,
Sur le clocher jauni,
        La lune,
Comme un point sur un i.

Lune, quel esprit sombre
Promène au bout d'un fil,
    Dans l'ombre,
Ta face et ton profil?

Es-tu l'œil du ciel borgne?
Quel chérubin cafard
    Nous lorgne
Sous ton masque blafard?

N'es-tu rien qu'une boule?
Qu'un grand faucheux bien gras
    Qui roule
Sans pattes et sans bras?

Es-tu, je t'en soupçonne,
Le vieux cadran de fer
    Qui sonne
L'heure aux damnés d'enfer?

Sur ton front qui voyage
Ce soir ont-ils compté
    Quel âge
A leur éternité?

Est-ce un ver qui te ronge
Quand ton disque noirci
    S'allonge
En croissant rétréci?

Qui t'avait éborgnée
L'autre nuit? T'étais-tu
    Cognée
A quelque arbre pointu?

Car tu vins, pâle et morne,
Coller sur mes carreaux
    Ta corne,
A travers les barreaux.

Va, lune moribonde,
Le beau corps de Phœbé
    La blonde
Dans la mer est tombé.

Tu n'en es que la face,
Et déjà, tout ridé,
    S'efface
Ton front dépossédé [1].

Rends-nous la chasseresse,
Blanche, au sein virginal,
    Qui presse
Quelque cerf matinal!

Oh! sous le vert platane
Sous les frais coudriers,
    Diane,
Et ses grands lévriers!

Le chevreau noir qui doute,
Pendu sur un rocher,
    L'écoute,
L'écoute s'approcher.

Et, suivant leurs curées,
Par les vaux, par les blés,
    Les prées,
Ses chiens s'en sont allés

Oh! le soir, dans la brise,
Phœbé, sœur d'Apollo,
    Surprise
A l'ombre, un pied dans l'eau [1]!

Phœbé qui, la nuit close,
Aux lèvres d'un berger
    Se pose,
Comme un oiseau léger.

Lune, en notre mémoire,
De tes belles amours
    L'histoire
T'embellira toujours.

Et toujours rajeunie,
Tu seras du passant
    Bénie,
Pleine lune ou croissant.

T'aimera le vieux pâtre,
Seul, tandis qu'à ton front
    D'albâtre
Ses dogues aboieront [2].

T'aimera le pilote
Dans son grand bâtiment,
    Qui flotte,
Sous le clair firmament!

Et la fillette preste
Qui passe le buisson,
    Pied leste,
En chantant sa chanson.

Comme un ours à la chaîne,
Toujours sous tes yeux bleus
      Se traîne
L'Océan monstrueux.

Et qu'il vente ou qu'il neige,
Moi-même, chaque soir,
      Que fais-je,
Venant ici m'asseoir?

Je viens voir à la brune,
Sur le clocher jauni,
      La lune
Comme un point sur un i.

Peut-être quand déchante
Quelque pauvre mari,
      Méchante,
De loin tu lui souris.

Dans sa douleur amère,
Quand au gendre béni
      La mère
Livre la clef du nid,

Le pied dans sa pantoufle,
Voilà l'époux tout prêt
      Qui souffle
Le bougeoir indiscret.

Au pudique hyménée
La vierge qui se croit
      Menée,
Grelotte en son lit froid,

Mais monsieur tout en flamme
Commence à rudoyer
    Madame,
Qui commence à crier.

« Ouf! dit-il, je travaille,
Ma bonne, et ne fais rien
    Qui vaille;
Tu ne te tiens pas bien. »

Et vite il se dépêche.
Mais quel démon caché
    L'empêche
De commettre un péché?

« Ah! dit-il, prenons garde.
Quel témoin curieux
    Regarde
Avec ces deux grands yeux? »

Et c'est, dans la nuit brune,
Sur son clocher jauni,
    La lune
Comme un point sur un i.

MARDOCHE [1]

> Voudriez-vous dire, comme de fait on
> peut logicalement inférer, que par ci-devant
> le monde eust été fat, maintenant seroit
> devenu sage?
>
> *Pantagruel,* liv. V.

I

J'ai connu, l'an dernier, un jeune homme nommé
Mardoche, qui vivait nuit et jour enfermé.
O prodige! il n'avait jamais lu de sa vie
Le Journal de Paris [2], ni n'en avait envie.
Il n'avait vu ni Kean [3], ni Bonaparte, ni
Monsieur de Metternich; — quand il avait fini
De souper, se couchait, précisément à l'heure
Où (quand par le brouillard la chatte rôde et pleure)
Monsieur Hugo va voir mourir Phœbus le blond [4].
Vous dire ses parents, cela serait trop long.

II

Bornez-vous à savoir qu'il avait la pucelle
D'Orléans pour aïeule en ligne maternelle [5].
D'ailleurs son compagnon, compère et confident,
Etait un chien anglais, bon pour l'œil et la dent.
Cet homme, ainsi reclus, vivait en joie. — A peine
Le spleen le prenait-il quatre fois par semaine.
Pour ses moments perdus, il les donnait parfois
A l'art mystérieux de charmer par la voix :

Les muses visitaient sa demeure cachée,
Et quoiqu'il fît rimer *idée* avec *fâchée*,

III

On le lisait. C'était du reste un esprit fort;
Il eût fait volontiers d'une tête de mort
Un falot, et mangé sa soupe dans le crâne
De sa grand'mère. — Au fond, il estimait qu'un âne,
Pour Dieu qui nous voit tous, est autant qu'un ânier.
Peut-être que, n'ayant pour se désennuyer
Qu'un livre (c'est le cœur humain que je veux dire),
Il avait su trop tôt et trop avant y lire;
C'est un grand mal d'avoir un esprit trop hâtif.
— Il ne dansait jamais au bal par ce motif.

IV

Je puis certifier pourtant qu'il avait l'âme
Aussi tendre en tout point qu'un autre, et que sa
(En ne le faisant pas c—) n'eût pas été   [femme
Plus fort ni plus souvent battue, en vérité,
Que celle de monsieur de C***. En politique,
Son sentiment était très aristocratique,
Et je dois avouer qu'à consulter son goût,
Il aimait mieux la Porte et le sultan Mahmoud [1],
Que la chrétienne Smyrne, et ce bon peuple hellène
Dont les flots ont rougi la mer hellespont'enne,

V

Et taché de leur sang tes marbres, ô Paros!
— Mais la chose ne fait rien à notre héros.
Bien des heures, des jours, bien des longues semaines
Passèrent, sans que rien dans les choses humaines
Le tentât d'y rentrer. — Tout à coup, un beau jour...
Fut-ce l'ambition, ou bien fut-ce l'amour?
(Peut-être tous les deux, car ces folles ivresses
Viennent à tous propos déranger nos paresses);
Quoi qu'il en soit, lecteur, voici ce qu'il advint
A mon ami Mardoche, en l'an mil huit cent vingt.

VI

Je ne vous dirai pas quelle fut la douairière
Qui lui laissa son bien en s'en allant en terre,
Sur quoi de cénobite, il devint élégant,
Et n'allait plus qu'en fiacre au boulevard de Gand².
Que dorme en paix ta cendre, ô quatre fois bénie
Douairière, pour le jour où cette sainte envie,
Comme un rayon d'en haut te vint prendre en toussant,
De demander un prêtre, et de cracher le sang!
Ta tempe fut huilée, et sous la lame neuve
Tu te laissas clouer, comme dit Sainte-Beuve.

VII

Tes meubles furent mis, douairière, au Châtelet;
Chacun vendu le tiers de l'argent qu'il valait.

De ta robe de noce on fit un parapluie;
Ton boudoir, ô Vénus, devint une écurie.
Quatre grands lévriers chassèrent du tapis
Ton chat qui, de tout temps, sur ton coussin tapi [1]
S'était frotté le soir l'oreille à ta pantoufle,
Et qui, maigre aujourd'hui, la queue au vent,
                                        [s'essouffle,
A courir sur les toits des repas incertains.
— Admirable matière à mettre en vers latins!

VIII

Je ne vous dirai pas non plus à quelle dame
Mardoche, ayant d'abord laissé prendre son âme,
Dut ces douces leçons, premier enseignement
Que l'amie, à regret, donne à son jeune amant.
Je ne vous dirai pas comment, à quelle fête
Il la vit, qui des deux voulut le tête-à-tête,
Qui des deux, du plus loin, hasarda le premier
L'œillade italienne, et qui, de l'écolier
Ou du maître, trembla le plus. — Hélas! qu'en sais-je
Que vous ne sachiez mieux, et que vous apprendrais-je?

IX

Il se peut qu'on oublie un rendez-vous donné,
Une chance, — un remords, — et l'heure où l'on est
                                        [né,
Et l'argent qu'on emprunte. — Il se peut qu'on oublie
Sa femme, ses amis, son chien, et sa patrie. —
Il se peut qu'un vieillard perde jusqu'à son nom.
Mais jamais l'insensé, jamais le moribond,

Celui qui perd l'esprit, ni celui qui rend l'âme,
N'ont oublié la voix de la première femme
Qui leur a dit tout bas ces quatre mots si doux
Et si mystérieux : « My dear child, I love you [1]. »

X

Ce fut aux premiers jours d'automne, au mois
[d'octobre,
Que Mardoche revint au monde. — Il était sobre
D'habitude, et mangeait vite. — Son cuisinier
Ne le gênait pas plus que son palefrenier.
Il ne prit ni cocher, ni groom, ni gouvernante,
Mais (honni soit qui mal y pense!) une servante.
De ses façons d'ailleurs rien ne parut changé.
Peut-être dira-t-on qu'il était mal logé;
C'est à quoi je réponds qu'il avait pour voisine
Deux yeux napolitains qui s'appelaient Rosine.

XI

J'adore les yeux noirs avec des cheveux blonds.
Tels les avait Rosine, — et de ces regards, longs
A s'y noyer. — C'étaient deux étoiles d'ébène.
Sur des cieux de cristal : — tantôt mourants, à peine
Entr'ouverts au soleil, comme les voiles blancs
Des abbesses de cour; — tantôt étincelants,
Calmes, livrant sans crainte une âme sans mélange,
Doux, et parlant aux yeux le langage d'un ange.
— Que Mardoche y prît goût, ce n'est aucunement,
Judicieux lecteur, raison d'étonnement.

XII

M'en croira qui voudra, mais depuis qu'en décembre
La volonté du ciel est qu'on garde la chambre,
A coup sûr, paresseux et fou comme je suis,
A rêver sans dormir j'ai passé bien des nuits.
Le soir, au coin du feu, renversé sur ma chaise,
Mon menton dans ma main et mon pied dans ma
                                    [braise,
Pendant que l'aquilon frappait à mes carreaux,
J'ai fait bien des romans, — bâti bien des châteaux; —
J'ai comme Prométhée, animé d'une flamme
Bien des êtres divins portant des traits de femme;

XIII

Blonds cheveux, sourcils bruns, front vermeil ou pâli :
Dante aimait Béatrix, — Byron la Guiccioli [1].
Moi (si j'eusse été maître en cette fantaisie),
Je me suis dit souvent que je l'aurais choisie
A Naples, un peu brûlée à ces soleils de plomb
Qui font dormir le pâtre à l'ombre du sillon;
Une lèvre à la turque, et, sous un col de cygne,
Un sein vierge et doré comme la jeune vigne;
Telle que par instants Giorgione [2] en devina,
Ou que dans cette histoire était la Rosina.

XIV

Il en est de l'amour comme des litanies
De la Vierge. — Jamais on ne les a finies;

Mais une fois qu'on les commence, on ne peut plus
S'arrêter. — C'est un mal propre aux fruits défendus.
C'est pourquoi chaque soir la nuit était bien proche
Et le soleil bien loin, quand mon ami Mardoche
Quittait la jalousie écartée à demi,
D'où l'indiscret lorgnon plongeait sur l'ennemi.
— Même, quand il faisait clair de lune, l'aurore
A son poste souvent le retrouvait encore.

XV

Philosophes du jour, je vous arrête ici.
O sages demi-dieux, expliquez-moi ceci.
On ne volerait pas, à coup sûr, une obole
A son voisin; pourtant, quand on peut, on lui vole...
Sa femme! — Car il faut, ô lecteur bien appris,
Vous dire que Rosine, entre tous les maris,
Avait reçu du ciel, par les mains d'un notaire,
Le meilleur qu'à Dijon avait trouvé son père.
On pense, avec raison, que sa mère, en partant,
N'avait rien oublié sur le point important.

XVI

Rien n'est plus amusant qu'un premier jour de noce;
Au débotté, d'ailleurs, on avait pris carrosse.
— Le reste à l'avenant. — Sans compter les chapeaux
D'Herbeau [1] rien n'y manquait. — C'est un méchant
De dire qu'à six ans une poupée amuse   [propos
Autant qu'à dix-neuf ans un mari. — Mais tout s'use.

Une lune de miel n'a pas trente quartiers
Comme un baron saxon. — Et gare les derniers!
L'amour (hélas! l'étrange et la fausse nature!)
Vit d'inanition, et meurt de nourriture.

XVII

Et puis, que faire? — Un jour, c'est bien long. — Et
[demain?
Et toujours? — L'ennui gagne. — A quoi rêver au
[bain?
— Hélas! l'Oisiveté s'endort, laissant sa porte
Ouverte. — Entre l'Amour. — Pour que la Raison
[sorte
Il ne faut pas longtemps. La vie en un moment
Se remplit; — on se trouve avoir pris un amant.
— L'un attaque en hussard la déesse qu'il aime,
L'autre fait l'écolier; chacun a son système.
Hier un de mes amis, se trouvant à souper
Auprès d'une duchesse, eut soin de se tromper

XVIII

De verre. « Mais, vraiment, dit la dame en colère,
Etes-vous fou, monsieur? vous buvez dans mon verre. »
O l'homme peu galant, qui ne répondit rien,
Si ce n'est : « Faites-en, madame, autant du mien. »
Assurément, lecteur, le tour était perfide,
Car, l'ayant pris tout plein, il le replaça vide.
La dame avait du blanc, et pourtant en rougit.
Qu'y faire? On chuchota. Dieu sut ce qu'on en dit.
Mon Dieu! qui peut savoir lequel on récompense
Le mieux, ou du respect — ou de certaine offense?

XIX

Je n'ai dessein, lecteur, de faire aucunement
Ici ce qu'à Paris on appelle un roman.
Peu s'en faut qu'un auteur, qui pas à pas chemine,
Ne vous fasse coucher avec son héroïne.
Ce n'est pas ma manière, et, si vous permettez,
Ce sera quinze jours que nous aurons sautés.
— Un dimanche (observez qu'un dimanche la rue
Vivienne est tout à fait vide, et que la cohue
Est aux Panoramas [1], ou bien au boulevard),
Un dimanche matin, une heure, une heure un quart,

XX

Mardoche, habit marron, en landau de louage,
Par devant Tortoni [2] passait en grand tapage.
— Gare! criait le groom. — Quoi! Mardoche en
                                        [landau?
— Oui. — La grisette à pied, trottant comme un
                                        [perdreau,
Jeta plus d'une fois sans doute à la portière
Du jeune gentleman l'œillade meurtrière.
Mais il n'y prit pas garde; un important projet
A ses réflexions semblait donner sujet.
Son regard était raide, et jamais diplomate
Ne parut plus guindé, ni plus haut sur cravate.

XXI

Où donc s'en allait-il! — Il allait à Meudon.
— Quoi! Si matin, si loin, si vite? Et pourquoi donc?
— Le voici. D'où sait-on, s'il vous plaît, qu'on
                        [approche
D'un village, sinon qu'on en entend la cloche?
Or, la cloche suppose un clocher, — le clocher
Un curé. — Le curé, quand c'est jour de prêcher,
A besoin d'un bedeau. — Le bedeau, d'ordinaire,
Est en même temps cuistre à l'école primaire.
Or le cuistre du lieu, lecteur, était l'ancien
Allié des parents de Mardoche, et le sien.

XXII

Ayant donc débarqué, notre héros fit mettre
Sa voiture en un lieu sûr, qu'il pût reconnaître,
Puis s'éloigna, sans trop regarder son chemin,
D'un pas plus mesuré qu'un sénateur romain.
Longtemps et lentement, comme un bayeur aux grues,
Il marcha, coudoyant le monde par les rues.
Il savait dès longtemps que le bon magister,
Les dimanches matins sortait pour prendre l'air;
C'est pourquoi, sans l'aller demander à sa porte,
Il détourna d'abord le coin du bois, en sorte

XXIII

Qu'au bout de trente pas il était devant lui :
« *And how do you do,* mon bon père aujourd'hui? »

Le vieillard, à vrai dire, un peu surpris, et comme
Distrait d'un rêve, ôta de ses lèvres la pomme
De sa canne. « Mon fils, tout va bien, Dieu merci,
Dit-il, et quel sujet vous fait venir ici?
— Sujet, reprit Mardoche, excessivement sage,
Très moral, un sujet très logique. Je gage
Ma barbe et mon bonnet, qu'on pourrait vous donner
Dix-sept éternités pour nous le deviner. »

XXIV

La matinée était belle; les alouettes
Commençaient à chanter; quelques lourdes charrettes
Soulevaient çà et là la poussière. C'était
Un de ces beaux matins un peu froids, comme il fait
En octobre. Le ciel secouait de sa robe
Les brouillards vaporeux sur le terrestre globe.
« Asseyez-vous, mon fils, dit le prêtre; voilà
L'un des plus beaux instants du jour. — Pour ce [vent-là,
Je le crois usurier, bon père, dit Mardoche,
Car il vous met la main malgré vous à la poche.

XXV

— L'un des plus beaux instants, mon fils, où les
                                            [humains
Puissent à l'Eternel tendre leurs faibles mains;
L'âme s'y sent ouverte, et la prière aisée.
— Oui; mais nous avons là les pieds dans la rosée,
Bon père; autant vaudrait prier en plus bas lieu.
— Les monts, dit le vieillard, sont plus proches de
                                            [Dieu,

Ce sont ses vrais autels, et si le saint prophète
Moïse le put voir, ce fut au plus haut faîte.
— Hélas! reprit Mardoche, un homme sur le haut
Du plus pointu des monts, serait-ce le Jung-Frau,

XXVI

Me fait le même effet justement qu'une mouche
Au bout d'un pain de sucre. Ah! bon père, la bouche
Des hommes, à coup sûr, les met haut, mais leurs pieds
Les mettent bas. — Mon fils, dit le docteur, voyez
Que vos cheveux sont d'or et les miens sont de neige.
Attendez que le temps vienne. — Et qu'en appren-
Prit l'autre, souriant de son méchant souris;   [drai-je?
Science des humains n'est-elle pas mépris?
Il s'assit à ce mot. « Laissons cela, mon père,
Dit-il, je suis venu pour vous parler d'affaire.

XXVII

Comme vous le disiez tout à l'heure, je suis
Jeune, par conséquent amoureux. Je ne puis
Voir ma maîtresse; elle a son mari. La fenêtre
Est haute, à parler franc, et... — Je vous ai vu naître,
Mon ami, dit le prêtre, et je vous ai tenu
Sur les fonts baptismaux. Quand vous êtes venu
Au monde, votre père (et que Dieu lui pardonne,
Car il est mort) vous prit des bras de votre bonne,
Et me dit : Je le mets sous la protection
Du ciel; qu'il soit sauvé de la corruption!

XXVIII

— Le malheur, dit Mardoche, est que les demoiselles
Sont toutes, par nature ou par mode, cruelles;
Car je vous entends bien, et je sais que c'est mal.
Mais que voudriez-vous, monsieur, qu'on fît au bal?
— Oui! vous avez raison, dit le bedeau, le monde
Est un lieu de misère et de pitié profonde.
— Donc, dit Mardoche, avec votre consentement,
Je reprends mon récit et mon raisonnement.
Or je ne puis pas voir ma maîtresse; hier même
J'ai failli m'y casser le cou. — Bonté suprême!

XXIX

Dit le bedeau, c'est Dieu qui vous aurait frappé.
Quel est le malheureux que vous avez trompé?
— Malheureux? dit Mardoche; il n'en sait rien, mon
[père.
— Il n'en sait rien, mon fils! Nul secret sur la terre
N'est secret bien longtemps. — Bon, dit Mardoche,
Je ne bavarde guère, et je n'écris jamais.   [mais
— Et quand cela serait, mon fils, je le demande,
Une injure cachée en est-elle moins grande?
En aurez-vous donc moins desséché, désuni
Un lien que la main d'un prêtre avait béni?

XXX

En aurez-vous moins fait le plus coupable outrage
A la société, dans sa loi la plus sage?
Ce secret, qu'à jamais la terre ignorera,
Pensez-vous que le ciel, qui le sait, l'oubliera?
Songez à ce que c'est qu'un monde, et que le nôtre
A quatre pas de long, et pour l'horizon, l'autre.
— Quittons ce sujet-ci, dit Mardoche, je voi [1]
Que vous avez le crâne autrement fait que moi.
Je vous racontais donc comme quoi ma maîtresse
Etait gardée à vue : on la promène en laisse.

XXXI

— Et l'on a, dit le prêtre, éminemment raison.
Ah! qu'elle pense donc à garder sa maison,
A vouer au Seigneur un cœur exempt de feinte,
A donner à ses fils un lait pur et la crainte
Du ciel. — Mon révérend, dit l'autre, les oiseaux
Qui sont les plus charmants, sont ceux qui chantent
[faux.
Ne vous paraît-il pas simple et tout ordinaire
Qu'un rossignol soit laid, honteux, lorsqu'au contraire
Le paon, ce mal-appris, porte un manteau doré,
Comme un diacre à Noël à côté du curé?

XXXII

Ne vous étonnez donc aucunement, bon père,
Que le plus bel oiseau que nous ayons sur terre,

La femme, chante faux, et sur ce, laissez-moi
Vous finir mon récit, je vous dirai pourquoi.
Hier donc, je revenais, ayant failli me rompre
Les... — Et, dit le vieillard, qui donc l'a pu corrompre
Ainsi, fils d'un tel père, et jeune comme il est!
N'est-ce pas monstrueux? — J'ai, dit Mardoche, fait
Mes classes de bonne heure, et puis, dans les familles,
Voyez-vous, j'ai toujours trouvé quatre ou cinq filles

XXXIII

Contre un ou deux garçons, ce qui m'a fait penser
Qu'on pouvait en aimer la moitié, sans blesser
Dieu. — Dieu! mon cher enfant! voyons, soyez sincère.
Y croyez-vous? — Monsieur, dit Mardoche, Voltaire
Y croyait. — Comment donc l'offensez-vous ainsi?
— Or, dit le jouvenceau, je reprends mon récit.
J'adore cette femme, et ne connais de joie
Qu'à la voir; vous sentez qu'il faut que je la voie.
Et j'ai compté sur vous dans cette occasion.
— Sur moi! dit le bedeau, perdez-vous la raison?

XXXIV

— La raison, révérend, hélas! je l'ai perdue;
Et si, par un miracle, elle m'était rendue,
Vous me la verriez fuir, ou plutôt renvoyer
Comme un pigeon fidèle au toit du colombier.
Ah! secourez-moi donc; votre bonne assistance
Peut seule me sauver dans cette circonstance.
— Et de quelle façon, mon ami? — Vous sentez,
Dit Mardoche, que j'ai cherché de tous côtés,

Pour la voir, une chambre, un lit, un trou, n'importe;
Y venir n'était rien, mais il faut bien qu'on sorte.

XXXV

Et le rustre la guette. — Eh bien! dit le bedeau,
Puis-je l'en empêcher? — Vous avez un très beau
Lit à rideaux bleu-ciel, monsieur; un presbytère
N'est pas suspect... — Jamais! dit le vieillard. — Bon
Dit l'autre, je n'ai pas si peu de temps vécu   [père,
Qu'au premier jour d'ennui je croie une vertu
De partir (en parlant ainsi, l'ami Mardoche
Tirait tout bas un long pistolet de sa poche).
— Porter la main sur vous, mon fils! dit le chrétien.
En êtes-vous donc là? ne croyez-vous à rien?

XXXVI

— Révérend, répondit Mardoche, je m'ennuie.
Shakspeare, dans *Hamlet*, dit qu'on tient à la vie
Parce qu'on ne sait pas ce qu'on doit voir après [1];
Ses vers me semblent beaux, mais ils seraient plus
                                                [vrais,
S'ils disaient qu'on y tient parce qu'une cervelle
A peur d'un pistolet qui s'applique sur elle,
Pour la faire craquer et sauter d'un seul bond,
Comme un bouchon de vin de Champagne, au plafond.
Je ne suis pas douillet! — Un suicide! on se damne,
Mon fils! — Nous n'avons pas, dit Mardoche, le crâne

XXXVII

Fait de même. — Attendez du moins jusqu'à demain,
Mon fils, et retirez ceci de votre main.
Songez-y donc : chez moi! dans ma chambre! une
                                        [femme!
Mon enfant, un suicide! Ah! songez à votre âme.
— Henri huit, révérend, dit Mardoche, fut veuf
De sept reines, tua deux cardinaux, dix-neuf
Evêques, treize abbés, cinq cents prieurs, soixante-
Un chanoines, quatorze archidiacres, cinquante
Docteurs, douze marquis, trois cent dix chevaliers,
Vingt-neuf barons chrétiens, et six-vingt roturiers.

XXXVIII

Moi, je n'en tuerai qu'un, révérend; mais, de grâce,
Parlez, et dites-nous ce qu'il vous plaît qu'on fasse.
— Qu'on fasse! dit le prêtre; et l'enfer, mon cher fils!
L'enfer! — Monsieur, reprit Mardoche, je ne puis
Répondre là-dessus, n'ayant eu pour nourrice
Qu'une chèvre. » Le bout de l'arme tentatrice
Brillait en plein soleil. « Eh bien! je le veux bien,
S'écria le vieillard, mais vous n'en direz rien.
Sur votre foi, mon fils! songez à ce qu'on pense...
— Touchez là, dit Mardoche, et Dieu vous récom-
                                        [pense! »

XXXIX

Telle fut, de tout point, la conversation
Qu'avec son oncle Evrard Mardoche eut à Meudon
(Car Evrard du bedeau fut le nom véritable).
De l'oncle ou du neveu qui fut le plus coupable?
Le neveu fut impie, et l'oncle fut trop bon.
L'un plaidait pour le ciel, l'autre pour le démon.
Le parallèle prête à faire une élégie :
Oncle, tu fus trop bon; neveu, tu fus impie.
Mais n'importe; il suffit de savoir pour l'instant,
Quel qu'en soit le motif, que Mardoche est content.

XL

De plus, j'ai déjà dit, que c'était jour de fête.
Une fête, à Meudon, tourne plus d'une tête;
Et qui pouvait savoir, tandis que, soucieux,
Notre héros à terre avait fixé ses yeux,
Ce qu'il cherchait encor? — Le fait est qu'en silence
Au digne magister il fit sa révérence,
Puis s'éloigna pensif, sans trop regarder où,
La tête basse, et, comme on dit, à pas de loup.
— Toujours un amoureux s'en va tête baissée,
Cheminant de son pied moins que de sa pensée.

XLI

Heureux un amoureux! — Il ne s'enquête pas
Si c'est pluie ou gravier dont s'attarde son pas.

On en rit; c'est hasard s'il n'a heurté personne.
Mais sa folie au front lui met une couronne,
A l'épaule une pourpre, et devant son chemin
La flûte et les flambeaux, comme un jeune Romain!
Tel était celui-ci, qu'à sa mine inquiète
On eût pris pour un fou, sinon pour un poète.
Car vous verriez plutôt une moisson sans pré,
Sans serrure une porte, et sans nièce un curé,

XLII

Que sans manie un homme ayant l'amour dans l'âme.
Comme il marchait pourtant, un visage de femme
Qui passa tout à coup sous un grand voile noir,
Le jeta dans un trouble horrible à concevoir.
Qu'avait-il? Qu'était donc cette beauté voilée?
Peut-être sa Rosine! — Au détour de l'allée,
Avait-il reconnu, sous les plis du schall blanc,
Sa démarche à l'anglaise, et son pas nonchalant?
Elle n'était pas seule; un homme à face pâle
L'accompagnait, d'un air d'aisance conjugale.

XLIII

Quoi qu'il en soit, lecteur, notre héros suivit
Cette beauté voilée, aussitôt qu'il la vit.
Longtemps, et lentement, au bord de la terrasse,
Il marcha comme un chien basset sur une trace,
Toujours silencieux, car il délibérait
S'il devait passer outre ou bien s'il attendrait.

L'ennemi tout à coup, à sa grande surprise,
Fit volte-face. Il vit que l'instant de la crise
Approchait; tenant donc le pied ferme, aussitôt
Il rajusta d'un coup son col et son jabot.

XLIV

Muses! — Depuis le jour où John Bull[1], en silence,
Vit jadis par Brummel, en dépit de la France,
Les gilets blancs proscrits, et jusques aux talons
(Exemple monstrueux!) traîner les pantalons;
Jusqu'à ces heureux temps où nos compatriotes
Enfin jusqu'à mi-jambe ont relevé leurs bottes,
Et, ramenant au vrai tout un siècle enhardi,
Dégagé du maillot le mollet du dandy!
Si jamais, retroussant sa royale moustache,
Gentilhomme au plein vent fit siffler sa cravache;

XLV

D'un air tendre et rêveur, si jamais merveilleux,
Pour montrer une bague, écarta ses cheveux;
Oh! surtout, si jamais manchon aristocrate
Fit mollement plier la douillette écarlate;
Ou si jamais, pareil à l'étoile du soir,
Put sous un voile épais scintiller un œil noir,
O Muses d'Hélicon[2]! — O chastes Piérides!
Vous qui du double roc buvez les eaux rapides,
Dites, ne fut-ce pas lorsque, la canne en l'air,
Mardoche en sautillant passa comme un éclair?

XLVI

Ce ne fut qu'un coup d'œil, et, bien que passé maître,
Notre époux, à coup sûr, n'y put rien reconnaître.
Un vieux Turc accroupi, qui près de là fumait,
N'aurait pas eu le temps de dire : Mahomet.
La dame, je crois même, avait tourné la tête;
Et, sans s'inquiéter autrement de la fête,
Ni des gens de l'endroit, ni de son bon parent,
Mardoche regagna sa voiture en courant.
« A Paris! » dit le groom en fermant la portière.
A Paris! oh! l'étrange et la plaisante affaire!

XLVII

Lecteur, qui ne savez que penser de ceci,
Et qui vous préparez à froncer le sourcil,
Si vous n'avez déjà deviné que Mardoche
Emportait de Meudon un billet dans sa poche,
Vous serez, en rentrant, étonné de le voir
Se jeter tout soudain le nez contre un miroir,
Demander du savon, et gronder sa servante;
Puis, laissant son laquais glacé par l'épouvante,
Se vider sur le front, ainsi qu'un flot lustral,
Un flacon tout entier d'huile de Portugal.

XLVIII

Vénus! flambeau divin! — Astre cher aux pirates!
Astre cher aux amants! — Tu sais que de cravates,

Un jour de rendez-vous, chiffonne un amoureux!
Tu sais combien de fois il en refait les nœuds!
Combien coule sur lui de lait de rose et d'ambre!
Tu sais que de gilets et d'habits par la chambre
Vont traînant au hasard, mille fois essayés,
Pareils à des blessés qu'on heurte et foule aux pieds!
Vous surtout, dards légers, qu'en ses doctes emphases
Delille a consacrés par quatre périphrases!

XLIX

O bois silencieux! ô lacs! — O murs gardés!
Balcons quittés si tard! si vite escaladés!
Masques, qui ne laissez entrevoir d'une femme
Que deux trous sous le front, qui lui vont jusqu'à
                                    [l'âme!
O capuchons discrets! — O manteaux de satin,
Que presse sur la taille une amoureuse main!
Amour, mystérieux amour, douce misère!
Et toi, lampe d'argent, pâle et fraîche lumière
Qui fait les douces nuits plus blanches que le lait!
— Soutenez mon haleine en ce divin couplet!

L

Je veux chanter ce jour d'éternelle mémoire
Où, son dîner fini, devant qu'il fît nuit noire,
Notre héros, le nez caché sous son manteau,
Monta dans sa voiture une heure au moins trop tôt!
Oh! qu'il était joyeux, et, quoi qu'on n'y vît goutte,
Que de fois il compta les bornes de la route!

Lorsqu'enfin le tardif marchepied s'abaissa,
Comme, le cœur battant, d'abord il s'élança!
Tout le quartier dormait profondément, en sorte
Qu'il leva lentement le marteau de la porte.

LI

Etes-vous quelquefois sorti par un temps doux,
Le soir, seul, en automne, — ayant un rendez-vous?
Il est de trop bonne heure, et l'on ne sait que faire
Pour tuer, comme on dit, le temps, ou s'en distraire.
On s'arrête, on revient. — De guerre lasse, enfin,
On entre. — On va poser son front sur un coussin. —
Sur le bord de son lit, — place à jamais sacrée!
Tiède encor des parfums d'une tête adorée!
— On écoute. — On attend. — L'ange du souvenir
Passe, et vous dit tout bas : « L'Entends-tu pas venir? »

LII

J'ai vu, sur les autels, le pudique hyménée
Joindre une sèche main de prude surannée
A la main sans pudeur d'un roué de vingt ans.
Au Havre, dans un bal, j'ai vu les yeux mourants
D'une petite Anglaise, à l'air mélancolique,
Jeter un long regard plein d'amour romantique
Sur un buveur de punch, et qui, dans le moment,
Venait de se griser abominablement!
J'ai vu des apprentis se vendre à des douairières
Et des Almavivas payer leurs chambrières.

LIII

Est-il donc étonnant qu'une fois, à Paris,
Deux jeunes cœurs se soient rencontrés — et compris?
Hélas! de belles nuits le ciel nous est avare
Autant que de beaux jours! — Frère, quand la guitare
Se mêle au vent du soir qui frise vos cheveux,
Quand le clairet vous a ranimé de ses feux,
Oh! que votre maîtresse, alors surtout, soit belle!
Sinon, quand vous voudrez jeter les yeux sur elle,
Vous sentirez le cœur vous manquer, et soudain
L'instrument, malgré vous, tomber de votre main.

LIV

L'auteur du présent livre, en cet endroit, supplie
Sa lectrice, si peu qu'elle ait la main jolie
(Comme il n'en doute pas), d'y jeter un moment
Les yeux, et de penser à son dernier amant.
Qu'elle songe, de plus, que Mardoche était jeune,
Amoureux, qu'il avait pendant un mois fait jeûne,
Que la chambre était sombre, et que jamais baisé
Plus long ni plus ardent ne put être posé
D'une bouche plus tendre, et sur des mains plus
                                             [blanches
Que celles que Rosine eut au bout de ses manches.

LV

Car, à dire le vrai, ce fut la Rosina
Qui parut tout à coup, quand la porte tourna.

Je ne sais, ô lecteur! si notre ami Mardoche
En cette occasion crut son bien sans reproche,
Mais il en profita. — Pour la table, le thé,
Les biscuits et le feu, ce fut vite apporté.
— Il pleuvait à torrents. — Qu'on est bien deux à
[table!
Une femme! un souper! je consens que le diable
M'emporte, si jamais j'ai souhaité d'avoir
Rien autre chose avant de me coucher le soir.

LVI

Lecteur, remarquez bien cependant que Rosine
Etait blonde, l'œil noir, avait la jambe fine
Même, hormis les pieds qu'elle avait un peu forts,
Joignait les qualités de l'esprit et du corps.
Il paraît donc assez simple et facile à croire
Que son féal époux, sans être d'humeur noire,
Voulût la surveiller. — Peut-être qu'il était
Averti de l'affaire en dessous; le fait est
Que Mardoche et sa belle, au fond, ne pensaient guère
A lui, quand il cria comme au festin de Pierre :

LVII

« Ouvrez-moi. — Pechero! dit la dame, je suis
Perdue!... Où se cacher, Mardoche? » Au fond d'un
Il s'y serait jeté, de peur de compromettre   [puits,
La reine de son cœur. Il ouvrit la fenêtre.
Stratagème excellent! — Rien n'était mieux trouvé.
Et zeste! il se démit le pied sur un pavé.

O bizarre destin! ô fortune inconstante!
O malheureux amant! plus malheureuse amante!
Après ce coup fatal qu'allez-vous devenir,
Hélas! et comment donc ceci va-t-il finir?

LVIII

De tout temps les époux, grands dénoueurs de trames,
Ont mangé les soupers des amants de leurs femmes
On peut voir, pour cela, depuis maître Gil Blas,
Jusqu'à Crébillon fils et monsieur de Faublas.
Mais notre Dijonnais à la face chagrine
Jugea la chose mal à propos. — Et Rosine,
Que fit-elle? — Elle avait cet air désappointé
Que fait une perruche à qui l'on a jeté
Malicieusement une fève arrangée
Dans du papier brouillard en guise de dragée.

LIX

Elle prend avec soin l'enveloppe, ôte tout,
Tire, et s'attend à bien, puis, quand elle est au bout
Du papier imposteur, voyant la moquerie,
Reste moitié colère et moitié bouderie.
« Madame, dit l'époux, vous irez au couvent. »
Au couvent! — O destin cruel et décevant!
Le calice était plein; il fallut bien le boire.
Et que dit à ce mot la pauvre enfant! — L'histoire
N'en sait rien. — Et que fit Mardoche? — Pour
D'amour, il lui fallut six mois à voyager [1]. [changer

SUZON

> Heureux celui dont le cœur ne demande qu'un cœur, et qui ne désire ni parc à l'anglaise, ni opera seria, ni musique de Mozart, ni tableaux de Raphaël, ni éclipse de lune, ni même un clair de lune, ni scène de roman, ni leur accomplissement.
>
> Jean-Paul.

Ce que j'écris est bon pour les buveurs de bière
Qui jettent la bouteille après le premier verre :
C'est l'histoire d'un fou mort pour avoir aimé
A casser une pipe après avoir fumé.
Deux muscadins d'abbés qui soupaient chez le pape,
Etant venus un jour à bout de se griser,
Lorsque pour le dessert on eut tiré la nappe,
Dans un coin des jardins se mirent à causer.
L'un d'eux, nommé Cassius, frappant sur sa calotte,
Dit qu'en fait de maîtresse il était mal tombé,
Ayant pour tout potage une belle idiote,
Qui s'appelait, je crois, la marquise de B.
« Voilà huit jours, dit-il, que je ne sais qu'en faire,
Et c'est une bégueule à vous porter en terre.
— La faute en est à toi, répondit le second,
Si tu n'en tires rien. » L'autre dit : « Parbleu non!
Je n'ai pas le talent de réchauffer les marbres. »
Son ami là-dessus se mit à parler bas,
Très vite et très longtemps; et tous deux sous les arbres
Disparaissant bientôt, ils doublèrent le pas.

Cassius reconduisit l'autre jusqu'à la porte,
Et demeura chez lui jusques au lendemain.
Il en sortit tremblant, une fiole à la main :
Et le jour qui suivit, sa maîtresse était morte.

Il se passa deux ans, durant lesquels Cassius
Et son ami l'abbé ne se parlèrent plus.
Cassius se montrait peu, boudait, ne riait guère,
Buvait moins, maigrissait. L'autre, tout au contraire,
Bien poudré, l'œil au vent, les poches pleines d'or,
L'air impudent, taillé comme un tambour-major,
Possédant, en un mot, tout ce qui plaît aux femmes,
Loin de changer en rien, toujours près de ces dames,
Toujours rose, toujours charmant, continua
D'épanouir à l'air sa desinvoltura.

Tous les deux cependant menaient un train semblable,
Et chez Sa Sainteté se rencontraient à table,
A l'église, au boston : ils se disaient deux mots,
Se touchaient dans la main, et se tournaient le dos.
Cela dura deux ans. Je viens de vous le dire,
Cassius dépérissait, tombait de mal en pire,
Arrivait à souper les cheveux dépoudrés,
Avec un pied de rouge et des bas mal tirés.
Un beau soir de printemps, certaine demoiselle
Arrivant de Paris vint chez Sa Sainteté.
Cassius s'alla planter tout à coup derrière elle,
Et resta là. Ceci ne fut point remarqué.
Le fait est qu'elle avait des yeux à l'espagnole,
L'air profondément triste et le pied très petit.
Du reste, elle était bête. — Enfin, lorsqu'on partit,
Cassius, tout en suivant la belle créature,
Vit son ami l'abbé qui cherchait sa voiture;
Il lui saisit le bras si fort, que le tabac

Qu'il offrait à quelqu'un sur le pied lui tomba.
« Fortunio, dit-il, écoute. » Ils s'arrêtèrent
Sur un banc des jardins : les autres s'en allèrent.
Les vents du sud sifflaient sur leurs têtes, les cieux
Etaient sombres. Cassius prit un ton furieux
« Un certain jour, dit-il, j'avais cru qu'une femme
Méritait mon mépris; tu t'es moqué de moi,
Et tu m'as répondu : Ne méprise que toi!
Ce que je m'efforçais de trouver dans son âme
D'amour et de bonheur, c'est en la dégradant
Jusqu'au rôle muet et vil de l'instrument,
Que je sus le trouver sur un mot de ta bouche.
J'attendais que du luth la corde retentît :
Ce n'est point une corde, ami, c'est une touche,
M'as-tu dit. Frappe donc. Une femme, une nuit...
Je suivis ton conseil, que l'enfer entendit.
Un philtre rassembla les forces de son être;
Son pâle et triste amour, que je faisais peut-être
Répandre goutte à goutte, avant que de mourir,
Sur dix ou douze amants qu'il aurait pu nourrir,
Déborda tout à coup comme un fleuve en furie,
Dont la digue est rompue et qu'a gonflé la pluie.
Je frappai la statue : une femme en sortit;
J'ouvris les bras, et bus sa vie en une nuit.
Ah! Fortunio, pourquoi n'as-tu commis qu'un crime?
Mais le peu de poison que ta main me versa
Ne fit qu'un assassin et non une victime...
— Et que veux-tu, dit l'autre, avec ces phrases-là?
Il faut que je m'en aille, ou que tu te dépêches.
— As-tu, reprit Cassius, encor de ce poison?
— Moi! tant que tu voudras, plein une boîte à
                                            [mèches.
— Ecoute : cette femme avait porté le nom
D'un autre; elle avait eu des amants qu'on ignore,

Je n'ai fait que presser ce qu'il restait encore
De sève au cœur du fruit. J'en veux un aujourd'hui
Fermé pour tous; pour moi (moi seul!) épanoui,
Après moi refermé. Je veux toute une vie,
Et j'ajoute la mienne au marché.
                                        — Ton envie,
Répondit Fortunio, me sourit. Seulement
Tu l'aurais pu d'abord dire plus simplement.
Quelle est ta jeune fille? Il te la faut jolie;
Sinon ton tour est sot et ne vaut que moitié.
Ensuite il faut qu'elle ait pour toi quelque amitié.
Au reste, je conviens, mon cher, que ton idée,
Qui pourrait étonner un homme compassé,
Par la tête le soir m'a quelquefois passé.
Au goût du jour, d'ailleurs, elle est accommodée.
Lorsqu'un homme s'ennuie et qu'il sent qu'il est las
De traîner le boulet au bagne d'ici-bas,
Dès qu'il se fait sauter, qu'importe la manière?
J'aimerais tout autant ce que tu me dis là
Que de prendre un beau soir ma prise de tabac
Dans un baril d'opium ou dans ma poudrière.

— Eh bien, cria Cassius, marchons de ce côté. »
Tous les deux à pas lents regagnèrent la rue.
« Mais, dit Fortunio, le nom de ta beauté?
— Avançons, dit Cassius. Vois-tu cette statue?
— Oui.
              — Vois-tu ce portique entr'ouvert? Sa maison
Est derrière.
              — Et son nom?
                                        — On l'appelle Suzon. »

Les abbés là-dessus traversèrent la ville;
Cassius chez son ami tomba pâle et défait,

Tandis qu'à son tiroir l'autre, d'un air tranquille,
Ayant tiré sa drogue, en sifflant l'apprêtait.
« Ah çà! dit Fortunio, tu connais donc ta belle
De ton voyage en France, ou comment t'aime-t-elle?
C'est la seconde fois ce soir que je la vois.
— Moi, répondit Cassius, c'est la première fois.
— Comment? Que veux-tu faire alors de cette poudre?
— J'ai gagné deux laquais : nous avons arrêté
Que Suzanne demain la prendrait dans son thé.
Et quand je devrais être écrasé de la foudre,
Nous verrons qui rira, quand son palais désert
Se trouvera le soir par mégarde entr'ouvert.
— Que dis-tu? reprit l'autre : abuser d'une femme
Dont tu n'es point aimé! Voler le corps sans l'âme!
C'est affreux, c'est indigne, et c'est moins amusant.
Eh quoi! parce qu'un jour un philtre complaisant
L'aura jetée à bas et la laissera nue
Livrée au premier chien qui passe dans la rue,
Tu seras, toi, Cassius, content d'être ce chien?
Et tu détrôneras des sphères de lumière
La vertu d'une enfant qui, du ciel à la terre,
N'a que sa foi pour elle et ses bras pour soutien,
Pour te rouler sur elle une nuit dans ta fange,
Et te désaltérer sur les lèvres d'un ange
D'une soif de ruisseau! Pitoyable insensé!
Est-ce donc pour cela que sa mère a passé
Tant de jours inquiets, tant de nuits d'insomnie?
Qu'elle-même ce soir sur son lit a prié,
Qu'elle a fermé sa porte, et pour l'autre moitié
Gardé jusqu'à seize ans la moitié de sa vie;
Qu'elle a de son amour enfermé le trésor
Comme une fleur pudique en son calice d'or?
Quand je t'ai conseillé de tuer une femme,
Elle t'aimait du moins : c'est là qu'est le bonheur,

C'est là tout. O Cassius! n'étouffe pas ta flamme
Sous la cendre; crois-moi, cherche comme un plongeur
Cette perle qui dort dans la mer de son cœur.
— Et quand donc, dit Cassius, et de quelle manière
Me ferai-je aimer d'elle? En baisant son talon?
En enrayant ma roue à l'éternelle ornière?
En me faisant son ombre? Ah! mordieu, c'est trop long.
Lui plairai-je, d'ailleurs? La chance en est douteuse :
Elle aimera plus vite une fois dans mes bras,
Que la mort entre nous serve d'entremetteuse.

— Je vois, dit Fortunio, que tu ne connais pas
Le plus grand des moyens.
      — Lequel?
          — Le magnétisme.
— Bah! dit Cassius, tu ris. Avec ton athéisme,
Comment y croirais-tu? Pour moi, je ne crois rien,
Sinon ce que je vois.
      — Ah! dit l'autre, très bien :
Tu crois ce que tu vois! O raisonneur habile!
Et l'aveugle, à ton gré, que croira-t-il alors?
Parce que l'on t'a fait à ta prison d'argile
Une fenêtre ou deux pour y voir au dehors;
Parce que la moitié d'un rayon de lumière
Echappé du soleil dans ton œil peut glisser,
Quand il n'est pas bouché par un grain de poussière,
Tu crois qu'avec ses lois le monde y va passer!
O mon ami! le monde incessamment remue
Autour de nous, en nous, et nous n'en voyons rien.
C'est un spectre voilé qui nous crée et nous tue;
C'est un bourreau masqué que notre ange gardien.
Sais-tu, lorsque ta main touche une jeune fille,
Ce qui se passe en elle, en toi? Qu'en as-tu vu?
Qui te fait tressaillir lorsque son œil pétille?

S'il ne se passe rien, pourquoi tressailles-tu?
Quand l'aigle, au bord des mers, aperçoit l'hirondelle
Et lui dit en passant, d'un regard de ses yeux,
De le suivre, as-tu vu ce qui se passe en elle?
S'il ne se passe rien, pourquoi donc le suit-elle?
Eh quoi! toi confesseur, toi prêtre, toi Romain,
Tu crois qu'on dit un mot, qu'on fait un geste en
Un geste, malheureux! tu ne sais pas peut-être [vain!
Que la religion n'est qu'un geste, et le prêtre
Qui, l'hostie à la main, lève le bras sur nous,
Un saint magnétiseur qu'on écoute à genoux!
Tu crois ce que tu vois! toi, qui, dans la nuit sombre,
Portes l'étole blanche et vas t'asseoir dans l'ombre
Des confessionnaux, pour tenir dans ta main
La tête d'une enfant qui t'appelle son père,
Qui te dit des secrets qu'elle cache à sa mère,
Et de ce qui se fait à l'ombre du saint lieu
Ne peut en appeler à rien, pas même à Dieu!
Quand Christus renversa les idoles de Rome,
Il avait vu quel pas restait à faire encor,
Et qu'à qui veut donner l'homme pour maître à
[l'homme
Un caveau verrouillé vaut mieux qu'un trépied d'or.
C'est ce pouvoir, ami, c'est ce nœud redoutable
De l'aigle à l'hirondelle et du prêtre à l'enfant,
Qui fait que l'homme fort doit briser son semblable
Contre sa volonté de fer qui le défend.

Essaye, et tu verras. Quand la nuit solitaire
Sur son cilice d'or s'assoira sur la terre,
Laisse évoquer le diable au bouvier du chemin,
Qui veut faire avorter la vache du voisin;
Evoque ton courage et le sang de tes veines,

Ton amour et le dieu des volontés humaines!
Pénètre dans la chambre où Suzon dormira;
Ne la réveille pas; parle-lui, charme-la;
Donne-lui, si tu veux, de l'opium la veille.
Ta main à ses seins nus, ta bouche à son oreille;
Autour de tes deux bras roule ses longs cheveux,
Glisse-toi sur son cœur, et dis-lui que tu veux
(Entends-tu? que tu veux!) sur sa tête et sous peine
De mort, qu'elle te sente et qu'elle s'en souvienne;
Blesse-la quelque part, mêle à son sang ton sang;
Que la marque lui reste et fais-toi la pareille,
N'importe à quelle place, à la joue, à l'oreille,
Pourvu qu'elle frémisse en la reconnaissant.
Le lendemain sois dur, le plus profond silence,
L'œil ferme, laisse-la raisonner sans effroi,
Et dès la nuit venue arrive et recommence.
Huit jours de cette épreuve, et la proie est à toi.
— Je le veux, dit Cassius, et la pensée est bonne.
Cette nuit je commence, et l'attache à la croix
Huit jours à tout hasard, et que Dieu lui pardonne! »

Fortunio se trompait, il n'en fallut que trois.
Le quatrième jour Suzon vint à confesse;
Et derrière un pilier, caché dans l'ombre épaisse,
Cassius de son amour surprit l'aveu fatal.
Il dit à Fortunio : « Ton conseil infernal
Donne déjà son fruit : sa porte d'elle-même
S'ouvrira maintenant, car je sais qu'elle m'aime.

— Frappe donc! reprit l'autre.
                              — A ce soir.
                                        — A ce soir. »
Au coucher du soleil Cassius revint le voir.
« Viens souper, lui dit-il; il me reste une somme

De quarante louis dans ma poche. Un autre homme,
Ou plus sage ou plus fou que moi, la donnerait
A quelque mendiant; allons au cabaret. »

C'était par une nuit magnifique et sereine,
Où les vents embaumés frémissaient dans la plaine;
Et les grillons du soir, sous le pied du passant,
Chantaient dans la rosée aux feux du ver luisant;
La lune, à son lever, sur la cime des arbres
Balançait mollement les ombres des saints marbres,
Et plongeait dans le fleuve aux flots étincelants
Des lourds dieux de granit les colosses tremblants.
Dans le coin enfumé d'une auberge malsaine
Les abbés sur la table avaient croisé les bras.
« Eh bien! cria Cassius, ne chanterons-nous pas? »
Et, vidant d'un seul trait une bouteille pleine :
« Allons, abbé, dit-il, un toast à ma Suzon! »
Il se leva, lança son assiette au plafond,
Et se mit à chanter d'une voix triste et pure :

> Si Lilla voulait me promettre
> De m'ouvrir quand la nuit viendra,
> Je l'épouserais bien sans prêtre,
> Quitte à sauter par la fenêtre
> Quand sa mère s'éveillera.

> Sommes-nous donc de vieilles femmes
> Qui toujours tremblent pour leurs os
> Et, de peur du diable et des flammes,
> Attendent que leurs vieilles âmes
> Sortent par dégoût de leurs peaux?

> Moi, sur la planche de ma bière,
> Je souperais avec Lilla.
> Par la fressure du saint-père!
> Un homme peut casser son verre,
> Quand il a bu de ce vin-là.

Le ciel a-t-il fait un pacte à la nature
Avec l'homme, ou rit-il comme un malin esprit
Quand il voit un tombeau qui s'entr'ouvre et sourit;
Jamais vent de minuit, dans l'éternel silence,
N'emporta si gaiement du pied d'un balcon d'or
Les soupirs de l'amour à la beauté qui dort,
Que lorsque les abbés fredonnant leur romance,
Sur la bruyère sèche en se tenant le bras,
Vers leur œuvre sans nom marchèrent à grands pas.

Le lendemain dans Rome il courut la nouvelle
Qu'une main inconnue avait tué Suzon,
Et qu'on avait trouvé sur le pied d'une échelle
Fortunio qui dormait au seuil de la maison.
Depuis ce jour un fou qui blasphème et mendie
Vient s'asseoir quelquefois, à l'heure du sommeil,
Sur les lazzaronis étendus au soleil :
Il leur parle tout bas, les frotte et parodie
Les gestes d'un derviche et d'un magnétiseur;
Puis, quand il les éveille, il les frappe en fureur.
C'est Cassius qui survit à Suzon : sa victime
Lui mourut dans les bras trop tôt pour l'assouvir;
Et lui, resté tout seul à la moitié du crime,
Sur le pavé de Rome achève de mourir.

LES VŒUX STÉRILES

Puisque c'est ton métier, misérable poète,
Même en ces temps d'orage, où la bouche est muette,

Tandis que le bras parle, et que la fiction
Disparaît comme un songe au bruit de l'action [1];
Puisque c'est ton métier de faire de ton âme
Une prostituée, et que, joie ou douleur,
Tout demande sans cesse à sortir de ton cœur;
Que du moins l'histrion, couvert d'un masque infâme,
N'aille pas, dégradant ta pensée avec lui,
Sur d'ignobles tréteaux la mettre au pilori;
Que nul plan, nul détour, nul voile ne l'ombrage.
Abandonne aux vieillards sans force et sans courage
Ce travail d'araignée, et tous ces fils honteux
Dont s'entoure en tremblant l'orgueil qui craint les
                                                   [yeux.
Point d'autel, de trépied, point d'arrière aux profanes!
Que ta muse, brisant le luth des courtisanes,
Fasse vibrer sans peur l'air de la liberté;
Qu'elle marche pieds nus, comme la Vérité.

O Machiavel! tes pas retentissent encore
Dans les sentiers déserts de San Casciano [2].
Là, sous des cieux ardents dont l'air sèche et dévore,
Tu cultivais en vain un sol maigre et sans eau.
Ta main, lasse le soir d'avoir creusé la terre,
Frappait ton pâle front dans le calme des nuits.
Là, tu fus sans espoir, sans proches, sans amis;
La vile oisiveté, fille de la misère,
A ton ombre en tous lieux se traînait lentement,
Et buvait dans ton cœur les flots purs de ton sang :
« Qui suis-je? écrivais-tu; qu'on me donne une pierre,
» Une roche à rouler; c'est la paix des tombeaux
» Que je fuis, et je tends des bras las du repos ».

C'est ainsi, Machiavel, qu'avec toi je m'écrie :
O médiocrité, celui qui pour tout bien

T'apporte à ce tripot dégoûtant de la vie,
Est bien poltron au jeu, s'il ne dit : Tout ou rien.
Je suis jeune; j'arrive. A moitié de ma route [1],
Déjà las de marcher, je me suis retourné.
La science de l'homme est le mépris sans doute;
C'est un droit de vieillard qui ne m'est pas donné.
Mais qu'en dois-je penser? Il n'existe qu'un être
Que je puisse en entier et constamment connaître,
Sur qui mon jugement puisse au moins faire foi,
Un seul!... Je le méprise. — Et cet être, c'est moi.

Qu'ai-je fait? qu'ai-je appris? — Le temps est si rapide!
L'enfant marche joyeux, sans songer au chemin;
Il le croit infini, n'en voyant pas la fin.
Tout à coup il rencontre une source limpide,
Il s'arrête, il se penche, il y voit un vieillard.
Que me dirai-je, alors? Quand j'aurai fait mes peines,
Quand on m'entendra dire : Hélas! il est trop tard;
Quand ce sang, qui bouillonne aujourd'hui dans mes
Et s'irrite en criant contre un lâche repos, [veines
S'arrêtera, glacé jusqu'au fond de mes os...

O vieillesse! à quoi donc sert ton expérience?
Que te sert, spectre vain, de te courber d'avance
Vers le commun tombeau des hommes, si la mort
Se tait en y rentrant, lorsque la vie en sort?
N'existait-il donc pas à cette loterie
Un joueur par le sort assez bien abattu
Pour que, me rencontrant sur le seuil de la vie,
Il me dît en sortant : N'entrez pas, j'ai perdu!

Grèce, ô mère des arts, terre d'idolâtrie,
De mes vœux insensés éternelle patrie,

J'étais né pour ces temps où les fleurs de ton front
Couronnaient dans les mers l'azur de l'Hellespont.
Je suis un citoyen de tes siècles antiques;
Mon âme avec l'abeille erre sous tes portiques.
La langue de ton peuple, ô Grèce, peut mourir;
Nous pouvons oublier le nom de tes montagnes;
Mais qu'en fouillant le sein de tes blondes campagnes
Nos regards tout à coup viennent à découvrir
Quelque dieu de tes bois, quelque Vénus perdue...
La langue que parlait le cœur de Phidias
Sera toujours vivante et toujours entendue;
Les marbres l'ont apprise, et ne l'oublieront pas.
Et toi, vieille Italie, où sont ces jours tranquilles
Où sous le toit des cours Rome avait abrité
Les arts, ces dieux amis, fils de l'oisiveté [1]?
Quand tes peintres alors s'en allaient par les villes,
Élevant des palais, des tombeaux, des autels,
Triomphants, honorés, dieux parmi les mortels;
Quand tout, à leur parole, enfantait des merveilles,
Quand Rome combattait Venise et les Lombards,
Alors c'étaient des temps bienheureux pour les arts!
Là, c'était Michel-Ange, affaibli par les veilles,
Pâle au milieu des morts, un scalpel à la main,
Cherchant la vie au fond de ce néant humain,
Levant de temps en temps sa tête appesantie,
Pour jeter un regard de colère et d'envie
Sur les palais de Rome, où, du pied de l'autel,
A ses rivaux de loin souriait Raphaël.
Là, c'était le Corrège [2], homme pauvre et modeste,
Travaillant pour son cœur, laissant à Dieu le reste;
Le Giorgione, superbe, au jeune Titien
Montrant du sein des mers son beau ciel vénitien;
Bartholomé [3], pensif, le front dans la poussière,
Brisant son jeune cœur sur un autel de pierre,

Interrogé tout bas sur l'art par Raphaël,
Et bornant sa réponse à lui montrer le ciel...
Temps heureux, temps aimés! Mes mains alors peut-
[être,
Mes lâches mains, pour vous auraient pu s'occuper;
Mais aujourd'hui pour qui? dans quel but? sous quel
[maître?
L'artiste est un marchand, et l'art est un métier.
Un pâle simulacre, une vile copie,
Naissent sous le soleil ardent de l'Italie...
Nos œuvres ont un an, nos gloires ont un jour;
Tout est mort en Europe, — oui, tout, — jusqu'à
[l'amour.

Ah! qui que vous soyez, vous qu'un fatal génie
Pousse à ce malheureux métier de poésie
Rejetez loin de vous, chassez-moi hardiment
Toute sincérité; gardez que l'on ne voie
Tomber de votre cœur quelques gouttes de sang;
Sinon, vous apprendrez que la plus courte joie
Coûte cher, que le sage est ami du repos,
Que les indifférents sont d'excellents bourreaux.
Heureux, trois fois heureux, l'homme dont la pensée
Peut s'écrire au tranchant du sabre ou de l'épée!
Ah! qu'il doit mépriser ces rêveurs insensés
Qui, lorsqu'ils ont pétri d'une fange sans vie
Un vil fantôme, un songe, une froide effigie,
S'arrêtent pleins d'orgueil, et disent : C'est assez!
Qu'est la pensée, hélas! quand l'action commence?
L'une recule où l'autre intrépide s'avance.
Au redoutable aspect de la réalité,
Celle-ci prend le fer, et s'apprête à combattre;
Celle-là, frêle idole, et qu'un rien peut abattre,
Se détourne, en voilant son front inanimé.

Meurs, Weber! meurs courbé sur ta harpe muette;
Mozart t'attend. — Et toi, misérable poète,
Qui que tu sois, enfant, homme, si ton cœur bat,
Agis! jette ta lyre; au combat, au combat!
Ombre des temps passés, tu n'es pas de cet âge.
Entend-on le nocher chanter pendant l'orage?
A l'action! au mal! Le bien reste ignoré.
Allons! cherche un égal à des maux sans remède.
Malheur à qui nous fit ce sens dénaturé!
Le mal cherche le mal, et qui souffre nous aide.
L'homme peut haïr l'homme, et fuir, mais malgré lui,
Sa douleur tend la main à la douleur d'autrui.
C'est tout. Pour la pitié, ce mot dont on nous leurre,
Et pour tous ces discours prostitués sans fin,
Que l'homme au cœur joyeux jette à celui qui pleure,
Comme le riche jette au mendiant son pain,
Qui pourrait en vouloir? et comment le vulgaire,
Quand c'est vous qui souffrez, pourrait-il le sentir,
Lui que Dieu n'a pas fait capable de souffrir?
Allez sur une place, étalez sur la terre
Un corps plus mutilé que celui d'un martyr,
Informe, dégoûtant, traîné sur une claie,
Et soulevant déjà l'âme prête à partir;
La foule vous suivra. Quand la douleur est vraie,
Elle l'aime. Vos maux, dont on vous saura gré,
Feront horreur à tous, à quelques-uns pitié.
Mais changez de façon : découvrez-leur une âme
Par le chagrin brisée, une douleur sans fard,
Et dans un jeune cœur des regrets de vieillard;
Dites-leur que sans mère, et sans sœur, et sans femme,
Sans savoir où verser, avant que de mourir,
Les pleurs que votre sein peut encor contenir,
Jusqu'au soleil couchant vous n'irez point peut-être...
Qui trouvera le temps d'écouter vos malheurs?

On croit au sang qui coule, et l'on doute des pleurs.
Votre ami passera, mais sans vous reconnaître.

— Tu te gonfles, mon cœur?... Des pleurs, le croirais-tu,
Tandis que j'écrivais ont baigné mon visage.
Le fer me manque-t-il, ou ma main sans courage
A-t-elle lâchement glissé sur mon sein nu?
— Non, rien de tout cela. Mais si loin que la haine
De cette destinée aveugle et sans pudeur
Ira, j'y veux aller. — J'aurai du moins le cœur
De la mener si bas que la honte l'en prenne.

1831.

OCTAVE [1]

FRAGMENT

Ni ce moine rêveur, ni ce vieux charlatan,
N'ont deviné pourquoi Mariette est mourante.
Elle est frappée au cœur, la belle indifférente;
Voilà son mal, — elle aime. — Il est cruel pourtant
De voir entre les mains d'un cafard et d'un âne,
Mourir cette superbe et jeune courtisane.
Mais chacun a son jour, et le sien est venu;
Pour moi, je ne crois guère à ce mal inconnu.
Tenez, — la voyez-vous, seule, au pied de ces arbres,
Chercher l'ombre profonde et la fraîcheur des marbres,
Et plonger dans le bain ses membres en sueur?
Je gagerais mes os qu'elle est frappée au cœur.
Regardez : — c'est ici, sous ces longues charmilles,

Qu'hier encor, dans ses bras, loin des rayons du jour,
Ont pâli les enfants des plus nobles familles.
Là s'exerçait dans l'ombre un redoutable amour;
Là, cette Messaline ouvrait ses bras rapaces
Pour changer en vieillards ses frêles favoris,
Et, répandant la mort sous des baisers vivaces,
Buvait avec fureur ses éléments chéris,
L'or et le sang. —   Hélas! c'en est fait, Mariette,
Maintenant te voilà solitaire et muette.
Tu te mires dans l'eau; sur ce corps si vanté
Tes yeux cherchent en vain ta fatale beauté.
Va courir maintenant sur les places publiques.
Tire par les manteaux tes amants magnifiques.
Ceux qui, l'hiver dernier, t'ont bâti ton palais,
T'enverront demander ton nom par leurs valets.
Le médecin s'éloigne en haussant les épaules;
Il soupire, et se dit que l'art est impuissant.
Quant au moine stupide, il ne sait que deux rôles,
L'un pour le criminel, l'autre pour l'innocent;
Et, voyant une femme en silence s'éteindre,
Ne sachant s'il devait ou condamner ou plaindre,
D'une bouche tremblante il les a dits tous deux.
Maria! Maria! superbe créature,
Tu seras ce chasseur imprudent que les dieux
Aux chiens qu'il nourrissait jetèrent en pâture.

Sous le tranquille abri des citronniers en fleurs,
L'infortunée endort le poison qui la mine;
Et, comme Madeleine, on voit sur sa poitrine
Ruisseler les cheveux ensemble avec les pleurs.

Etait-ce un connaisseur en matière de femme,
Cet écrivain qui dit que, lorsqu'elle sourit,

Elle vous trompe; elle a pleuré toute la nuit?
Ah! s'il est vrai qu'un œil plein de joie et de flamme,
Une bouche riante, et de légers propos,
Cachent des pleurs amers et des nuits de sanglots;
S'il est vrai que l'acteur ait l'âme déchirée
Quand le masque est fardé de joyeuses couleurs,
Qu'est-ce donc quand la joue est ardente et plombée,
Quand le masque lui-même est inondé de pleurs?
Je ne sais si jamais l'éternelle justice
A du plaisir des dieux fait un plaisir permis;
Mais, s'il m'était donné de dire à quel supplice
Je voudrais condamner mon plus fier ennemi,
C'est toi, pâle souci d'une amour dédaignée,
Désespoir misérable et qui meurs ignoré,
Oui, c'est toi, ce serait ta lame empoisonnée
Que je voudrais briser dans un cœur abhorré!
Savez-vous ce que c'est que ce mal solitaire?
Ce qu'il faut en souffrir seulement pour s'en taire?
Pour que toute une mer d'angoisses et de maux
Demeure au fond du crâne, entre deux faibles os?...

Et comment voudrait-il, l'insensé, qu'on le plaigne?
Sois méprisé d'un seul, c'est à qui t'oubliera.
D'ailleurs, l'inexorable orgueil n'est-il pas là?
L'orgueil, qui craint les yeux, et, sur son flanc qui
Retient, comme César, jusque sous le couteau, [saigne,
De ses débiles mains les plis de son manteau.

. . . .

Sur les flots engourdis de ces mers indolentes,
Le nonchalant Octave, insolemment paré,
Ferme et soulève, au bruit des valses turbulentes,
Ses yeux, ses beaux yeux bleus, qui n'ont jamais pleuré.

C'est un chétif enfant; — il commence à paraître,
Personne jusqu'ici ne l'avait aperçu.
On raconte qu'un jour, au pied de sa fenêtre,
La belle Mariette en gondole l'a vu.
Une vieille ce soir l'arrête à son passage :
« Hélas! a-t-elle dit d'une tremblante voix,
Elle voudrait vous voir une dernière fois. »
Mais Octave, à ces mots, découvrant son visage,
A laissé voir un front où la joie éclatait :
« Mariette se meurt! est-on sûr qu'elle meure?
Dit-il. — Le médecin lui donne encore une heure.
— Alors, réplique-t-il, porte-lui ce billet. »
Il écrivit ces mots du bout de son stylet :
« Je suis femme, Maria; tu m'avais offensée.
» Je puis te pardonner, puisque tu meurs par moi.
» Tu m'as vengée! adieu. — Je suis la fiancée
» De Petruccio Balbi qui s'est noyé pour toi. »

LES SECRÈTES PENSÉES DE RAFAEL

GENTILHOMME FRANÇAIS

FRAGMENT [1]

O vous race des dieux, phalange incorruptible,
Electeurs brevetés des morts et des vivants;
Porte-clefs éternels du mont inaccessible [2],
Guindés, guédés [3], bridés, confortables pédants!
Pharmaciens du bon goût, distillateurs sublimes,
Seuls vraiment immortels, et seuls autorisés;
Qui, d'un bras dédaigneux, sur vos seins magnanimes,

Secouant le tabac de vos jabots usés,
Avez toussé, — soufflé, — passé sur vos lunettes
Un parement brossé, pour les rendre plus nettes,
Et, d'une main soigneuse ouvrant l'in-octavo,
Sans partialité, sans malveillance aucune,
Sans vouloir faire cas ni des ha! ni des ho!
Avez lu posément — la Ballade à la lune!!!

Maîtres, maîtres divins, où trouverai-je, hélas!
Un fleuve où me noyer, une corde où me pendre,
Pour avoir oublié de faire écrire au bas :
Le public est prié de ne pas se méprendre [1]...
Chose si peu coûteuse et si simple à présent,
Et qu'à tous les piliers on voit à chaque instant!
Ah! povero, ohimé [2]! — Qu'a pensé le beau sexe?
On dit, maîtres, on dit qu'alors votre sourcil,
En voyant cette lune, et ce point sur cet i,
Prit l'effroyable aspect d'un accent circonflexe!

Et vous, libres penseurs, dont le sobre dîner
Est un conseil d'Etat, — immortels journalistes!
Vous qui voyez encor, sur vos antiques listes,
Errer de loin en loin le nom d'un abonné!
Savez-vous le *Pater*, et les péchés des autres
Ont-ils grâce à vos yeux, quand vous comptez les
                                              [vôtres?
— O vieux sir John Falstaff [3]! quel rire eût soulevé
Ton large et joyeux corps, gonflé de vin d'Espagne,
En voyant ces buveurs, troublés par le champagne,
Pour tuer une mouche apporter un pavé!

Salut, jeunes champions d'une cause un peu vieille,
Classiques bien rasés, à la face vermeille,
Romantiques barbus [4], aux visages blêmis!

Vous qui des Grecs défunts balayez le rivage,
Ou d'un poignard sanglant fouillez le moyen âge,
Salut! — J'ai combattu dans vos camps ennemis.
Par cent coups meurtriers devenu respectable,
Vétéran, je m'assois sur mon tambour crevé.
Racine, rencontrant Shakspeare sur ma table,
S'endort près de Boileau qui leur a pardonné.

Mais toi, moral troupeau, dont la docte cervelle
S'est séchée en silence aux leçons de Thénard [1],
Enfants régénérés d'une mère immortelle,
Qui savez parler vers, prose et *naïf dans l'art*,
O jeunesse du siècle! intrépide jeunesse!
Quitteras-tu pour moi le *Globe* ou les *Débats* [2]?
Lisez un paresseux, enfant de la paresse...
Muse, reprends ta lyre, et rouvre-moi tes bras.

France, ô mon beau pays! j'ai de plus d'un outrage
Offensé ton céleste, harmonieux langage,
Idiome de l'amour, si doux qu'à le parler
Tes femmes sur la lèvre en gardent un sourire;
Le miel le plus doré qui sur la triste lyre
De la bouche et du cœur ait pu jamais couler!
Mère de mes aïeux, ma nourrice et ma mère,
Me pardonneras-tu? Serai-je digne encor
De faire sous mes doigts vibrer la harpe d'or?
Ce ne sont plus les fils d'une terre étrangère
Que je veux célébrer, ô ma belle cité!
Je ne sortirai pas de ce bord enchanté
Où, près de ton palais sur ton fleuve penchée [3],
Fille de l'Occident, un soir tu t'es couchée...
Lecteur, puisqu'il faut bien qu'à ce mot redouté
Tôt ou tard, à présent, tout honnête homme en
                                                    [vienne,

C'est, après le dîner, une faiblesse humaine
Que de dormir une heure en attendant le thé.
Vous le savez, hélas! alors que les gazettes
Ressemblent aux greniers dans les temps de disettes,
Ou lorsque, par malheur, on a, sans y penser,
Ouvert quelque pamphlet fatal à l'insomnie,
Quelques *Mémoires sur**** — *Essai de poésie*...
— O livres précieux! serait-ce vous blesser
Que de poser son front sur vos célestes pages,
Tandis que du calice embaumé de l'opium,
Comme une goutte d'eau qu'apportent les orages
Tombe ce fruit des cieux appelé *somnium!*
Depuis un grand quart d'heure incliné sur sa chaise,
Rafael (mon héros) sommeillait doucement.
Remarquez bien, lecteur, et ne vous en déplaise,
Que c'est tout l'opposé d'un héros de roman.
Ses deux bras sont croisés; — une ample redingote,
Simplicité touchante, enferme sous ses plis
Son corps plus délicat qu'un menton de dévote,
Et ses membres vermeils par le bain assouplis.
Dans ses cheveux, huilés d'un baptême à la rose,
Le zéphir mollement balance ses pieds nus,
Et son barbet grognon, qui près de lui repose,
Supporte fièrement ses deux pieds étendus;
Tandis qu'à ses côtés, sous le vase d'albâtre
Où dort dans les glaçons le bourgogne mousseux,
Le pudding entamé, de sa flamme bleuâtre,
Salamandre joyeuse, égaye encor les yeux.
Son parfum, qui se mêle au tabac de Turquie,
Croise autour des lambris son brouillard azuré,
Qui s'enfuit comme un songe, et s'éteint par degré.

Trois cigares le soir, quand le jeu vous ennuie,
Sont un moyen divin pour mettre à mort le temps.

Notre âme (si Dieu veut que nous ayons une âme)
N'est pas assurément une plus douce flamme,
Un feu plus vif, formé de rayons plus ardents,
Que ce sylphe léger qui plonge et se balance
Dans le bol où le punch rit sur son trépied d'or.
Le grog est fashionable, et le vieux vin de France
Réveille au fond du cœur la gaîté qui s'endort.
— Mais quel homme, fût-il né dans la Sibérie
Des baisers engourdis de deux êtres glacés;
Eût-on sous un cilice étouffé de sa vie
La sève languissante et les germes usés;
Se fût-il dans la cendre abreuvé dès l'enfance
De végétaux sans suc et d'herbes sans chaleur;
Quel homme, au triple aspect du punch, du vin de
                                                    [France,
Et du cigarero, ne sentirait son cœur,
Plein d'une joie ardente et d'une molle ivresse,
S'ouvrir au paradis des rêves de jeunesse?...
Reine, reine des cieux, ô mère des amours,
Noble, pâle beauté, douce Aristocratie!
Fille de la richesse... ô toi, toi qu'on oublie,
Que notre pauvre France aimait dans ses vieux jours!
Toi que jadis, du haut de son paratonnerre,
Le roturier Franklin foudroya sur la terre
Où le colon grillé gouverne en liberté
Ses noirs, et son tabac par les lois prohibé;
Toi qui créas Paris, tuas Athène et Sparte,
Et, sous le dais sanglant de l'impérial pavois,
Comme autrefois César, endormis Bonaparte
Aux murmures lointains des peuples et des rois! —
Toi qui, dans ton printemps, de roses couronnée,
Et comme Iphigénie, à l'autel entraînée,
Jeune, tombas frappée au cœur d'un coup mortel...
— As-tu quitté la terre et regagné le ciel?

Nous te retrouverons, perle de Cléopâtre [1],
Dans la source féconde, à la teinte rougeâtre,
Qui dans ses flots profonds un jour te consuma...

« Hé! hé! dit une voix, parbleu! mais le voilà.
— Messieurs, dit Rafael, entrez, j'ai fait un somme [2]. »

1831.

CHANSON

J'ai dit à mon cœur, à mon faible cœur :
N'est-ce point assez d'aimer sa maîtresse?
Et ne vois-tu pas que changer sans cesse,
C'est perdre en désirs le temps du bonheur?

Il m'a répondu : Ce n'est point assez,
Ce n'est point assez d'aimer sa maîtresse;
Et vois-tu pas que changer sans cesse
Nous rend doux et chers les plaisirs passés?

J'ai dit à mon cœur, à mon faible cœur :
N'est-ce point assez de tant de tristesse?
Et ne vois-tu pas que changer sans cesse,
C'est à chaque pas trouver la douleur?

Il m'a répondu : Ce n'est point assez,
Ce n'est point assez de tant de tristesse;
Et ne vois-tu pas que changer sans cesse
Nous rend doux et chers les chagrins passés?

1831.

A PÉPA[1]

Pépa, quand la nuit est venue,
Que ta mère t'a dit adieu;
Que sous ta lampe, à demi nue,
Tu t'inclines pour prier Dieu;

A cette heure où l'âme inquiète
Se livre au conseil de la nuit;
Au moment d'ôter ta cornette
Et de regarder sous ton lit;

Quand le sommeil sur ta famille
Autour de toi s'est répandu;
O Pépita, charmante fille,
Mon amour, à quoi penses-tu?

Qui sait? Peut-être à l'héroïne
De quelque infortuné roman;
A tout ce que l'espoir devine
Et la réalité dément;

Peut-être à ces grandes montagnes
Qui n'accouchent que de souris;
A des amoureux en Espagne,
A des bonbons, à des maris;

Peut-être aux tendres confidences
D'un cœur naïf comme le tien;
A ta robe, aux airs que tu danses;
Peut-être à moi, — peut-être à rien.

1831.

A JUANA

O ciel! je vous revois, madame, —
De tous les amours de mon âme
Vous le plus tendre et le premier.
Vous souvient-il de notre histoire?
Moi, j'en ai gardé la mémoire : —
C'était, je crois, l'été dernier.

Ah! marquise, quand on y pense,
Ce temps qu'en folie on dépense,
Comme il nous échappe et nous fuit!
Sais-tu bien, ma vieille maîtresse,
Qu'à l'hiver, sans qu'il y paraisse,
J'aurai vingt ans, et toi dix-huit?

Eh bien! m'amour, sans flatterie,
Si ma rose est un peu pâlie,
Elle a conservé sa beauté.
Enfant! jamais tête espagnole
Ne fut si belle, ni si folle. —
Te souviens-tu de cet été?

De nos soirs, de notre querelle?
Tu me donnas, je me rappelle,
Ton collier d'or pour m'apaiser, —
Et pendant trois nuits, que je meure,
Je m'éveillai tous les quarts d'heure,
Pour le voir et pour le baiser.

Et ta duègne, ô duègne damnée!
Et la diabolique journée
Où tu pensas faire mourir,
O ma perle d'Andalousie,
Ton vieux mari de jalousie,
Et ton jeune amant de plaisir!

Ah! prenez-y garde, marquise,
Cet amour-là, quoi qu'on en dise,
Se retrouvera quelque jour.
Quand un cœur vous a contenue,
Juana, la place est devenue
Trop vaste pour un autre amour.

Mais que dis-je? ainsi va le monde.
Comment lutterais-je avec l'onde
Dont les flots ne reculent pas?
Ferme tes yeux, tes bras, ton âme;
Adieu, ma vie — adieu madame,
Ainsi va le monde ici-bas.

Le temps emporte sur son aile
Et le printemps et l'hirondelle,
Et la vie et les jours perdus;
Tout s'en va comme la fumée,
L'espérance et la renommée,
Et moi qui vous ai tant aimée,
Et toi qui ne t'en souviens plus!

1831.

A JULIE

On me demande, par les rues,
Pourquoi je vais bayant aux grues,
Fumant mon cigare au soleil,
A quoi se passe ma jeunesse,
Et depuis trois ans de paresse
Ce qu'ont fait mes nuits sans sommeil.

Donne-moi tes lèvres, Julie;
Les folles nuits qui t'ont pâlie
Ont séché leur corail luisant.
Parfume-les de ton haleine;
Donne-les-moi, mon Africaine,
Tes belles lèvres de pur sang.

Mon imprimeur crie à tue-tête
Que sa machine est toujours prête,
Et que la mienne n'en peut mais.
D'honnêtes gens, qu'un club admire,
N'ont pas dédaigné de prédire
Que je n'en reviendrai jamais.

Julie, as-tu du vin d'Espagne?
Hier, nous battions la campagne;
Va donc voir s'il en reste encor.
Ta bouche est brûlante, Julie;
Inventons donc quelque folie
Qui nous perde l'âme et le corps.

On dit que ma gourme me rentre,
Que je n'ai plus rien dans le ventre,
Que je suis vide à faire peur;
Je crois, si j'en valais la peine,
Qu'on m'enverrait à Sainte-Hélène,
Avec un cancer dans le cœur.

Allons, Julie, il faut t'attendre
A me voir quelque jour en cendre,
Comme Hercule sur son rocher.
Puisque c'est par toi que j'expire,
Ouvre ta robe, Déjanire,
Que je monte sur mon bûcher.

Mars 1832.

A LAURE

Si tu ne m'aimais pas, dis-moi, fille insensée,
Que balbutiais-tu dans ces fatales nuits?
Exerçais-tu ta langue à railler ta pensée?
Que voulaient donc ces pleurs, cette gorge oppressée,
            Ces sanglots et ces cris?

Ah! si le plaisir seul t'arrachait ces tendresses,
Si ce n'était que lui qu'en ce triste moment
Sur mes lèvres en feu tu couvrais de caresses
            Comme un unique amant;

Si l'esprit et les sens, les baisers et les larmes,
Se tiennent par la main de ta bouche à ton cœur,

Et s'il te faut ainsi, pour y trouver des charmes,
Sur l'autel du plaisir profaner le bonheur :

Ah! Laurette! ah! Laurette, idole de ma vie,
Si le sombre démon de tes nuits d'insomnie
Sans ce masque de feu ne saurait faire un pas,
Pourquoi l'évoquais-tu, si tu ne m'aimais pas?

1832.

A MON AMI EDOUARD B [1].

Tu te frappais le front en lisant Lamartine,
Edouard, tu pâlissais comme un joueur maudit;
Le frisson te prenait, et la foudre divine,
　　　Tombant dans ta poitrine,
T'épouvantait toi-même en traversant ta nuit.

Ah! frappe-toi le cœur, c'est là qu'est le génie.
C'est là qu'est la pitié, la souffrance et l'amour;
C'est là qu'est le rocher du désert de la vie,
　　　D'où les flots d'harmonie,
Quand Moïse viendra, jailliront quelque jour.

Peut-être à ton insu déjà bouillonnent-elles,
Ces laves du volcan, dans les pleurs de tes yeux.
Tu partiras bientôt avec les hirondelles,
　　　Toi qui te sens des ailes
Lorsque tu vois passer un oiseau dans les cieux.

Ah! tu sauras alors ce que vaut la paresse;
Sur les rameaux voisins tu voudras revenir.

Edouard, Edouard, ton front est encor sans tristesse,
    Ton cœur plein de jeunesse...
Ah! ne les frappe pas, ils n'auraient qu'à s'ouvrir!

1832.

A MON AMI ALFRED T. [1]

Dans mes jours de malheur, Alfred, seul entre mille,
Tu m'es resté fidèle où tant d'autres m'ont fui.
Le bonheur m'a prêté plus d'un lien fragile;
Mais c'est l'adversité qui m'a fait un ami.

C'est ainsi que les fleurs sur les coteaux fertiles
Etalent au soleil leur vulgaire trésor;
Mais c'est au sein des nuits, sous des rochers stériles,
Que fouille le mineur qui cherche un rayon d'or.

C'est ainsi que les mers calmes et sans orages
Peuvent d'un flot d'azur bercer le voyageur;
Mais c'est le vent du nord, c'est le vent des naufrages
Qui jette sur la rive une perle au pêcheur.

Maintenant Dieu me garde! où vais-je? Eh! que
                                    [m'importe?
Quels que soient mes destins, je dis comme Byron :
« L'Océan peut gronder, il faudra qu'il me porte. »
Si mon coursier s'abat, j'y mettrai l'éperon.

Mais du moins j'aurai pu, frère, quoi qu'il m'arrive
De mon cachet de deuil sceller notre amitié,
Et, que demain je meure ou que demain je vive,
Pendant que mon cœur bat, t'en donner la moitié.

Mai 1832.

A MADAME N. MENESSIER

QUI AVAIT MIS EN MUSIQUE DES PAROLES DE L'AUTEUR [1]

Madame, il est heureux, celui dont la pensée
(Qu'elle fût de plaisir, de douleur ou d'amour)
A pu servir de sœur à la vôtre un seul jour.
Son âme dans votre âme un instant est passée;

Le rêve de son cœur un soir s'est arrêté,
Ainsi qu'un pèlerin, sur le seuil enchanté
Du merveilleux palais tout peuplé de féeries
Où dans leurs voiles blancs dorment vos rêveries.

Qu'importe que bientôt, pour un autre oublié,
De vos lèvres de pourpre il se soit envolé
Comme l'oiseau léger s'envole après l'orage?
Lorsqu'il a repassé le seuil mystérieux,
Vos lèvres l'ont doré, dans leur divin langage,
            D'un sourire mélodieux.

1833.

A MADAME M***

QUI AVAIT ENVOYÉ PAR PLAISANTERIE,
UN PETIT ÉCU A L'AUTEUR [2]

Vous m'envoyez, belle Emilie,
Un poulet bien emmailloté;
Votre main discrète et polie
L'a soigneusement cacheté.
Mais l'aumône est un peu légère,
Et, malgré sa dextérité,
Cette main est bien ménagère
Dans ses actes de charité.
C'est regarder à la dépense
Si votre offrande est un paiement,
Et si c'est une récompense,
Vous n'aviez pas besoin d'argent.
A l'avenir, belle Emilie,
Si votre cœur est généreux
Aux pauvres gens, je vous en prie,
Faites l'aumône avec vos yeux.
Quand vous trouverez le mérite,
Et quand vous voudrez le payer,
Souvenez-vous de Marguerite
Et du poète Alain Chartier [2].
Il était bien laid, dit l'histoire,
La dame était fille de roi;
Je suis bien obligé de croire
Qu'il faisait mieux les vers que moi.
Mais si ma plume est peu de chose,

Mon cœur, hélas! ne vaut pas mieux;
Fût-ce même pour de la prose
Vos cadeaux sont trop dangereux.
Que votre charité timide
Garde son argent et son or,
Car en ouvrant votre main vide
Vous pouvez donner un trésor.

LE SAULE

FRAGMENT [1]

I

. . . .

Il se fit tout à coup le plus profond silence,
Quand Georgina Smolen se leva pour chanter.
Miss Smolen est très pâle. — Elle arrive de France,
Et regrette le sol qu'elle vient de quitter.
On dit qu'elle a seize ans. — Elle est Américaine;
Mais, dans ce beau pays dont elle parle à peine
Jamais deux yeux plus doux n'ont du ciel le plus pur
Sondé la profondeur et réfléchi l'azur [2].
Faible et toujours souffrante, ainsi qu'un diadème
Elle laisse à demi, sur son front orgueilleux,
En longues tresses d'or tomber ses longs cheveux.
Elle est de ces beautés dont on dit qu'on les aime
Moins qu'on ne les admire; — un noble, un chaste
                                        [cœur;
La volupté, pour mère, y trouva la pudeur.
Bien que sa voix soit douce, elle a sur le visage,

Dans les gestes, l'abord, et jusque dans ses pas,
Un signe de hauteur qui repousse l'hommage,
Soit tristesse ou dédain, mais qui ne blesse pas.
Dans un âge rempli de crainte et d'espérance,
Elle a déjà connu la triste indifférence,
Cette fille du temps. — Qui pourrait cependant
Se lasser d'admirer ce front triste et charmant
Dont l'aspect seul éloigne et guérit toute peine?
Tant sont puissants, hélas! sur la misère humaine
Ces deux signes jumeaux de paix et de bonheur,
Jeunesse de visage et jeunesse de cœur,
Chose étrange à penser, il paraît difficile
Au regard le plus dur et le plus immobile
De soutenir le sien. — Pourquoi? Qui le dira?
C'est un mystère encor. — De ce regard céleste
L'atteinte, allant au cœur, est sans doute funeste,
Et devra coûter cher à qui la recevra.
Miss Smolen commença; — l'on ne voyait plus qu'elle.
On connaît ce regard qu'on veut en vain cacher,
Si prompt, si dédaigneux, quand une femme est
                                                    [belle!...
Mais elle ne parut le fuir ni le chercher.

Elle chanta cet air qu'une fièvre brûlante
Arrache, comme un triste et profond souvenir,
D'un cœur plein de jeunesse et qui se sent mourir;
Cet air qu'en s'endormant Desdemona tremblante,
Posant sur son chevet son front chargé d'ennuis,
Comme un dernier sanglot, soupire au sein des nuits.

D'abord ses accents purs, empreints d'une tristesse
Qu'on ne peut définir, ne semblèrent montrer
Qu'une faible langueur, et cette douce ivresse
Où la bouche sourit, et les yeux vont pleurer.

Ainsi qu'un voyageur couché dans sa nacelle,
Qui se laisse au hasard emporter au courant,
Qui ne sait si la rive est perfide ou fidèle,
Si le fleuve à la fin devient lac ou torrent;
Ainsi la jeune fille, écoutant sa pensée,
Sans crainte, sans effort, et par sa voix bercée,
Sur les flots enchantés du fleuve harmonieux
S'éloignait du rivage en regardant les cieux...

Quel charme elle exerçait! Comme tous les visages
S'animaient tout à coup d'un regard de ses yeux!
Car, hélas! que ce soit, la nuit dans les orages,
Un jeune rossignol pleurant au fond des bois,
Que ce soit l'archet d'or, la harpe éolienne,   –
Un céleste soupir, une souffrance humaine,
Quel est l'homme, aux accents d'une mourante voix,
Qui, lorsque pour entendre il a baissé la tête,
Ne trouve dans son cœur, même au sein d'une fête,
Quelque larme à verser, — quelque doux souvenir
Qui s'allait effacer et qu'il sent revenir?

Déjà le jour s'enfuit, — le vent souffle, — silence
La terreur brise, étend, précipite les sons.
Sous les brouillards du soir le meurtrier s'avance,
Invisible combat de l'homme et des démons!
A l'action, Iago! Cassio meurt sur la place.
Est-ce un pêcheur qui chante, est-ce le vent qui passe?
Ecoute, moribonde! il n'est pire douleur
Qu'un souvenir heureux dans les jours de malheur.

Mais lorsqu'au dernier chant la redoutable flamme
Pour la troisième fois vient repasser sur l'âme
Déjà prête à se fondre, et que dans sa frayeur
Elle presse en criant sa harpe sur son cœur...

La jeune fille alors sentit que son génie
Lui demandait des sons que la terre n'a pas;
Soulevant par sanglots des torrents d'harmonie,
Mourante, elle oubliait l'instrument dans ses bras.
O Dieu! mourir ainsi, jeune et pleine de vie...
Mais tout avait cessé, le charme et les terreurs,
Et la femme en tombant ne trouva que des pleurs.

Pleure, le ciel te voit! pleure, fille adorée!
Laisse une douce larme au bord de tes yeux bleus
Briller, en s'écoulant, comme une étoile aux cieux :
Bien des infortunés dont la cendre est pleurée
Ne demandaient pour vivre et pour bénir leurs maux
Qu'une larme, — une seule, et de deux yeux moins
[beaux!

Echappant aux regards de la foule empressée,
Miss Smolen s'éloignait, la rougeur sur le front;
Sur le bord du balcon elle resta penchée.

Oh! qui l'a bien connu, ce mouvement profond,
Ce charme irrésistible, intime, auquel se livre
Un cœur dans ces moments de lui-même surpris,
Qu'aux premiers battements un doux mystère enivre
Jeune fleur qui s'entr'ouvre à la fraîcheur des nuits!
Fille de la douleur! harmonie! harmonie!
Langue que pour l'amour inventa le génie!
Qui nous vint d'Italie, et qui lui vint des cieux!
Douce langue du cœur, la seule où la pensée,
Cette vierge craintive et d'une ombre offensée,
Passe en gardant son voile, et sans craindre les yeux!
Qui sait ce qu'un enfant peut entendre et peut dire
Dans tes soupirs divins nés de l'air qu'il respire,
Tristes comme son cœur et doux comme sa voix?

On surprend un regard, une larme qui coule;
Le reste est un mystère ignoré de la foule,
Comme celui des flots, de la nuit et des bois!...

Oh! quand tout a tremblé, quand l'âme tout entière
Sous le démon divin se sent encor frémir,
Pareille à l'instrument qui ne peut plus se taire,
Et qui d'avoir chanté semble longtemps gémir...
Et quand la faible enfant, que son délire entraîne,
Mais qui ne sait d'amour que ce qu'elle en rêva,
Vint à lever les yeux... la belle Américaine
Qui dérobait les siens, enfin les souleva.

Sur qui? — Bien des regards, ainsi qu'on peut le croire,
Comme un regard de reine avaient cherché le sien.
Que de fronts orgueilleux qui s'en seraient fait gloire!
Sur qui donc? — Pauvre enfant, le savait-elle bien?

Ce fut sur un jeune homme à l'œil dur et sévère,
Qui la voyait venir et ne la cherchait pas;
Qui, lorsqu'elle emportait une assemblée entière,
N'avait pas dit un mot, ni fait vers elle un pas.
Il était seul, debout. — un étrange sourire, —
Sous de longs cheveux blonds des traits efféminés;
A ceux qui l'observaient son regard semblait dire :
On ne vous croira pas si vous me devinez.
Son costume annonçait un fils de l'Angleterre;
Il est, dit-on, d'Oxford. — Né dans l'adversité,
Il habite le toit que lui laissa son père,
Et prouve un noble sang par l'hospitalité.
Il se nomme Tiburce.

        On dit que la nature
A mis dans sa parole un charme singulier,

Mais surtout dans ses chants; que sa voix triste et
[pure
A des sons pénétrants qu'on ne peut oublier.
Mais à compter du jour où mourut son vieux père,
Quoi qu'on fît pour l'entendre, il n'a jamais chanté.

D'où la connaissait-il? ou quel secret mystère
Tient sur cet étranger son regard arrêté?
Quel souvenir ainsi les met d'intelligence?
S'il la connaît, pourquoi ce bizarre silence?
S'il ne la connaît pas, pourquoi cette rougeur?
On ne sait. — Mais son œil rencontra l'œil timide
De la vierge tremblante, et le sien plus rapide
Sembla comme une flèche aller chercher le cœur.
Ce ne fut qu'un éclair. L'invisible étincelle
Avait jailli de l'âme, et Dieu seul l'avait vu!
Alors, baissant la tête, il s'avança vers elle,
Et lui dit : « M'aimes-tu, Georgette, m'aimes-tu? »

II

Tandis que le soleil s'abaisse à l'horizon,
Tiburce semble attendre, au seuil de sa maison,
L'heure où dans l'Océan l'astre va disparaître.
A travers les vitraux de la sombre fenêtre,
Les dernières lueurs d'un beau jour qui s'enfuit
Percent encor de loin le voile de la nuit.
Deux puissants destructeurs ont marqué leur présence
Dans le manoir désert du pauvre étudiant :
Le temps et le malheur. — Tu gardes le silence,
Vieux séjour des guerriers, autrefois si bruyant!
Dans les longs corridors qui se perdent dans l'ombre,

Où de tristes échos répètent chaque pas,
Se mêlaient autrefois des serviteurs sans nombre...
La coupe des festins égaya les repas.

Une lampe, qu'au loin on aperçoit à peine,
Prouve que de ces murs un seul est habité.
Ainsi tombe et périt le féodal domaine;
Ici la solitude, ici la pauvreté.
Ce sont les lourds arceaux d'un vieux laboratoire
Que Tiburce a choisis; — non loin est un caveau,
Peut-être une prison, — peut-être un oratoire;
Car rien n'approche autant d'un autel qu'un tombeau.

Là, dans le vieux fauteuil de la noble famille,
Où les enfants priaient, où mouraient les vieillards,
S'agenouilla jadis plus d'une chaste fille
Qui poursuivait des yeux de lointains étendards.
Plus tard, c'est encor là qu'à l'heure où le coq chante,
Demandant au néant des trésors inouïs,
L'alchimiste courbé, d'une main impuissante,
Frappa son front ridé dans le calme des nuits.
Le philosophe oisif disséqua sa pensée...
La science aujourd'hui, rencontrant sous ses pieds
Les vestiges poudreux d'une route effacée,
Sourit aux vains efforts des siècles oubliés.

Sur le chevet du lit pend cette triste image,
Où Raphaël, traînant une famille en deuil,
Dépose l'Homme-Dieu de la croix au cercueil [1].
Sa mère de ses mains veut couvrir son visage.
Ses bras se sont roidis, et, pour la ranimer,
Ses filles n'ont, hélas! que leur sainte prière...
Ah! blessures du cœur, votre trace est amère!
Promptes à vous ouvrir, lentes à vous fermer!

Ici c'est Géricault et sa palette ardente[1];
Mais qui peut oublier cette fausse Judith,
Et dans la blanche main d'une perfide amante
La tête qu'en mourant Allori suspendit[2]?

Et plus loin — la clarté d'une lampe sans vie
Agite sur les murs, dans l'ombre appesantie,
Un marbre mutilé[3]. — Père d'un temps nouveau,
Ta mémoire, ô héros, ne sera point troublée!
Ton image se cache et doit rester voilée
Sur la terre où l'on boit encore à Waterloo...

Les arts, ces dieux amis, fils de la solitude,
Sont rois sous cette voûte; auprès d'eux l'humble
                                              [étude
Vient d'un baiser de paix rassurer la douleur;
Et toi surtout, et toi, triste et fidèle amie,
A qui l'infortuné, dans ses nuits d'insomnie,
Dit tout bas ses secrets qui dévorent le cœur,
Toi, déesse des chants à qui, dans son supplice,
La douleur tend les bras, criant : — Consolatrice!
Consolatrice!

                 A l'âge où la chaleur du sang
Fait éclore un désir à chaque battement,
Où l'homme, apercevant, des portes de la vie,
La Mort à l'horizon, s'avance et la défie, —
Parmi les passions qui viennent tour à tour
S'asseoir au fond du cœur sur un trône invisible,
La haine, — l'intérêt, — l'ambition, — l'amour,
Tiburce n'en connaît qu'une, — la plus terrible.
Jusqu'à ce jour, du moins, le sillon n'a senti
Des autres que le germe; une seule a grandi.

Quant à cette secrète et froide maladie,
Misérable cancer d'un monde qui s'en va,
Ce facile mépris de l'homme et de la vie,
Nul de l'avoir connu jamais ne l'accusa.
Mais pourquoi cherchait-il ainsi la solitude?

On ne sait. — Dès longtemps il chérissait l'étude.
Autrefois ignoré, mais content de son sort,
Il marcha sur les pas de ceux à qui la mort
Révèle les secrets de l'être et de la vie.
Incliné sous sa lampe, infatigable amant
D'une science aride et longtemps poursuivie,
On le voyait, la nuit, écrire assidûment;
Ou quelquefois encor, quand l'astre au front d'albâtre
Efface les rayons de son disque incertain,
Il osait, oubliant sa tâche opiniâtre,
Etudier les lois de ces mondes sans fin,
Flots d'une mer de feu sur nos fronts balancée,
Et que n'ont pu compter ni l'œil ni la pensée!...
Mais hélas! que de jours, que de longs jours passés,
Ont vu depuis ce temps ses travaux délaissés!
Renfermé dans les murs où mourut son vieux père,
Depuis plus de deux ans, sous son toit solitaire
Il vit seul, loin des yeux, — heureux, — car ses amis,
En calculant les jours, n'ont point compté les nuits.
Peut-être en se cachant voulait-il le silence...
Qui savait ses projets? Nul ne connaît celui
Qui le fait sur le seuil demeurer aujourd'hui.

Mais la nuit à grands pas sur la terre s'avance,
Et les ombres déjà, que le vent fait frémir,
Sur le sol obscurci semblent se réunir.
Le repos par degrés s'étend sur les campagnes;
L'astre baisse, — il s'arrête au sommet des montagnes,

Jette un dernier regard aux cimes des forêts,
Et meurt. — Les nuits d'hiver suivent les soirs de
[près.

Quelques groupes épars d'oisifs, de jeunes filles,
De joyeux villageois regagnant la cité,
Se distinguent encor, malgré l'obscurité.
Sous le chaume habité par de pauvres familles,
Des feux de loin en loin enfument les vieux toits
Noircis par l'eau du ciel dont dégouttent les bois.
Tandis que des enfants la voix fraîche et sonore,
Montant avec l'encens de la maison de Dieu,
Au bruit confus des mers au loin se mêle encore,
Et fait frémir au vent les vitraux du saint lieu,
Quelques refrains grossiers que l'on entend à peine
Rappellent au passant le jour du samedi.
Le buveur nonchalant a laissé loin de lui
L'artisan de la veille, obsédé par la gêne,
Qui, baignant de sueur chaque morceau de pain,
Travaillant pour le jour, doute du lendemain.
L'oubli, ce vieux remède à l'humaine misère,
Semble avec la rosée être tombé des cieux.
Se souvenir, hélas! — oublier, — c'est sur terre
Ce qui, selon les jours, nous fait jeunes ou vieux!

Tiburce contemplait cette bizarre scène;
Son œil sous les vapeurs apercevait à peine
Les fantômes mouvants qui passaient devant lui.
Dieu juste! sous ces toits que d'humbles destinées
S'achevant en silence ainsi qu'elles sont nées! —
Et Tiburce pensa qu'il était pauvre aussi.

Ah! Pauvreté, marâtre! à qui donc est utile
Celui qui d'un sein maigre a bu ton lait stérile?

A quoi ressemble l'homme, ignoré du destin,
Qui, reprenant le soir son sentier du matin,
Marchant à pas comptés dans sa vie inconnue,
S'endort quand sur son toit la nuit est descendue?
Peut-être est-ce le sage; — un moins pesant fardeau
Courbe plus lentement son front jusqu'au tombeau;
Mais celui qu'un fatal et tout-puissant génie
Livre dans l'ombre épaisse à la pâle Insomnie,
Celui qui, pour souffrir ne se reposant pas,
Vit d'une double vie, — oh! qu'est-il ici-bas?
Pareille à l'ange armé du saint glaive de flamme,
L'invincible Pensée a du seuil de son âme
Chassé le doux sommeil, comme un hôte étranger.
Seule elle y règne, — et n'est pas longue à la changer
En une solitude immense, et plus profonde
Que les déserts perdus sur les bornes du monde!
Mais silence! écoutez! — c'est le son du beffroi.
Tiburce s'est levé : « L'heure de la prière!
Dit-il, soit : c'est mon heure! ils prieront Dieu pour
                                               [moi! »
Il marche; il est parti...

                    Le jour et la lumière
Des sinistres projets sont mauvais confidents.
Là, les audacieux sont nommés imprudents.
La pensée, évitant l'œil vulgaire du monde,
S'enfuit au fond du cœur. — La nuit, la nuit pro-
                                               [fonde
Vient seule relever, à l'heure du sommeil,
Les fronts qui s'inclinaient aux rayons du soleil.
. . . .

Pâle étoile du soir[1], messagère lointaine,
Dont le front sort brillant des voiles du couchant,

De ton palais d'azur, au sein du firmament,
      Que regardes-tu dans la plaine?

La tempête s'éloigne, et les vents sont calmés.
La forêt, qui frémit, pleure sur la bruyère;
Le phalène doré, dans sa course légère,
      Traverse les prés embaumés.
     Que cherches-tu sur la terre endormie?
Mais déjà vers les monts je te vois t'abaisser;
Tu fuis, en souriant, mélancolique amie,
Et ton tremblant regard est près de s'effacer.

Etoile qui descends sur la verte colline,
Triste larme d'argent du manteau de la Nuit,
Toi que regarde au loin le pâtre qui chemine,
Tandis que pas à pas son long troupeau le suit, —
Etoile, où t'en vas-tu, dans cette nuit immense?
Cherches-tu sur la rive un lit dans les roseaux?
Où t'en vas-tu si belle, à l'heure du silence,
Tomber comme une perle au sein profond des eaux?
Ah! si tu dois mourir, bel astre, et si ta tête
Va dans la vaste mer plonger ses blonds cheveux,
Avant de nous quitter, un seul instant arrête; —
Etoile de l'amour, ne descends pas des cieux!

III

. . . .

« C'est vrai, Bell, répondit Georgette à son amie;
Souvent jusqu'à la nuit j'aime à rester ici.
La mer y vient mourir sur la plage endormie...
— Mais qu'as-tu? dit Bella : pourquoi pleurer ainsi?

— Restons, restons toujours; ce sont de douces
                                    [larmes...,
Douces, et sans motif... et des larmes pourtant!
As-tu peur? mais la peur elle-même a ses charmes...
C'est mon plaisir du soir; restons un seul instant.

— Hélas! bonne Georgette, il faut bien qu'on te cède;
Mais la nuit va venir, et... Dieu nous soit en aide!
Pourquoi donc dans ma main sens-je frémir ta main? »

Georgette, en soupirant, regarda son amie :

« Ainsi, Bella, pour toi, de ce double chemin
Où l'on dit que nos pas s'égarent dans la vie,
Un seul, un seul existe, et te sera connu!
L'hiver prochain, dis-moi, Bell, quel âge auras-tu?
Mais que dis-je? notre âge est à peu près le même.
Je suis folle, et c'est tout. Pauvre Bella, je t'aime
Du fond du cœur.

                    — Mon Dieu! Georgina, qu'as-tu donc?
Tu ne te soutiens plus...

                              — Pardon, chère, pardon!
Tiens, donne-moi ton bras, et revenons ensemble. »

Toutes deux lentement marchèrent quelques pas.

« Non! cria Georgina, non, je ne le puis pas!
Je ne puis pas le fuir! N'est-ce pas qu'il te semble,
Bella, que je suis pâle, et que je dois souffrir?
C'est le bruit de ces flots, de ce vent qui murmure,
C'est l'aspect de ces bois, c'est toute la nature

Qui me brise le cœur, et qui me fait mourir!...
Ah! Bella, ma Bella, rien que par la pensée,
Tant souffrir! Quelle nuit terrible j'ai passée!
Terrible et douce, amie! écoute, écoute-moi...

— Parle, ma Georgina, raconte-moi ta peine.

— Oui, tout à toi, Bella, car ma pauvre âme est pleine,
Et qui me soutiendra, chère, si ce n'est toi?
Sœur de mon âme, écoute. O mon unique amie,
C'est de bonheur, Bella, que je meurs! c'est ma vie
Qui dans cet océan se perd comme un ruisseau.
Pour toi, ces eaux, ces bois, tout est muet, ma chère!
Viens, ma bouche et mon cœur t'en diront le mystère...
Rappelons-nous Hamlet, et sois mon Horatio[1]. »

IV

. . . .

Au bord d'une prairie, où la fraîche rosée,
Incline au vent du soir la bruyère arrosée,
Le château de Smòlen, vénérable manoir,
Découpe son portail sous un ciel triste et noir.
C'est au pied de ces murs que Tiburce s'arrête.
Il écoute. — A travers les humides vitraux,
Il voit passer une ombre et luire des flambeaux :
« A cette heure! dit-il. Est-ce encore une fête? »
Puis, avec un murmure, il ajoute plus bas :
« M'aurait-elle trompé? » Dans ce moment, un pas
Au penchant du coteau semble se faire entendre...
Il est sans armes, seul. — Viendrait-on le surprendre?

Il hésite, — il approche à pas silencieux.
Caché sous le portail qui couvre une ombre épaisse,

Tour à tour près du mur il se penche et se baisse...
Quel spectacle imprévu vient de frapper ses yeux!

Près de l'ardent foyer où le chêne pétille,
Le vieux Smolen courbé récite à haute voix
L'oraison qu'après lui répète sa famille.
Comme dans ce guerrier si terrible autrefois
La sainte paix de l'âme efface les années!
Il prie, et cependant deux femmes inclinées
Pour parler au Seigneur se reposent sur lui.
Tiburce les connaît; — l'une est âgée — et l'autre...
— Corrupteur, corrupteur, que viens-tu faire ici?
Vois! elle est à genoux, mais les chants de l'apôtre
Ne retentissent plus dans le fond de son cœur.
Pourquoi ces mouvements, ces yeux fixés à terre?
Qui rendra maintenant cette fille à son père?...
Qui sait si ce vieillard, certain de son honneur,
Tout en priant ainsi, n'a pas de sa parole
Détourné sa pensée, et s'il ne bénit pas
En ce moment, hélas! l'enfant qui le console,
Et dont l'ange gardien fuit au bruit de tes pas?...

Mais non, non, ce vieillard ne saurait douter d'elle.
Soixante ans de vertu l'ont fait croire au bonheur.
Georgina s'est levée. — Ah! que cette pâleur
Lui sied bien à tes yeux, Tiburce, et qu'elle est belle!
Courbe-toi, jeune fille, et du pied de l'autel
Viens présenter ton front au baiser paternel.
Presse, en te retirant, sur ta lèvre brûlante,
La main de ce vieillard; — encor! — bien! presse-la!
N'entends-tu pas ton cœur, douce et loyale amante,
Ton cœur qui bat de joie, et te crie : « Il est là! »

Il est là, miss Smolen, qui t'attend, et qui compte
Les bénédictions d'un père à son enfant.

Il est là, sur le seuil, qui descend et qui monte,
Comme un larron de nuit que la frayeur surprend.
Hâte-toi, le temps fuit! l'horizon se colore!
L'astre des nuits bientôt va briller, — hâte-toi!

Mais à peine au château quelques clartés encore
S'agitent çà et là. — Le silence, — l'effroi. —
Quelques pas, quelques sons traversent la nuit sombre;
Une porte a gémi dans un long corridor. —
Tiburce attend toujours. — Le ravisseur, dans
[l'ombre,
N'a-t-il pas des pensers de meurtrier? — Tout dort.

Oh! qui n'a pas senti son cœur battre plus vite
A l'heure où sous le ciel l'homme est seul avec Dieu?
Qui ne s'est retourné, croyant voir à sa suite
Quelque forme glisser, — quand des lignes de feu,
Se croisant en tous sens, brillent dans les ténèbres,
Comme les veines d'or du mur d'airain des nuits!
Lorsque l'homme effrayé, soulevant les tapis
Qui se froissent sur lui, croit que des cris funèbres
De courir à son or sont venus l'avertir...
Malheur! quand la nuit vient, l'homme est fait pour
[dormir.

Il est certain qu'alors l'Effroi sur notre tête
Passe comme le vent sur la cime des bois,
Et lorsqu'à son aspect le cœur manque, il s'arrête,
Et saisit aux cheveux l'homme resté sans voix.
Derrière l'angle épais d'une fenêtre obscure,
Tiburce resté seul avançait à grands pas.
Aux rayons de la lune une blanche figure
Parut à son approche et glissa dans ses bras;
« Hélas! après deux ans! » dit-elle, et sa pensée
Mourut dans un soupir sur sa lèvre glacée...

V

« Qu'avez-vous, mon ami? pourquoi ce front chagrin?
Seigneur, me cachez-vous vos sujets de tristesse?
Vous avez négligé de prier ce matin;
Cher seigneur, vous souffrez. Le mal qui vous oppresse
Me fait souffrir aussi.

                — Rien, rien, dit le vieillard.
Où donc est votre fille? elle descend bien tard.
— Dieu du ciel! Georgina, mon cher seigneur, vous
                                 [aime,
Et vos chagrins la font souffrir comme moi-même;
Elle pleure. O Smolen! qui vous a, cette nuit,
Fait tout à coup ainsi sortir de votre lit?
— Silence! disiez-vous; — et cependant, pensai-je,
Les chemins et les toits sont recouverts de neige.
Hélas! je parle au nom d'une vieille amitié,
Qui de vos soixante ans a porté la moitié.

— Je suis malade, femme, et rien de plus.
                               — Malade?
Quoi! Smolen est malade, et par cette saison
Expose son front chauve à l'agitation
D'une nuit de tempête? Et seul, la nuit, s'évade
En me criant : « Silence! » — ainsi qu'un assassin
Que l'esprit de malheur conduit à son dessein?
Oui, vous êtes malade, ou je suis bien trompée.
C'est le cœur, cher seigneur, le cœur qui souffre en
                                 [vous.
Pitié, mon Dieu! Pourquoi demander votre épée?

Où voulez-vous aller? Seigneur, songez à nous.
Allez-vous dans le deuil laisser votre famille?

— Rien, rien, dit le vieillard. Mais où donc est ma
[fille? »

VI

Comme avec majesté sur ces roches profondes
Que l'inconstante mer ronge éternellement,
Du sein des flots émus sort l'astre tout-puissant,
Jeune et victorieux, — seule âme des deux mondes!
L'Océan, fatigué de suivre dans les cieux
Sa déesse voilée au pas silencieux,
Sous les rayons divins retombe et se balance.
Dans les ondes sans fin plonge le ciel immense.
La terre lui sourit. — C'est l'heure de prier.
Etre sublime! Esprit de vie et de lumière,
Qui, reposant ta force au centre de la terre,
Sous ta céleste chaîne y restes prisonnier!
Toi, dont le bras puissant, dans l'éternelle plaine,
Parmi les astres d'or la soulève et l'entraîne
Sur la route invisible, où d'un regard de Dieu
Tomba dans l'infini l'hyperbole de feu!
Tu peux faire accourir ou chasser la tempête
Sur ce globe d'argile à l'espace jeté,
D'où vers son Créateur l'homme élevant sa tête
Passe et tombe en rêvant une immortalité;
Mais comme toi son sein renferme une étincelle
De ce foyer de vie et de force éternelle,
Vers lequel en tremblant le monde étend les bras,
Prêt à s'anéantir, s'il ne l'animait pas!
Son essence à la tienne est égale et semblable.

Lorsque Dieu l'en tira pour lui donner le jour,
Il te fit immortel, et le fit périssable.
Il te fit solitaire, et lui donna l'amour.
Amour! torrent divin de la source infinie!
O dieu d'oubli, dieu jeune, au front pâle et
                                   [charmant!
Toi que tous ces bonheurs, tous ces biens qu'on envie
Font quelquefois de loin sourire tristement,
Qu'importe cette mer, son calme et ses tempêtes,
Et ces mondes sans nom qui roulent sur nos têtes,
Et le temps et la vie, au cœur qui t'a connu?
Fils de la Volupté, père des Rêveries,
Tes filles sur ton front versent leurs fleurs chéries,
Ta mère en soupirant t'endort sur son sein nu!

A cette heure d'espoir, de mystère et de crainte
Où l'oiseau des sillons annonce le matin,
Tiburce de la ville avait gagné l'enceinte,
Et de son pauvre toit reprenait le chemin.
Tout se taisait au loin dans les blanches prairies :
Tout, jusqu'au souvenir, se taisait dans son cœur.
Pour la nature et l'homme, ainsi parfois la vie
A ses jours de soleil et ses jours de bonheur.
C'est une pause — un calme — une extase indicible.
Le Temps — ce voyageur qu'une main invisible,
D'âge en âge, à pas lents, mène à l'éternité —
Sur le bord du chemin, pensif, s'est arrêté.

Ah! brûlante, brûlante, ô nature! est la flamme
Que d'un être adoré la main laisse à la main,
Et la lèvre à la lèvre, et l'âme au fond de l'âme!
Devant tes voluptés, ô Nuit! c'est le Matin
Qui devrait disparaître et replier ses ailes!
Pourquoi te réveiller, quand, loin des feux du jour,

Aux accents éloignés de tes sœurs immortelles,
Tes beaux yeux se fermaient dans les bras de l'Amour?
Que fais-tu, jeune fille, à cette heure craintive?
Lèves-tu ton front pâle au bord du flot dormant,
Pour suivre à l'horizon les pas de ton amant?
La vaste mer, Georgette, a couvert cette rive.
L'écume de ses eaux trompera tes regards.
Tu la prendras de loin pour le pied des remparts
Où de ton bien-aimé tu crois voir la demeure.
Rentre, cœur plein d'amour! les vents d'est à cette
                                                [heure

Glissent dans tes cheveux, et leur souffle est glacé.
Retourne au vieux manoir, et songe au temps passé!

Sous les brouillards légers qui dérobaient la terre,
Tiburce dans les prés s'avançait lentement.
Il atteignit enfin la maison solitaire
Que rougissaient déjà les feux de l'orient. —
Ce fut à ce moment qu'en refermant sa porte
Il sentit tout à coup un bras lui résister :
« Qui donc lutte avec moi? » dit-il d'une voix forte.
« Homme, dit le vieillard, songez à m'écouter. »

VII

. . . .

C'est une chose étrange, à cet instant du jour,
De voir ainsi les sœurs, au fond de ce vieux cloître,
Parler en s'agitant, et passer tour à tour.
Tantôt subitement le bruit semble s'accroître,
Puis tout à coup il cesse, et tous pour un moment

Demeurent en silence, et comme dans la crainte
De quelque singulier et triste événement.
Ecoutez! — écoutez! — N'est-ce pas une plainte
Que nous venons d'entendre? On dirait une voix
Qui souffre et qui gémit pour la dernière fois.
Elle sort d'un caveau que la foule environne.
Des pleurs, un crucifix, des femmes à genoux...
O sœurs, ô pâles sœurs! sur qui donc priez-vous?
Qui de vous va mourir? qui de vous abandonne
Un vain reste de jours oubliés et perdus?
Car vous, filles de Dieu, vous ne les comptez plus.
Que le sort les épargne ou qu'il vous les demande,
Vous attendez la mort dans des habits de deuil;
Et qui sait si pour vous la distance est plus grande,
Ou de la vie au cloître, — ou du cloître au cercueil?
Inclinée à demi sur le bord de sa couche,
Une femme, — une enfant, faible, mais belle encor,
Semble en se débattant lutter avec la mort.
Ses bras cherchent dans l'ombre et se tordent. Sa
                                  [bouche
Fait pour baiser la croix des efforts impuissants.
Elle pleure, — elle crie, — elle appelle à voix haute
Sa mère... — O pâles sœurs, quelle fut donc sa faute?
Car ce n'est pas ainsi que l'on meurt à seize ans.

Le soleil a deux fois rendu le jour au monde
Depuis que dans ce cloître un vieillard l'amena.
Il regarda tomber sa chevelure blonde,
Lui montra sa cellule, — et puis lui pardonna.
Elle était à genoux quand il s'éloigna d'elle;
Mais en se relevant une pâleur mortelle
La força de chercher un bras pour s'appuyer, —
Et depuis ce moment on n'a plus qu'à prier.

Ah! priez sur ce lit! priez pour la mourante!
Si jeune! et voyez-la, sa main faible et tremblante
Vous montre en expirant le lieu de la douleur, —
Et, quel que soit son mal, il est venu du cœur.

Savez-vous ce que c'est qu'un cœur de jeune fille?
Ce qu'il faut pour briser ce fragile roseau
Qui ploie et qui se courbe au plus léger fardeau?
L'amitié, — le repos, — celui de sa famille, —
La douce confiance, — et sa mère, — et son Dieu, —
Voilà tous ses soutiens; qu'un seul lui manque, adieu!
Ah! priez. Si la mort, à son heure dernière,
A la clarté du ciel entr'ouvrait sa paupière,
Peut-être elle dirait, avant de la fermer,
Comme Desdemona : « Tuer pour trop aimer. »

Il est sous le soleil de douces créatures
Sur qui le ciel versa ses beautés les plus pures,
Etres faibles et bons, trop charmants pour souffrir,
Que l'homme peut tuer, mais qu'il ne peut flétrir.
Le Malheur, ce vieillard à la main desséchée,
Voit s'incliner leur tête avant qu'il l'ait touchée;
Ils veulent ici-bas d'un trône, — ou d'un tombeau.

Telles furent, hélas! bien des infortunées
Que dévora la tombe au sortir du berceau,
Que le ciel au bonheur avait prédestinées;
Et telle fut aussi celle qui va mourir.
Déjà le mal atteint les sources de la vie.
A peine, soulevant sa tête appesantie,
Sa main, son bras tremblant, peuvent la soutenir.
Cependant elle cherche, — elle écoute sans cesse;
A travers les vitraux, sur la muraille épaisse,

Tombe un rayon. — Hélas! c'est encore un beau jour.
Tout renaît, la chaleur, la vie et la lumière.
Ah! c'est quand un beau ciel sourit à notre terre,
Que l'aspect de ces biens qui nous fuient sans retour,
Nous montre quel désert emplissait notre amour!

Mais qui ne sait, hélas! que toujours l'Espérance,
Des célestes gardiens veillant sur la souffrance,
Est le dernier qui reste auprès du lit de mort?
Jetant quelques parfums dans la flamme expirante,
Et jusqu'à son cercueil emportant la mourante,
Elle berce en chantant la Douleur qui s'endort.

Si loin qu'à l'horizon son regard peut s'étendre,
L'œil de la pauvre enfant sur l'eau s'est arrêté :
« Quoi! rien? » murmure-t-elle; — et que peut-elle
                                          [attendre?
Mais la mort, à pas lents, vient de l'autre côté.
L'Océan tout à coup, et le ciel et la terre
Tournent, — tout se confond. — Le fanal solitaire
Comme un homme enivré chancelle. — Ange des
                                          [cieux,
N'est-ce pas pour toujours qu'elle a fermé les yeux?

La grille en cet instant a résonné. — Silence!
Un pas se fait entendre, — un jeune homme s'élance.
Il est couvert d'un froc. — Tous se sont écartés.
Il traverse la foule à pas précipités :

« Mes sœurs, demande-t-il, où donc est la novice? »

Il l'a vue; un soupir dans l'ombre a répondu.
Alors, d'un ton de voix qui veut qu'on obéisse :
« Georgette, lui dit-il, Georgette, m'entends-tu? »

En prononçant ces mots, le frère se découvre.
De la malade alors la paupière s'entr'ouvre;
L'a-t-elle reconnu? Son œil terne et hagard
Est voilé d'un nuage et se perd dans le vide.
Il doute, — sur son front passe un éclair rapide.
« Laissez-nous seuls, dit-il, je suis venu trop tard. »

Le ciel s'obscurcissait. — Les traits de la mourante
S'effaçaient par degrés, sous la clarté tremblante.
Auprès de son chevet le crucifix laissé
De ses débiles mains à terre avait glissé.
Le silence régnait dans tout le monastère,
Un silence profond, — triste, — et que par moment
Interrompait un faible et sourd gémissement.
Sous le rideau du lit courbant son front sévère,
L'étranger immobile écoutait, — regardait; —
Tantôt il suppliait, — tantôt il ordonnait.
On distingua de loin quelques gestes bizarres,
Accompagnés de mots que nul ne saisissait,
Mais qui, prononcés bas, et de plus en plus rares,
Après quelques moments cessèrent tout à fait.
Au nom de l'ordre saint dont il se disait frère,
Auprès de la malade on l'avait laissé seul...
Sur le bord de la couche il vit pendre un linceul :
« Trop tard, répéta-t-il, trop tard! » et sur la terre
Il tomba tout à coup, plein de rage et d'horreur.
Hommes, vous qui savez comprendre la douleur,
Gémir, jeter des pleurs, prier sur une tombe,
Pensez-vous quelquefois à ce que doit souffrir
Celui qui voit ainsi l'infortuné qui tombe,
Et lui tend une main qu'il ne peut plus saisir?
Celui qui sur un lit vient pencher son front blême
Où les nuits sans sommeil ont gravé leur pâleur,

Et là, d'un œil ardent, chercher sur ce qu'il aime,
Comme un signe de vie, un signe de douleur;
Qui, suspendant son âme à cette âme adorée,
S'attache à ce rameau qui va l'abandonner;
Qui, maudissant le jour et sa vue abhorrée,
Sent son cœur plein de vie, et n'en peut rien donner?
Et lorsque la dernière étincelle est éteinte,
Quand il est resté là, — sans espoir et sans crainte,
— Qu'il contemple ces traits, ce calme plein d'horreur,
Ces longs bras amaigris, traînant hors de la couche,
Ce corps frêle et roidi, ces yeux et cette bouche
Où le néant ressemble encore à la douleur...
Il soulève une main qui retombe glacée;
Et s'il doute, insensé! s'il se retourne, il voit
La Mort branlant la tête, et lui montrant du doigt
L'être pâle, étendu sans vie et sans pensée.

VIII

Tout est fini; la cendre est rendue à la terre.
Le ministre est parti, — peut-être l'attend-on.
Tu t'es évanouie! ô toi, fleur solitaire!
Il ne reste plus rien, — rien qu'un tombeau sans nom.

Personne n'a suivi sa dépouille mortelle.
Aucun pas n'est marqué sur le bord du chemin.
Son vieux père est trop faible, et d'ailleurs privé d'elle,
Plus loin encor, peut-être, il la suivra demain.

Descends donc, pauvre fille, et ta tombe ignorée,
Sous ta pierre mal jointe et d'herbes entourée!
Cette terre est fertile, et va bientôt fleurir
Sur le débris nouveau qu'elle vient de couvrir...

O terre! toi qui sais sous la tombe muette
Garder si bien les morts que l'Océan rejette,
Quand ton sein, fécondé par la corruption,
Redemande la vie à la destruction,
Qu'es-tu donc qu'un sépulcre immense, et dont
                                        [l'emblème
Est le serpent roulé qui se ronge lui-même?

— Mais vous, rêves d'amour, rires, propos d'enfant,
Et toi, charme inconnu dont rien ne se défend,
Qui fit hésiter Faust au seuil de Marguerite,
Doux mystère du toit que l'innocence habite,
Candeur des premiers jours, qu'êtes-vous devenus?

Paix profonde à ton âme, enfant! à ta mémoire!
Adieu! Ta blanche main sur le clavier d'ivoire
Durant les nuits d'été ne voltigera plus...

IX

. . . .

Glisse au sein de la nuit, beau brick de *l'Espérance!*
Terre d'Ecosse, adieu! Glisse, fils des forêts!
— Que l'on tienne les yeux, que l'on veille de près
Sur ce jeune homme en deuil qui seul, dans le silence,
De la poupe, en chantant, se penche sur les flots.
Ses yeux sont égarés. Deux fois les matelots
L'ont reçu dans leurs bras, prêt à perdre la vie,
Et cependant il chante, et l'oreille est ravie
Des sons mystérieux qu'il mêle au bruit des vents.
« Le saule... — au pied du saule... » — il parle comme
                                        [en rêve.

« Barbara! — Barbara! » Sa voix baisse, s'élève,
Et des flots tour à tour suit les doux mouvements.
— Enfants, veillez sur lui! — la force l'abandonne [1]!
Sa voix tombe et s'éteint, — pourtant il chante encor.
Quel peut être le mal qui cause ainsi sa mort?
Couchez-le sur un lit, enfants, la mer est dure!
— Enseigne, répondit la voix des matelots,
Son manteau recouvrait une large blessure,
D'où son sang goutte à goutte est tombé dans les
[flots. »

. . . .

NAMOUNA

CONTE ORIENTAL

CHANT PREMIER

> Une femme est comme votre ombre : cou-
> rez après, elle vous fuit; fuyez-la, elle court
> après vous [1].

I

Le sofa sur lequel Hassan était couché
Etait dans son espèce une admirable chose.
Il était de peau d'ours, — mais d'un ours bien léché;
Moelleux comme une chatte, et frais comme une rose.
Hassan avait d'ailleurs une très noble pose,
Il était nu comme Eve à son premier péché.

II

Quoi! tout nu! dira-t-on, n'avait-il pas de honte?
Nu, dès le second mot! — Que sera-ce à la fin?
Monsieur, excusez-moi, — je commence ce conte
Juste quand mon héros vient de sortir du bain.
Je demande pour lui l'indulgence, et j'y compte.
Hassan était donc nu, — mais nu comme la main, —

III

Nu comme un plat d'argent, — nu comme un mur
Nu comme le discours d'un académicien.   [d'église,
Ma lectrice rougit, et je la scandalise.
Mais comment se fait-il, madame, que l'on dise
Que vous avez la jambe et la poitrine bien?
Comment le dirait-on, si l'on n'en savait rien!

IV

Madame alléguera qu'elle monte en berline;
Qu'elle a passé les ponts quand il faisait du vent;
Que, lorsqu'on voit le pied, la jambe se devine;
Et tout le monde sait qu'elle a le pied charmant
Mais moi qui ne suis pas du monde, j'imagine
Qu'elle aura trop aimé quelque indiscret amant

V

Et quel crime est-ce donc de se mettre à son aise,
Quand on est tendrement aimée, — et qu'il fait chaud?
On est si bien tout nu, dans une large chaise!
Croyez-m'en, belle dame, et, ne vous en déplaise,
Si vous m'apparteniez, vous y seriez bientôt.
Vous en crieriez sans doute un peu, — mais pas bien
[haut.

VI

Dans un objet aimé qu'est-ce donc que l'on aime?
Est-ce du taffetas ou du papier gommé?
Est-ce un bracelet d'or, un peigne parfumé? [même.
Non, — ce qu'on aime en vous, madame, c'est vous-
La parure est une arme, et le bonheur suprême,
Après qu'on a vaincu, c'est d'avoir désarmé.

VII

Tout est nu sur la terre, hormis l'hypocrisie;
Tout est nu dans les cieux, tout est nu dans la vie,
Les tombeaux, les enfants et les divinités,
Tous les cœurs vraiment beaux laissent voir leurs
Ainsi donc le héros de cette comédie   [beautés.
Restera nu, madame, — et vous y consentez.

VIII

Un silence parfait règne dans cette histoire.
Sur les bras du jeune homme et sur ses pieds d'ivoire
La naïade aux yeux verts pleurait en le quittant.
On entendait à peine au fond de la baignoire
Glisser l'eau fugitive, et d'instant en instant
Les robinets d'airain chanter en s'égouttant.

IX

Le soleil se couchait; — on était en septembre :
Un triste mois chez nous, — mais un mois sans pareil
Chez ces peuples dorés qu'a bénis le soleil.
Hassan poussa du pied la porte de la chambre.
Heureux homme! — il fumait de l'opium dans l'ambre,
Et vivant sans remords, il aimait le sommeil.

X

Bien qu'il ne s'élevât qu'à quelques pieds de terre,
Hassan était peut-être un homme à caractère;
Il ne le montrait pas, n'en ayant pas besoin.
Sa petite médaille annonçait un bon coin.
Il était très bien pris; — on eût dit que sa mère
L'avait fait tout petit pour le faire avec soin.

XI

Il était indolent, et très opiniâtre;
Bien cambré, bien lavé, le visage olivâtre,
Des mains de patricien, — l'aspect fier et nerveux,
La barbe et les sourcils très noirs, — un corps
[d'albâtre.
Ce qu'il avait de beau surtout, c'étaient les yeux.
Je ne vous dirai pas un mot de ses cheveux;

XII

C'est une vanité qu'on rase en Tartarie.
Ce pays-là pourtant n'était pas sa patrie.
Il était renégat, — Français de nation, —
Riche aujourd'hui, jadis chevalier d'industrie,
Il avait dans la mer jeté comme un haillon
Son titre, sa famille et sa religion.

XIII

Il était très joyeux, et pourtant très maussade.
Détestable voisin, — excellent camarade,
Extrêmement futile, — et pourtant très posé,
Indignement naïf, — et pourtant très blasé,
Horriblement sincère, — et pourtant très rusé.
Vous souvient-il, lecteur, de cette sérénade

XIV

Que don Juan, déguisé, chante sous un balcon[1]?
— Une mélancolique et piteuse chanson,
Respirant la douleur, l'amour et la tristesse.
Mais l'accompagnement parle d'un autre ton.
Comme il est vif, joyeux! avec quelle prestesse
Il sautille! — On dirait que la chanson caresse

XV

Et couvre de langueur le perfide instrument,
Tandis que l'air moqueur de l'accompagnement
Tourne en dérision la chanson elle-même,
Et semble la railler d'aller si tristement.
Tout cela cependant fait un plaisir extrême. —
C'est que tout en est vrai, — c'est qu'on trompe et
[qu'on aime;

XVI

C'est qu'on pleure en riant; — c'est qu'on est innocent
Et coupable à la fois; — c'est qu'on se croit parjure
Lorsqu'on n'est qu'abusé; c'est qu'on verse le sang
Avec des mains sans tache, et que notre nature
A de mal et de bien pétri sa créature :
Tel est le monde, hélas! et tel était Hassan.

XVII

C'était un bon enfant dans la force du terme;
Très bon — et très enfant; — mais quand il avait dit :
« Je veux que cela soit », il était comme un terme.
Il changeait de dessein comme on change d'habit;
Mais il fallait toujours que le dernier se fît.
C'était un océan devenu terre ferme.

XVIII

Bizarrerie étrange! avec ses goûts changeants,
Il ne pouvait souffrir rien d'extraordinaire.
Il n'aurait pas marché sur une mouche à terre.
Mais s'il l'avait trouvée à dîner dans son verre,
Il aurait assommé quatre ou cinq de ses gens. —
Parlez après cela des bons et des méchants!

XIX

Venez après cela crier d'un ton de maître
Que c'est le cœur humain qu'un auteur doit connaître!
Toujours le cœur humain pour modèle et pour loi.
Le cœur humain de qui? le cœur humain de quoi?
Celui de mon voisin a sa manière d'être;
Mais morbleu! comme lui, j'ai mon cœur humain, moi.

XX

Cette vie est à tous, et celle que je mène,
Quand le diable y serait, est une vie humaine.
« Alors, me dira-t-on, c'est vous que vous peignez,
Vous êtes le héros, vous vous mettez en scène. »
— Pas du tout, — cher lecteur, — je prends à l'un
                                        [le nez,
— A l'autre, le talon, — à l'autre, — devinez.

XXI

« En ce cas vous créez un monstre, une chimère,
Vous faites un enfant qui n'aura point de père. »
— Point de père, grand Dieu! quand, comme
                                        [Trissotin,
J'en suis chez mon libraire accouché ce matin [1]!
D'ailleurs *is pater est quem nuptiæ...* j'espère [2]
Que vous m'épargnerez de vous parler latin.

XXII

Consultez les experts, le moderne et l'antique;
On est, dit Brid'oison, toujours fils de quelqu'un [3].
Que l'on fasse, après tout, un enfant blond ou brun,
Pulmonique ou bossu, borgne ou paralytique,
C'est déjà très joli, quand on en a fait un;
Et le mien a pour lui qu'il n'est point historique.

XXIII

Considérez aussi que je n'ai rien volé
A la Bibliothèque; — et bien que cette histoire
Se passe en Orient, je n'en ai point parlé.
Il est vrai que, pour moi, je n'y suis point allé.
Mais c'est si grand, si loin! — Avec de la mémoire
On se tire de tout : « allez voir pour y croire.

XXIV

Si d'un coup de pinceau je vous avais bâti
Quelque ville *aux toits bleus,* quelque *blanche*
[mosquée,
Quelque tirade en vers, d'or et d'argent plaquée,
Quelque description de minarets flanquée,
Avec l'horizon *rouge* et le ciel assorti,
M'auriez-vous répondu : « Vous en avez menti[1]? »

XXV

Je vous dis tout cela, lecteur, pour qu'en échange
Vous me fassiez aussi quelque concession.
J'ai peur que mon héros ne vous paraisse étrange;
Car l'étrange, à vrai dire, était sa passion.
« Mais, madame, après tout, je ne suis pas un ange. »
Et qui l'est ici-bas? — Tartuffe a bien raison[2].

XXVI

Hassan était un être impossible à décrire.
C'est en vain qu'avec lui je voudrais vous lier,
Son cœur est un logis qui n'a pas d'escalier.
Ses intimes amis ne savaient trop qu'en dire.
Parler est trop facile, et c'est trop long d'écrire :
Ses secrets sentiments restaient sur l'oreiller.

XXVII

Il n'avait ni parents, ni guenon, ni maîtresse.
Rien d'ordinaire en lui, — rien qui le rattachât
Au commun des martyrs, — pas un chien, pas un chat.
Il faut cependant bien que je vous intéresse
A mon pauvre héros. — Dire qu'il est pacha,
C'est un moyen usé, c'est une maladresse.

XXVIII

Dire qu'il est grognon, sombre et mystérieux,
Ce n'est pas vrai d'abord, et c'est encor plus vieux.
Dire qu'il me plaît fort, cela n'importe guère.
C'est tout simple d'ailleurs, puisque je suis son père.
Dire qu'il est gentil comme un cœur, c'est vulgaire.
J'ai déjà dit là-haut qu'il avait de beaux yeux.

XXIX

Dire qu'il n'avait peur ni de Dieu ni du diable,
C'est chanceux d'une part, et de l'autre immoral.
Dire qu'il vous plaira, ce n'est pas vraisemblable.
Ne rien dire du tout, cela vous est égal.
Je me contente donc du seul terme passable
Qui puisse l'excuser : — c'est un original.

XXX

Plût à Dieu, qui peut tout, que cela pût suffire
A le justifier de ce que j'en vais dire!
Il le faut cependant, — le vrai seul est ma loi.
Au fait, s'il agit mal, on pourrait rêver pire. —
Ma foi, tant pis pour lui : — je ne vois pas pourquoi
Les sottises d'Hassan retomberaient sur moi.

XXXI

D'ailleurs on verra bien, si peu qu'on me connaisse,
Que mon héros de moi diffère entièrement.
J'ai des prétentions à la délicatesse;
Quand il m'est arrivé d'avoir une maîtresse,
Je me suis comporté très pacifiquement.
En honneur devant Dieu, je ne sais pas comment

XXXII

J'ai pu, tel que je suis, entamer cette histoire,
Pleine, telle qu'elle est, d'une atrocité noire.
C'est au point maintenant que je me sens tenté
De l'abandonner là pour ma plus grande gloire,
Et que je brûlerais mon œuvre, en vérité,
Si ce n'était respect pour la postérité.

XXXIII

Je disais donc qu'Hassan était natif de France;
Mais je ne disais pas par quelle extravagance
Il en était venu jusqu'à croire, à vingt ans,
Qu'une femme ici-bas n'était qu'un passe-temps.
Quand il en rencontrait une à sa convenance,
S'il la gardait huit jours, c'était déjà longtemps.

XXXIV

On sent l'absurdité d'un semblable système,
Puisqu'il est avéré que, lorsqu'on dit qu'on aime,
On dit en même temps qu'on aimera toujours, —
Et qu'on n'a jamais vu ni rois ni troubadours
Jurer à leurs beautés de les aimer huit jours.
Mais cet enfant gâté ne vivait que de crème.

XXXV

« Je sais bien, disait-il un jour qu'on en parlait,
Que les trois quarts du temps ma crème a le goût
[d'aigre.
Nous avons sur ce point un siècle de vinaigre,
Où c'est déjà beaucoup que de trouver du lait.
Mais toute servitude en amour me déplaît;
J'aimerais mieux, je crois, être le chien d'un nègre,

XXXVI

Ou mourir sous le fouet comme un cheval rétif,
Que de craindre une jupe, et d'avoir pour maîtresse
Un de ces beaux geôliers, au regard attentif,
Qui, d'un pas mesuré marchant sur la souplesse,
Du haut de leurs yeux bleus vous promènent en laisse.
Un bâton de noyer, au moins, c'est positif.

XXXVII

On connaît son affaire, — on sait à quoi s'attendre;
On se frotte le dos, — on s'y fait par degré.
Mais vivre ensorcelé sous un ruban doré!
Boire du lait sucré dans un maillot vert tendre!
N'avoir à son cachot qu'un mur si délabré,
Qu'on ne s'y saurait même accrocher pour s'y pendre!

XXXVIII

Ajoutez à cela que, pour comble d'horreur,
La femme la plus sèche et la moins malhonnête
Au bout de mes huit jours trouvera dans sa tête,
Ou dans quelque recoin oublié de son cœur,
Un amant qui jadis lui faisait plus d'honneur,
Un cœur plus expansif, une jambe mieux faite,

XXXIX

Plus de douceur dans l'âme ou de nerf dans les bras. »
— Je rappelle au lecteur qu'ici comme là-bas
C'est mon héros qui parle, et je mourrais de honte
S'il croyait un instant que ce que je raconte,
Ici plus que jamais, ne me révolte pas.
« Or donc, disait Hassan, plus la rupture est prompte,

XL

Plus mes petits talents gardent de leur fraîcheur.
C'est la satiété qui calcule et qui pense.
Tant qu'un grain d'amitié reste dans la balance,
Le souvenir souffrant s'attache à l'espérance,
Comme un enfant malade aux lèvres de sa sœur.
L'esprit n'y voit pas clair avec les yeux du cœur.

XLI

Le dégoût, c'est la haine — et quel motif de haine
Pourrais-je soulever? — pourquoi m'en voudrait-on?
Une femme dira qu'elle pleure : — et moi donc!
Je pleure horriblement! — je me soutiens à peine;
Que dis-je, malheureux! il faut qu'on me soutienne.
Je n'ose même pas demander mon pardon.

XLII

Je me prive du corps, mais je conserve l'âme.
Il est vrai, dira-t-on, qu'il est plus d'une femme
Près de qui l'on ne fait, avec un tel moyen,
Que se priver de tout et ne conserver rien.
Mais c'est un pur mensonge, un calembour infâme,
Qui ne mordra jamais sur un homme de bien. »

XLIII

Voilà ce que disait Hassan pour sa défense.
Bien entendu qu'alors tout se passait en France,
Du temps que sur l'oreille il avait ce bonnet
Qui fit à son départ une si belle danse
Par-dessus les moulins. Du reste, s'il tenait
A son raisonnement, c'est qu'il le comprenait.

XLIV

Bien qu'il traitât l'amour d'après un catéchisme,
Et qu'il mît tous ses soins à dorer son sophisme,
Hassan avait des nerfs qu'il ne pouvait railler.
Chez lui la jouissance était un paroxysme
Vraiment inconcevable, et fait pour effrayer :
Non pas qu'on l'entendît ni pleurer ni crier. —

XLV

Un léger tremblement, — une pâleur extrême, —
Une convulsion de la gorge, un blasphème, —
Quelques mots sans raison balbutiés tout bas,
C'est tout ce qu'on voyait; — sa maîtresse elle-même
N'en sentait rien, sinon qu'il restait dans ses bras
Sans haleine et sans force, et ne répondait pas.

XLVI

Mais à cette bizarre et ridicule ivresse
Succédait d'ordinaire un tel enchantement
Qu'il commençait d'abord par faire à sa maîtresse
Mille et un madrigaux, le tout très lourdement.
Il devenait tout miel, tout sucre et tout caresse.
Il eût communié dans un pareil moment.

XLVII

Il n'existait alors secret ni confidence
Qui pût y résister. — Tout partait, tout roulait;
Tous les épanchements du monde entraient en danse,
Illusions, soucis, gloire, amour, espérance;
Jamais confessionnal ne vit de chapelet.
Comparable en longueur à ceux qu'il défilait.

XLVIII

Ah! c'est un grand malheur, quand on a le cœur
[tendre,
Que ce lien de fer que la nature a mis
Entre l'âme et le corps, ces frères ennemis!
Ce qui m'étonne, moi, c'est que Dieu l'ait permis.
Voilà le nœud gordien qu'il fallait qu'Alexandre
Rompît de son épée, et réduisît en cendre.

XLIX

L'âme et le corps, hélas! ils iront deux à deux,
Tant que le monde ira, — pas à pas, — côte à côte,
Comme s'en vont les vers classiques et les bœufs.
L'un disant : « Tu fais mal! » et l'autre : « C'est ta
[faute. »
Ah! misérable hôtesse, et plus misérable hôte!
Ce n'est vraiment pas vrai que tout soit pour le mieux.

L

Et la preuve, lecteur, la preuve irrécusable
Que ce monde est mauvais, c'est que pour y rester
Il a fallu s'en faire un autre, et l'inventer.
Un autre! — monde étrange, absurde, inhabitable,
Et qui, pour valoir mieux que le seul véritable,
N'a pas même un instant eu besoin d'exister.

LI

Oui, oui, n'en doutez pas, c'est un plaisir perfide
Que d'enivrer son âme avec le vin des sens;
Que de baiser au front la volupté timide,
Et de laisser tomber, comme la jeune Elfride [1],
La clef d'or de son cœur dans les eaux des torrents.
Heureux celui qui met, dans de pareils moments,

LII

Comme ce vieux Vizir qui gardait sa sultane,
La lame de son sabre entre une femme et lui!
Heureux l'autel impur qui n'a pas de profane!
Heureux l'homme indolent pour qui tout est fini
Quand le plaisir s'émousse, et que la courtisane
N'a jamais vu pleurer après qu'il avait ri!

LIII

Ah! l'abîme est si grand! la pente est si glissante!
Une maîtresse aimée est si près d'une sœur!
Elle vient si souvent, plaintive et caressante,
Poser, en chuchotant, son cœur sur votre cœur!
L'homme est si faible alors! la femme est si puissante!
Le chemin est si doux du plaisir au bonheur!

LIV

Pauvres gens que nous tous! — Et celui qui se livre,
De ce qu'il aura fait doit tôt ou tard gémir!
La coupe est là, brûlante, — et celui qui s'enivre
Doit rire de pitié s'il ne veut pas frémir!
Voilà le train du monde, et ceux qui savent vivre
Vous diront à cela qu'il valait mieux dormir.

LV

Oui, dormir — et rêver! — Ah! que la vie est belle,
Quand un rêve divin fait sur sa nudité
Pleuvoir les rayons d'or de son prisme enchanté!
Frais comme la rosée, et fils du ciel comme elle!
Jeune oiseau de la nuit, qui, sans mouiller son aile,
Voltige sur les mers de la réalité!

LVI

Ah! si la rêverie était toujours possible!
Et si le somnambule, en étendant la main,
Ne trouvait pas toujours la nature inflexible
Qui lui heurte le front contre un pilier d'airain!
Si l'on pouvait se faire une armure insensible!
Si l'on rassasiait l'amour comme la faim!

LVII

Pourquoi Manon Lescaut, dès la première scène,
Est-elle si vivante et si vraiment humaine,
Qu'il semble qu'on l'a vue, et que c'est un portrait?
Et pourquoi l'Héloïse est-elle une ombre vaine,
Qu'on aime sans y croire, et que nul ne connaît?
Ah! rêveurs, ah! rêveurs, que vous avons-nous fait?

LVIII

Pourquoi promenez-vous ces spectres de lumière
Devant le rideau noir de nos nuits sans sommeil,
Puisqu'il faut qu'ici-bas tout songe ait son réveil,
Et puisque le désir se sent cloué sur terre,
Comme un aigle blessé qui meurt dans la poussière,
L'aile ouverte, et les yeux fixés sur le soleil?

LIX

Manon! sphinx étonnant! véritable sirène,
Cœur trois fois féminin, Cléopâtre en paniers!
Quoi qu'on dise ou qu'on fasse, et bien qu'à Sainte-
[Hélène
On ait trouvé ton livre écrit pour des portiers,
Tu n'en es pas moins vraie, infâme, et Cléomène [1]
N'est pas digne, à mon sens, de te baiser les pieds.

LX

Tu m'amuses autant que Tiberge [2] m'ennuie.
Comme je crois en toi! que je t'aime et te hais!
Quelle perversité! quelle ardeur inouïe
Pour l'or et le plaisir! Comme toute la vie
Est dans tes moindres mots! Ah! folle que tu es,
Comme je t'aimerais demain, si tu vivais!

LXI

En vérité, lecteur, je crois que je radote.
Si tout ce que je dis vient à propos de botte,
Comment goûteras-tu ce que je dis de bon?
J'ai fait un hiatus indigne de pardon;
Je compte là-dessus rédiger une note.
J'en suis donc à te dire... Où diable en suis-je donc?

LXII

M'y voilà. — Je disais qu'Hassan, près d'une femme,
Etait très expansif, — il voulait tout ou rien.
Je confesse, pour moi, que je ne sais pas bien
Comment on peut donner le corps sans donner l'âme,
L'un étant la fumée, et l'autre étant la flamme.
Je ne sais pas non plus s'il était bon chrétien;

LXIII

Je ne sais même pas quelle était sa croyance,
Ni quel secret si tendre il avait confié,
Ni de quelle façon, quand il était en France,
Ses maîtresses d'un jour l'avaient mystifié,
Ni ce qu'il en pensait, — ni quelle extravagance
L'avait fait blasphémer l'amour et l'amitié.

LXIV

Mais enfin, certain soir qu'il ne savait que faire,
Se trouvant mal en train vis-à-vis de son verre,
Pour tuer un quart d'heure il prit monsieur Galland [1].
Dieu voulut qu'il y vît comme quoi le sultan
Envoyait tous les jours une sultane en terre,
Et ce fut là-dessus qu'il se fit musulman.

LXV

Tous les premiers du mois, un juif aux mains crochues
Amenait chez Hassan deux jeunes filles nues.
Tous les derniers du mois on leur donnait un bain,
Un déjeuner, un voile, un sequin dans la main,
Et puis on les priait d'aller courir les rues.
Système assurément qui n'a rien d'inhumain.

LXVI

C'était ainsi qu'Hassan, quatre fois par semaine,
Abandonnait son âme au doux plaisir d'aimer.
Ne sachant pas le turc, il se livrait sans peine :
A son aise en français il pouvait se pâmer.
Le lendemain, bonsoir. — Une vieille Egyptienne
Venait ouvrir la porte au maître, et la fermer.

LXVII

Ceci pourra sembler fort extraordinaire,
Et j'en sais qui riront d'un système pareil.
Mais il paraît qu'Hassan se croyait, au contraire,
L'homme le plus heureux qui fût sous le soleil.
Ainsi donc, pour l'instant, lecteur, laissons-le faire.
Le voilà, tel qu'il est, attendant le sommeil.

LXVIII

Le sommeil ne vint pas, — mais cette douce ivresse
Qui semble être sa sœur, ou plutôt sa maîtresse;
Qui, sans fermer les yeux, ouvre l'âme à l'oubli;
Cette ivresse du cœur, si douce à la paresse
Que, lorsqu'elle vous quitte, on croit qu'on a dormi;
Pâle comme Morphée, et plus belle que lui.

LXIX

C'est le sommeil de l'âme, et non du corps. — On
On se remue, on bâille, et cependant on dort. [fume,
On se sent très bien vivre, et pourtant on est mort.
On ne parlerait pas d'amour, mais je présume
Que l'on serait capable, avec un peu d'effort...
Je crois qu'une sottise est au bout de ma plume.

LXX

Avez-vous jamais vu, dans le creux d'un ravin,
Un bon gros vieux faisan, qui se frotte le ventre,
S'arrondir au soleil, et ronfler comme un chantre?
Tous les points de sa boule aspirent vers le centre.
On dirait qu'il rumine, ou qu'il cuve du vin,
Enfin, quoi qu'il en soit, c'est un état divin.

LXXI

Lecteur, si tu t'en vas jamais en Terre sainte,
Regarde sous tes pieds : tu verras des heureux.
Ce sont de vieux fumeurs qui dorment dans l'enceinte
Où s'élevait jadis la cité des Hébreux.
Ces gens-là savent seuls vivre et mourir sans plainte :
Ce sont des mendiants qu'on prendrait pour des dieux.

LXXII

Ils parlent rarement, — ils sont assis par terre,
Nus, ou déguenillés, le front sur une pierre,
N'ayant ni sou ni poche, et ne pensant à rien.
Ne les réveille pas : ils t'appelleraient chien.
Ne les écrase pas : ils te laisseraient faire.
Ne les méprise pas : car ils te valent bien.

LXXIII

C'est le point capital du mahométanisme
De mettre le bonheur dans la stupidité.
Que n'en est-il ainsi dans le christianisme!
J'en citerais plus d'un qui l'aurait mérité,
Et qui mourrait heureux sans s'en être douté!
Diable! j'ai du malheur, — encore un barbarisme.

LXXIV

On dit mahométisme, et j'en suis bien fâché[1].
Il fallait me lever pour prendre un dictionnaire,
Et j'avais fait mon vers avant d'avoir cherché.
Je me suis retourné, — ma plume était par terre.
J'avais marché dessus, — j'ai soufflé, de colère,
Ma bougie et ma verve, et je me suis couché.

LXXV

Tu vois, ami lecteur, jusqu'où va ma franchise.
Mon héros est tout nu, — moi, je suis en chemise.
Je pousse la candeur jusqu'à t'entretenir
D'un chagrin domestique. — Où voulais-je en venir?
Je ne sais vraiment pas comment je vais finir.
Je suis comme Enéas portant son père Anchise.

LXXVI

Enéas s'essoufflait, et marchait à grands pas.
Sa femme à chaque instant demeurait en arrière.
« Créuse, disait-il, pourquoi ne viens-tu pas? »
Créuse répondait : « Je mets ma jarretière.
— Mets-la donc, et suis nous, répondait Enéas.
Je vais, si tu ne viens, laisser tomber mon père[2]. »

LXXVII

Lecteur, nous allons voir si tu comprends ceci.
Anchise est mon poème; et ma femme Créuse
Qui va toujours traînant en chemin, c'est ma muse.
Elle s'en va là-bas quand je la crois ici.
Une pierre l'arrête, un papillon l'amuse.
Quand arriverons-nous, si nous marchons ainsi?

LXXVIII

Enéas, d'une part, a besoin de sa femme.
Sans elle, à dire vrai, ce n'est qu'un corps sans âme.
Anchise, d'autre part, est horriblement lourd.
Le troisième péril, c'est que Troie est en flamme.
Mais, dès qu'Anchise grogne ou que sa femme court,
Enéas est forcé de s'arrêter tout court.

CHANT DEUXIÈME

> Qu'est-ce que l'amour? L'échange de deux
> fantaisies et le contact de deux épidermes.
> CHAMFORT.

I

Eh bien! en vérité, les sots auront beau dire,
Quand on n'a pas d'argent, c'est amusant d'écrire.
Si c'est un passe-temps pour se désennuyer,

Il vaut bien la bouillotte; et, si c'est un métier,
Peut-être qu'après tout ce n'en est pas un pire
Que fille entretenue, avocat ou portier.

II

J'aime surtout les vers, cette langue immortelle.
C'est peut-être un blasphème, et je le dis tout bas;
Mais je l'aime à la rage. Elle a cela pour elle
Que les sots d'aucun temps n'en ont pu faire cas,
Qu'elle nous vient de Dieu, — qu'elle est limpide et
Que le monde l'entend, et ne la parle pas.   [belle,

III

Eh bien! sachez-le donc, vous qui voulez sans cesse
Mettre votre scalpel dans un couteau de bois;
Vous qui cherchez l'auteur à de certains endroits
Comme un amant heureux cherche, dans son ivresse,
Sur un billet d'amour les pleurs de sa maîtresse,
Et rêve, en le lisant, au doux son de sa voix;

IV

Sachez-le, — c'est le cœur qui parle et qui soupire
Lorsque la main écrit, — c'est le cœur qui se fond;
C'est le cœur qui s'étend, se découvre et respire
Comme un gai pèlerin sur le sommet d'un mont.
Et puissiez-vous trouver, quand vous en voudrez rire,
A dépecer nos vers le plaisir qu'ils nous font!

V

Qu'importe leur valeur? La muse est toujours belle,
Même pour l'insensé, même pour l'impuissant;
Car sa beauté pour nous, c'est notre amour pour elle.
Mordez et croassez, corbeaux, battez de l'aile;
Le poète est au ciel, et lorsqu'en vous poussant
Il vous y fait monter, c'est qu'il en redescend.

VI

Allez, — exercez-vous, — débrouillez la quenouille,
Essoufflez-vous à faire un bœuf d'une grenouille.
Avant de lire un livre, et de dire : « J'y crois! »
Analysez la plaie, et fourrez-y les doigts;
Il faudra de tout temps que l'incrédule y fouille,
Pour savoir si son Christ est monté sur la croix.

VII

Eh! depuis quand un livre est-il donc autre chose
Que le rêve d'un jour qu'on raconte un instant;
Un oiseau qui gazouille et s'envole; — une rose
Qu'on respire et qu'on jette, et qui meurt en tom-
                                    [bant; —
Un ami qu'on aborde, avec lequel on cause,
Moitié lui répondant, et moitié l'écoutant?

VIII

Aujourd'hui, par exemple, il plaît à ma cervelle
De rimer en sixains le conte que voici.
Va-t-on le maltraiter et lui chercher querelle?
Est-ce sa faute, à lui, si je l'écris ainsi?
« Byron, me direz-vous, m'a servi de modèle. »
Vous ne savez donc pas qu'il imitait Pulci [1]?

IX

Lisez les Italiens, vous verrez s'il les vole.
Rien n'appartient à rien, tout appartient à tous.
Il faut être ignorant comme un maître d'école
Pour se flatter de dire une seule parole
Que personne ici-bas n'ait pu dire avant vous.
C'est imiter quelqu'un que de planter des choux.

X

Ah! pauvre Laforêt [2], qui ne savais pas lire,
Quels vigoureux soufflets ton nom seul a donnés
Au peuple travailleur des discuteurs damnés!
Molière t'écoutait lorsqu'il venait d'écrire.
Quel mépris des humains dans le simple et gros rire
Dont tu lui baptisais ses hardis nouveaux-nés!

XI

Il ne te lisait pas, dit-on, les vers d'Alceste;
Si je les avais faits, je te les aurais lus.
L'esprit et les bons mots auraient été perdus;
Mais les meilleurs accords de l'instrument céleste
Seraient allés au cœur comme ils en sont venus.
J'aurais dit aux bavards du siècle : « A vous le reste. »

XII

Pourquoi donc les amants veillent-ils nuit et jour?
Pourquoi donc le poète aime-t-il sa souffrance?
Que demandent-ils donc tous les deux en retour?
Une larme, ô mon Dieu, voilà leur récompense;
Voilà pour eux le ciel, la gloire et l'éloquence,
Et par là le génie est semblable à l'amour.

XIII

Mon premier chant est fait. — Je viens de le relire.
J'ai bien mal expliqué ce que je voulais dire;
Je n'ai pas dit un mot de ce que j'aurais dit
Si j'avais fait un plan une heure avant d'écrire;
Je crève de dégoût, de rage et de dépit.
Je crois en vérité que j'ai fait de l'esprit.

XIV

Deux sortes de roués existent sur la terre :
L'un, beau comme Satan, froid comme la vipère,
Hautain, audacieux, plein d'imitation,
Ne laissant palpiter sur son cœur solitaire
Que l'écorce d'un homme et de la passion;
Faisant un manteau d'or à son ambition;

XV

Corrompant sans plaisir, amoureux de lui-même.
Et, pour s'aimer toujours, voulant toujours qu'on
[l'aime;
Regardant au soleil son ombre se mouvoir;
Dès qu'une source est pure, et que l'on peut s'y voir,
Venant comme Narcisse y pencher son front blême,
Et chercher la douleur pour s'en faire un miroir.

XVI

Son idéal, c'est lui. — Quoi qu'il dise ou qu'il fasse,
Il se regarde vivre, et s'écoute parler.
Car il faut que demain on dise, quand il passe :
« Cet homme que voilà, c'est Robert Lovelace [1]. »
Autour de ce mot-là le monde peut rouler;
Il est l'axe du monde, et lui permet d'aller.

XVII

Avec lui ni procès, ni crainte, ni scandale.
Il jette un drap mouillé sur son père qui râle;
Il rôde, en chuchotant, sur la pointe du pied.
Un amant plus sincère, à la main plus loyale,
Peut serrer une main trop fort, et l'effrayer;
Mais lui, n'ayez pas peur de lui, c'est son métier.

XVIII

Qui pourrait se vanter d'avoir surpris son âme?
L'étude de sa vie est d'en cacher le fond...
On en parle, — on en pleure, — on en rit, qu'en
[voit-on?
Quelques duels oubliés, quelques soupirs de femme,
Quelque joyau de prix sur une épaule infâme,
Quelque croix de bois noir sur un tombeau sans nom.

XIX

Mais comme tout se tait dès qu'il vient à paraître!
Clarisse l'aperçoit, et commence à souffrir.
Comme il est beau! brillant! comme il s'annonce en
[maître!
Si Clarisse s'indigne et tarde à consentir,
Il dira qu'il se tue — il se tuera peut-être; —
Mais Clarisse aime mieux le sauver, et mourir.

XX

C'est le roué sans cœur, le spectre à double face,
A la patte de tigre, aux serres de vautour,
Le roué sérieux qui n'eut jamais d'amour;
Méprisant la douleur comme la populace;
Disant au genre humain de lui laisser un jour —
Et qui serait César, s'il n'était Lovelace.

XXI

Ne lui demandez pas s'il est heureux ou non;
Il n'en sait rien lui-même, il est ce qu'il doit être.
Il meurt silencieux, tel que Dieu l'a fait naître.
L'antilope aux yeux bleus est plus tendre peut-être
Que le roi des forêts; mais le lion répond
Qu'il n'est pas antilope, et qu'il a nom : lion.

XXII

Voilà l'homme d'un siècle, et l'étoile polaire
Sur qui les écoliers fixent leurs yeux ardents,
L'homme dont Richardson fera le commentaire,
Qui donnera sa vie à lire à nos enfants.
Ses crimes noirciront un large bréviaire,
Qui brûlera les mains et les cœurs de vingt ans.

XXIII

Quant au roué Français, au don Juan ordinaire.
Ivre, riche, joyeux, raillant l'homme de pierre,
Ne demandant partout qu'à trouver le vin bon,
Bernant monsieur Dimanche, et disant à son père
Qu'il serait mieux assis pour lui faire un sermon,
C'est l'ombre d'un roué qui ne vaut pas Valmont [1].

XXIV

Il en est un plus grand, plus beau, plus poétique,
Que personne n'a fait, que Mozart a rêvé
Qu'Hoffmann a vu passer, au son de la musique,
Sous un éclair divin de sa nuit fantastique,
Admirable portrait qu'il n'a point achevé,
Et que de notre temps Shakspeare aurait trouvé.

XXV

Un jeune homme est assis au bord d'une prairie,
Pensif comme l'amour, beau comme le génie;
Sa maîtresse enivrée est prête à s'endormir.
Il vient d'avoir vingt ans, son cœur vient de s'ouvrir;
Rameau tremblant encor de l'arbre de la vie,
Tombé, comme le Christ, pour aimer et souffrir.

XXVI

Le voilà se noyant dans des larmes de femme,
Devant cette nature aussi belle que lui;
Pressant le monde entier sur son cœur qui se pâme,
Faible, et, comme le lierre, ayant besoin d'autrui;
Et ne le cachant pas, et suspendant son âme,
Comme un luth éolien, aux lèvres de la Nuit.

XXVII

Le voilà demandant pourquoi son cœur soupire,
Jurant, les yeux en pleurs, qu'il ne désire rien;
Caressant sa maîtresse, et des sons de sa lyre
Egayant son sommeil comme un ange gardien;
Tendant sa coupe d'or à ceux qu'il voit sourire,
Voulant voir leur bonheur pour y chercher le sien.

XXVIII

Le voilà, jeune et beau, sous le ciel de la France,
Déjà riche à vingt ans comme un enfouisseur;
Portant sur la nature un cœur plein d'espérance,
Aimant, aimé de tous, ouvert comme une fleur;
Si candide et si frais que l'ange d'innocence
Baiserait sur son front la beauté de son cœur.

XXIX

Le voilà, regardez, devinez-lui sa vie.
Quel sort peut-on prédire à cet enfant du ciel?
L'amour en l'approchant jure d'être éternel;
Le hasard pense à lui, — la sainte poésie
Retourne en souriant sa coupe d'ambroisie
Sur ses cheveux plus doux et plus blonds que le miel.

XXX

Ce palais, c'est le sien; — le cerf et la campagne
Sont à lui; — la forêt, le fleuve et la montagne
Ont retenu son nom en écoutant l'écho.
C'est à lui le village, et le pâle troupeau
Des moines. — Quand il passe et traverse un hameau,
Le bon ange du lieu se lève et l'accompagne.

XXXI

Quatre filles de prince ont demandé sa main.
Sachez que s'il voulait la reine pour maîtresse,
Et trois palais de plus, il les aurait demain;
Qu'un juif deviendrait chauve à compter sa richesse,
Et qu'il pourrait jeter, sans que rien en paraisse,
Les blés de ses moissons aux oiseaux du chemin.

XXXII

Eh bien! cet homme-là vivra dans les tavernes
Entre deux charbonniers autour d'un poêle assis;
La poudre noircira sa barbe et ses sourcils;
Vous le verrez un jour, tremblant et les yeux ternes,
Venir dans son manteau dormir sous les lanternes,
La face ensanglantée et les coudes noircis.

XXXIII

Vous le verrez sauter sur l'échelle dorée,
Pour courir dans un bouge au sortir d'un boudoir
Portant sa lèvre ardente à la prostituée,
Avant qu'à son balcon done Elvire éplorée,
Dans la profonde nuit croyant encor le voir,
Ait cessé d'agiter sa lampe et son mouchoir.

XXXIV

Vous le verrez, laquais pour une chambrière,
Cachant sous ses habits son valet grelottant;
Vous le verrez tranquille et froid comme une pierre,
Pousser dans les ruisseaux le cadavre d'un père,
Et laisser le vieillard traîner ses mains de sang
Sur des murs chauds encor du viol de son enfant.

XXXV

Que direz-vous alors? Ah! vous croirez peut-être
Que le monde a blessé ce cœur vaste et hautain,
Que c'est quelque Lara [1] qui se sent méconnaître,
Que l'homme a mal jugé, qui sait ce qu'il peut être,
Et qui s'apercevant qu'il le serait en vain,
Rend haine contre haine et dédain pour dédain.

XXXVI

Eh bien! vous vous trompez. — Jamais personne au
N'a pensé moins que lui qu'il était oublié.   [monde
Jamais il n'a frappé sans qu'on ne lui réponde;
Jamais il n'a senti l'inconstance de l'onde,
Et jamais il n'a vu se dresser sous son pié
Le vivace serpent de la fausse amitié.

XXXVII

Que dis-je? tel qu'il est, le monde l'aime encore;
Il n'a perdu chez lui ni ses biens ni son rang.
Devant Dieu, devant tous, il s'assoit à son banc.
Ce qu'il a fait de mal, personne ne l'ignore;
On connaît son génie, on l'admire, on l'honore. —
Seulement, voyez-vous, cet homme, c'est don Juan.

XXXVIII

Oui, don Juan. Le voilà, ce nom que tout répète,
Ce nom mystérieux que tout l'univers prend,
Dont chacun vient parler, et que nul ne comprend;
Si vaste et si puissant qu'il n'est pas de poète
Qui ne l'ait soulevé dans son cœur et sa tête,
Et pour l'avoir tenté ne soit resté plus grand.

XXXIX

Insensé que je suis! que fais-je ici moi-même?
Etait-ce donc mon tour de leur parler de toi,
Grande ombre, et d'où viens-tu pour tomber jusqu'à
                                              [moi?
C'est qu'avec leurs horreurs, leur doute et leur blas-
                                              [phème,
Pas un d'eux ne t'aimait, don Juan; et moi, je t'aime
Comme le vieux Blondel aimait son pauvre roi [1].

XL

Oh! qui me jettera sur ton coursier rapide!
Oh! qui me prêtera le manteau voyageur [2],
Pour te suivre en pleurant, candide corrupteur!
Qui me déroulera cette liste homicide,
Cette liste d'amour si remplie et si vide,
Et que ta main peuplait des oublis de ton cœur!

XLI

Trois mille noms charmants[1]! trois mille noms de
[femme!
Pas un qu'avec des pleurs tu n'aies balbutié!
Et ce foyer d'amour qui dévorait ton âme,
Qui, lorsque tu mourus, de tes veines de flamme
Remonta dans le ciel comme un ange oublié,
De ces trois mille amours pas un qui l'ait noyé!

XLII

Elles t'aimaient pourtant, ces filles insensées
Que sur ton cœur de fer tu pressas tour à tour;
Le vent qui t'emportait les avait traversées;
Elles t'aimaient, don Juan, ces pauvres délaissées
Qui couvraient de baisers l'ombre de ton amour,
Qui te donnaient leur vie, et qui n'avaient qu'un jour!

XLIII

Mais toi, spectre énervé, toi, que faisais-tu d'elles?
Ah! massacre et malheur! tu les aimais aussi,
Toi! croyant toujours voir sur tes amours nouvelles
Se lever le soleil de tes nuits éternelles,
Te disant chaque soir : « Peut-être le voici »,
Et l'attendant toujours, et vieillissant ainsi!

XLIV

Demandant aux forêts, à la mer, à la plaine,
Aux brises du matin, à toute heure, à tout lieu,
La femme de ton âme et de ton premier vœu!
Prenant pour fiancée un rêve, une ombre vaine,
Et fouillant dans le cœur d'une hécatombe humaine,
Prêtre désespéré, pour y chercher ton Dieu.

XLV

Et que voulais-tu donc? — Voilà ce que le monde
Au bout de trois cents ans [1] demande encor tout bas.
Le sphinx aux yeux perçants attend qu'on lui réponde.
Ils savent compter l'heure, et que leur terre est ronde,
Ils marchent dans leur ciel sur le bout d'un compas,
Mais ce que tu voulais, ils ne le savent pas.

XLVI

« Quelle est donc, disent-ils, cette femme inconnue,
Qui seule eût mis la main au frein de son coursier?
Qu'il appelait toujours et qui n'est pas venue?
Où l'avait-il trouvée? où l'avait-il perdue?
Et quel nœud si puissant avait su les lier,
Que, n'ayant pu venir, il n'ait pu l'oublier?

XLVII

N'en était-il pas une, ou plus noble, ou plus belle,
Parmi tant de beautés, qui, de loin ou de près,
De son vague idéal eût du moins quelques traits?
Que ne la gardait-il! qu'on nous dise laquelle. »
Toutes lui ressemblaient, — ce n'était jamais elle,
Toutes lui ressemblaient, don Juan, et tu marchais!

LXVIII

Tu ne t'es pas lassé de parcourir la terre!
Ce vain fantôme, à qui Dieu t'avait envoyé,
Tu n'en as pas brisé la forme sous ton pié!
Tu n'es pas remonté, comme l'aigle à son aire
Sans avoir sa pâture, ou comme le tonnerre
Dans sa nue aux flancs d'or, sans avoir foudroyé!

XLIX

Tu n'as jamais médit de ce monde stupide
Qui te dévisageait d'un regard hébété;
Tu l'as vu, tel qu'il est, dans sa difformité;
Et tu montais toujours cette montagne aride,
Et tu suçais toujours, plus jeune et plus avide,
Les mamelles d'airain de la Réalité.

L

Et la vierge aux yeux bleus, sur la souple ottomane,
Dans ses bras parfumés te berçait mollement;
De la fille de roi jusqu'à la paysanne
Tu ne méprisais rien, même la courtisane,
A qui tu disputais son misérable amant;
Mineur, qui dans un puits cherchais un diamant.

LI

Tu parcourais Madrid, Paris, Naple et Florence;
Grand seigneur aux palais, voleur aux carrefours;
Ne comptant ni l'argent, ni les nuits, ni les jours;
Apprenant du passant à chanter sa romance;
Ne demandant à Dieu, pour aimer l'existence,
Que ton large horizon et tes larges amours.

LII

Tu retrouvais partout la vérité hideuse,
Jamais ce qu'ici-bas cherchaient tes vœux ardents,
Partout l'hydre éternel qui te montrait les dents;
Et poursuivant toujours ta vie aventureuse,
Regardant sous tes pieds cette mer orageuse,
Tu te disais tout bas : « Ma perle est là dedans. »

LIII

Tu mourus plein d'espoir dans ta route infinie,
Et te souciant peu de laisser ici-bas
Des larmes et du sang aux traces de tes pas.
Plus vaste que le ciel et plus grand que la vie,
Tu perdis ta beauté, ta gloire et ton génie
Pour un être impossible, et qui n'existait pas.

LIV

Et le jour que parut le convive de pierre,
Tu vins à sa rencontre, et lui tendis la main;
Tu tombas foudroyé sur ton dernier festin :
Symbole merveilleux de l'homme sur la terre,
Cherchant de ta main gauche à soulever ton verre,
Abandonnant ta droite à celle du Destin!

LV

Maintenant, c'est à toi, lecteur, de reconnaître
Dans quel gouffre sans fond peut descendre ici-bas
Le rêveur insensé qui voudrait d'un tel maître.
Je ne dirai qu'un mot, et tu le comprendras :
Ce que don Juan aimait, Hassan l'aimait peut-être;
Ce que don Juan cherchait, Hassan n'y croyait pas.

CHANT TROISIÈME

Où vais-je? — où suis-je?

Classiques français.

I

Je jure devant Dieu que mon unique envie
Etait de raconter une histoire suivie.
Le sujet de ce conte avait quelque douceur,
Et mon héros peut-être eût su plaire au lecteur.
J'ai laissé s'envoler ma plume avec sa vie,
En voulant prendre au vol les rêves de son cœur.

II

Je reconnais bien là ma tactique admirable.
Dans tout ce que je fais j'ai la triple vertu
D'être à la fois trop court, trop long, et décousu.
Le poème et le plan, les héros et la fable,
Tout s'en va de travers, comme sur une table
Un plat cuit d'un côté, pendant que l'autre est cru.

III

Le théâtre à coup sûr n'était pas mon affaire.
Je vous demande un peu quel métier j'y ferais [1],
Et de quelle façon je m'y hasarderais,

Quand j'y vois trébucher ceux qui, dans la carrière,
Debout depuis vingt ans sur leur pensée altière,
Du pied de leurs coursiers ne doutèrent jamais.

IV

Mes amis à présent me conseillent d'en rire,
De couper sous l'archet les cordes de ma lyre,
Et de remettre au vert Hassan et Namouna.
Mais j'ai dit que l'histoire existait, — la voilà.
Puisqu'en son temps et lieu je n'ai pas pu l'écrire,
Je vais la raconter; l'écrira qui voudra.

V

Un jeune musulman avait donc la manie
D'acheter aux bazars deux esclaves par mois.
L'une et l'autre à son lit ne touchait que trois fois.
Le quatrième jour, l'une et l'autre bannie,
Libre de toute chaîne, et la bourse garnie,
Laissait la porte ouverte à quelque nouveau choix.

VI

Il se trouva du nombre une petite fille
Enlevée à Cadix chez un riche marchand.
Un vieux pirate grec l'avait trouvé[1] gentille,
Et, comme il connaissait quelqu'un de sa famille,
La voyant au logis toute seule en passant,
Il l'avait à son brick emportée en causant.

VII

Hassan toute sa vie aima les Espagnoles.
Celle-ci l'enchanta, — si bien qu'en la quittant,
Il lui donna lui-même un sac plein de pistoles,
Par-dessus le marché quelques douces paroles,
Et voulut la conduire à bord d'un bâtiment
Qui pour son cher pays partait par un bon vent.

VIII

Mais la pauvre Espagnole au cœur était blessée.
Elle le laissait faire et n'y comprenait rien,
Sinon qu'elle était belle, et qu'elle l'aimait bien.
Elle lui répondit : « Pourquoi m'as-tu chassée?
Si je te déplaisais, que ne m'as-tu laissée?
N'as-tu rien dans le cœur de m'avoir pris le mien? »

IX

Elle s'en fut au port, et s'assit en silence.
Tenant son petit sac, et n'osant murmurer.
Mais quand elle sentit sur cette mer immense
Le vaisseau s'émouvoir et les vents soupirer,
Le cœur lui défaillit, et, perdant l'espérance,
Elle baissa son voile et se prit à pleurer.

X

Il arriva qu'alors six jeunes Africaines
Entraient dans un bazar, les bras chargés de chaînes.
Sur les tapis de soie un vieux juif étalait
Ces beaux poissons dorés, pris d'un coup de filet.
La foule trépignait, les cages étaient pleines,
Et la chair marchandée au soleil se tordait.

XI

Par un double hasard Hassan vint à paraître.
Namouna se leva, s'en fut trouver le vieux :
« Je suis blonde, dit-elle, et je pourrais peut-être
Me vendre un peu plus cher avec de faux cheveux.
Mais je ne voudrais pas qu'on pût me reconnaître.
Peignez-moi les sourcils, le visage et les yeux. »

XII

Alors, comme autrefois Constance pour Camille,
Elle prit son poignard et coupa ses habits.
« Vendez-moi maintenant, dit-elle, et, pour le prix,
Nous n'en parlerons pas. » Ainsi la pauvre fille
Vint reprendre sa chaîne aux barreaux d'une grille,
Et rapporter son cœur aux yeux qui l'avaient pris.

XIII

Et si la vérité ne m'était pas sacrée,
Je vous dirais qu'Hassan racheta Namouna;
Qu'au lit de son amant le juif la ramena;
Qu'on reconnut trop tard cette tête adorée;
Et cette douce nuit qu'elle avait espérée,
Que pour prix de ses maux le ciel la lui donna.

XIV

Je vous dirais surtout qu'Hassan dans cette affaire
Sentit que tôt ou tard la femme avait son tour,
Et que l'amour de soi ne vaut pas l'autre amour.
Mais le hasard peut tout, — et ce qu'on lui voit faire
Nous a souvent appris que le bonheur sur terre
Peut n'avoir qu'une nuit, comme la gloire un jour.

POÉSIES NOUVELLES

ROLLA

I

Regrettez-vous le temps où le ciel sur la terre
Marchait et respirait dans un peuple de dieux;
Où Vénus Astarté[1], fille de l'onde amère,
Secouait, vierge encor, les larmes de sa mère,
Et fécondait le monde en tordant ses cheveux?
Regrettez-vous le temps où les Nymphes lascives
Ondoyaient au soleil parmi les fleurs des eaux,
Et d'un éclat de rire agaçaient sur les rives
Les Faunes indolents couchés dans les roseaux?
Où les sources tremblaient des baisers de Narcisse?
Où, du nord au midi, sur la création
Hercule promenait l'éternelle justice,
Sous son manteau sanglant, taillé dans un lion[2];
Où les Sylvains moqueurs, dans l'écorce des chênes[3],
Avec les rameaux verts se balançaient au vent,
Et sifflaient dans l'écho la chanson du passant;
Où tout était divin, jusqu'aux douleurs humaines;
Où le monde adorait ce qu'il tue aujourd'hui;
Où quatre mille dieux n'avaient pas un athée[4];
Où tout était heureux, excepté Prométhée,
Frère aîné de Satan, qui tomba comme lui[5]?

— Et quand tout fut changé, le ciel, la terre et
                                        [l'homme,
Quand le berceau du monde en devint le cercueil,
Quand l'ouragan du Nord sur les débris de Rome
De sa sombre avalanche étendit le linceul[1], —

Regrettez-vous le temps où d'un siècle barbare
Naquit un siècle d'or, plus fertile et plus beau?
Où le vieil univers fendit avec Lazare
De son front rajeuni la pierre du tombeau?
Regrettez-vous le temps où nos vieilles romances
Ouvraient leurs ailes d'or vers leur monde enchanté?
Où tous nos monuments et toutes nos croyances
Portaient le manteau blanc de leur virginité?
Où, sous la main du Christ, tout venait de renaître?
Où le palais du prince, et la maison du prêtre,
Portant la même croix sur leur front radieux,
Sortaient de la montagne en regardant les cieux?
Où Cologne et Strasbourg, Notre-Dame et Saint-Pierre,
S'agenouillant au loin dans leurs robes de pierre,
Sur l'orgue universel des peuples prosternés
Entonnaient l'hosanna des siècles nouveau-nés?
Le temps où se faisait tout ce qu'a dit l'histoire;
Où sur les saints autels les crucifix d'ivoire
Ouvraient des bras sans tache et blancs comme le lait;
Où la Vie était jeune, — où la Mort espérait?

O Christ! je ne suis pas de ceux que la prière
Dans tes temples muets amène à pas tremblants;
Je ne suis pas de ceux qui vont à ton Calvaire,
En se frappant le cœur, baiser tes pieds sanglants;
Et je reste debout sous tes sacrés portiques,
Quand ton peuple fidèle, autour des noirs arceaux,
Se courbe en murmurant sous le vent des cantiques,

Comme au souffle du nord un peuple de roseaux.
Je ne crois pas, ô Christ! à ta parole sainte :
Je suis venu trop tard dans un monde trop vieux.
D'un siècle sans espoir naît un siècle sans crainte;
Les comètes du nôtre ont dépeuplé les cieux [1].
Maintenant le hasard promène au sein des ombres
De leurs illusions les mondes réveillés;
L'esprit des temps passés, errant sur leurs décombres,
Jette au gouffre éternel tes anges mutilés.
Les clous du Golgotha te soutiennent à peine;
Sous ton divin tombeau le sol s'est dérobé :
Ta gloire est morte, ô Christ! et sur nos croix d'ébène
Ton cadavre céleste en poussière est tombé!

Eh bien! qu'il soit permis d'en baiser la poussière
Au moins crédule enfant de ce siècle sans foi,
Et de pleurer, ô Christ! sur cette froide terre
Qui vivait de ta mort, et qui mourra sans toi!
Oh! maintenant, mon Dieu, qui lui rendra la vie?
Du plus pur de ton sang tu l'avais rajeunie;
Jésus, ce que tu fis, qui jamais le fera?
Nous, vieillards nés d'hier, qui nous rajeunira?
Nous sommes aussi vieux qu'au jour de ta naissance.
Nous attendons autant, nous avons plus perdu.
Plus livide et plus froid, dans son cercueil immense
Pour la seconde fois Lazare est étendu.
Où donc est le Sauveur pour entr'ouvrir nos tombes?
Où donc le vieux saint Paul haranguant les Romains,
Suspendant tout un peuple à ses haillons divins?
Où donc est le Cénacle? où donc les Catacombes?
Avec qui marche donc l'auréole de feu [2]?
Sur quels pieds tombez-vous, parfums de Madeleine [3]?
Où donc vibre dans l'air une voix plus qu'humaine?
Qui de nous, qui de nous va devenir un Dieu?

La Terre est aussi vieille, aussi dégénérée,
Elle branle une tête aussi désespérée
Que lorsque Jean parut sur le sable des mers,
Et que la moribonde, à sa parole sainte,
Tressaillant tout à coup comme une femme enceinte,
Sentit bondir en elle un nouvel univers.
Les jours sont revenus de Claude et de Tibère;
Tout ici, comme alors, est mort avec le temps,
Et Saturne est au bout du sang de ses enfants;
Mais l'espérance humaine est lasse d'être mère,
Et, le sein tout meurtri d'avoir tant allaité,
Elle fait son repos de sa stérilité.

II

De tous les débauchés de la ville du monde
Où le libertinage est à meilleur marché,
De la plus vieille en vice et de la plus féconde,
Je veux dire Paris, — le plus grand débauché
Etait Jacques Rolla. — Jamais, dans les tavernes,
Sous les rayons tremblants des blafardes lanternes,
Plus indocile enfant ne s'était accoudé
Sur une table chaude ou sur un coup de dé.
Ce n'était pas Rolla qui gouvernait sa vie,
C'étaient ses passions; — il les laissait aller
Comme un pâtre assoupi regarde l'eau couler.
Elles vivaient; — son corps était l'hôtellerie
Où s'étaient attablés ces pâles voyageurs;
Tantôt pour y briser les lits et les murailles,
Pour s'y chercher dans l'ombre, et s'ouvrir les en-
Comme des cerfs en rut et des gladiateurs; [trailles,

Tantôt pour y chanter, en s'enivrant ensemble,
Comme de gais oiseaux qu'un coup de vent rassemble,
Et qui, pour vingt amours, n'ont qu'un arbuste en
[fleurs.

Le père de Rolla, gentillâtre imbécile,
L'avait fait élever comme un riche héritier,
Sans songer que lui-même, à sa petite ville,
Il avait de son bien mangé plus de moitié.
En sorte que Rolla, par un beau soir d'automne,
Se vit à dix-neuf ans maître de sa personne, —
Et n'ayant dans la main ni talent ni métier.
Il eût trouvé d'ailleurs tout travail impossible;
Un gagne-pain quelconque, un métier de valet,
Soulevait sur sa lèvre un rire inextinguible.
Ainsi, mordant à même au peu qu'il possédait,
Il resta grand seigneur tel que Dieu l'avait fait.

Hercule, fatigué de sa tâche éternelle,
S'assit un jour, dit-on, entre un double chemin.
Il vit la Volupté qui lui tendait la main :
Il suivit la Vertu, qui lui sembla plus belle [1].
Aujourd'hui rien n'est beau, ni le mal ni le bien.
Ce n'est pas notre temps qui s'arrête et qui doute;
Les siècles, en passant, ont fait leur grande route
Entre les deux sentiers, dont il ne reste rien.

Rolla fit à vingt ans ce qu'avaient fait ses pères.
Ce qu'on voit aux abords d'une grande cité,
Ce sont des abattoirs, des murs, des cimetières;
C'est ainsi qu'en entrant dans la société
On trouve ses égouts. — La virginité sainte
S'y cache à tous les yeux sous une triple enceinte;
On voile la pudeur, mais la corruption
Y baise en plein soleil la prostitution.

Les hommes dans leur sein n'accueillent leur semblable
Que lorsqu'il a trempé dans le fleuve fangeux
L'acier chaste et brûlant du glaive redoutable
Qu'il a reçu du ciel pour se défendre d'eux.

Jacque était grand, loyal, intrépide et superbe.
L'habitude, qui fait de la vie un proverbe,
Lui donnait la nausée. — Heureux ou malheureux,
Il ne fit rien comme elle, et garda pour ses dieux
L'audace et la fierté, qui sont ses sœurs aînées [1].
Il prit trois bourses d'or, et, durant trois années,
Il vécut au soleil sans se douter des lois;
Et jamais fils d'Adam, sous la sainte lumière,
N'a, de l'est au couchant, promené sur la terre
Un plus large mépris des peuples et des rois.

Seul il marchait tout nu dans cette mascarade
Qu'on appelle la vie, en y parlant tout haut,
Tel que la robe d'or du jeune Alcibiade,
Son orgueil indolent, du palais au ruisseau,
Traînait derrière lui comme un royal manteau.

Ce n'était pour personne un objet de mystère
Qu'il eût trois ans à vivre et qu'il mangeât son bien.
Le monde souriait en le regardant faire,
Et lui, qui le faisait, disait à l'ordinaire
Qu'il se ferait sauter quand il n'aurait plus rien.

C'était un noble cœur, naïf comme l'enfance,
Bon comme la pitié, grand comme l'espérance.
Il ne voulut jamais croire à sa pauvreté.
L'armure qu'il portait n'allait pas à sa taille;
Elle était bonne au plus pour un jour de bataille,
Et ce jour-là fut court comme une nuit d'été.

Lorsque dans le désert la cavale sauvage,
Après trois jours de marche, attend un jour d'orage
Pour boire l'eau du ciel sur ses palmiers poudreux [1],
Le soleil est de plomb, les palmiers en silence
Sous leur ciel embrasé penchent leurs longs cheveux;
Elle cherche son puits dans le désert immense,
Le soleil l'a séché; sur le rocher brûlant,
Les lions hérissés dorment en grommelant.
Elle se sent fléchir; ses narines qui saignent
S'enfoncent dans le sable, et le sable altéré
Vient boire avidement son sang décoloré.
Alors elle se couche, et ses grands yeux s'éteignent,
Et le pâle désert roule sur son enfant
Les flots silencieux de son linceul mouvant.

Elle ne savait pas, lorsque les caravanes
Avec leurs chameliers passaient sous les platanes,
Qu'elle n'avait qu'à suivre et qu'à baisser le front,
Pour trouver à Bagdad de fraîches écuries,
Des râteliers dorés, des luzernes fleuries,
Et des puits dont le ciel n'a jamais vu le fond.
Si Dieu nous a tirés tous de la même fange,
Certes, il a dû pétrir dans une argile étrange
Et sécher aux rayons d'un soleil irrité
Cet être, quel qu'il soit, ou l'aigle, ou l'hirondelle
Qui ne saurait plier ni son cou ni son aile,
Et qui n'a pour tout bien qu'un mot : la liberté.

III

Est-ce sur de la neige, ou sur une statue,
Que cette lampe d'or, dans l'ombre suspendue,

Fait onduler l'azur de ce rideau tremblant?
Non, la neige est plus pâle, et le marbre est moins
[blanc.

C'est un enfant qui dort. — Sur ses lèvres ouvertes
Voltige par instants un faible et doux soupir;
Un soupir plus léger que ceux des algues vertes
Quand, le soir, sur les mers voltige le zéphyr,
Et que, sentant fléchir ses ailes embaumées
Sous les baisers ardents de ses fleurs bien-aimées,
Il boit sur ses bras nus les perles des roseaux.

C'est un enfant qui dort sous ces épais rideaux,
Un enfant de quinze ans, — presque une jeune femme;
Rien n'est encor formé dans cet être charmant.
Le petit chérubin qui veille sur son âme
Doute s'il est son frère ou s'il est son amant.
Ses longs cheveux épars la couvrent tout entière.
La croix de son collier repose dans sa main,
Comme pour témoigner qu'elle a fait sa prière,
Et qu'elle va la faire en s'éveillant demain.
Elle dort, regardez : — quel front noble et candide!
Partout, comme un lait pur sur une onde limpide,
Le ciel sur la beauté répandit la pudeur.
Elle dort toute nue et la main sur son cœur.
N'est-ce pas que la nuit la rend encor plus belle?
Que ces molles clartés palpitent autour d'elle,
Comme si, malgré lui, le sombre Esprit du soir
Sentait sur ce beau corps frémir son manteau noir?
Les pas silencieux du prêtre dans l'enceinte
Font tressaillir le cœur d'une terreur moins sainte,
O vierge! que le bruit de tes soupirs légers.
Regardez cette chambre et ces frais orangers,
Ces livres, ce métier, cette branche bénite
Qui se penche en pleurant sur ce vieux crucifix;

Ne chercherait-on pas le rouet de Marguerite
Dans ce mélancolique et chaste paradis?
N'est-ce pas qu'il est pur, le sommeil de l'enfance?
Que le ciel lui donna sa beauté pour défense?
Que l'amour d'une vierge est une piété
Comme l'amour céleste, et qu'en approchant d'elle,
Dans l'air qu'elle respire on sent frissonner l'aile
Du séraphin jaloux qui veille à son côté?

Si ce n'est pas ta mère, ô pâle jeune fille!
Quelle est donc cette femme assise à ton chevet,
Qui regarde l'horloge et l'âtre qui pétille,
En secouant la tête et d'un air inquiet?
Qu'attend-elle si tard? — Pour qui, si c'est ta mère,
S'en va-t-elle entr'ouvrir, depuis quelques instants,
Ta porte et ton balcon... si ce n'est pour ton père?
Et ton père, Marie, est mort depuis longtemps.
Pour qui donc ces flacons, cette table fumante,
Que, de ses propres mains, elle vient de servir?
Pour qui donc ces flambeaux, et qui donc va venir?...
Qui que ce soit, tu dors, tu n'es pas son amante.
Les songes de tes nuits sont plus purs que le jour,
Et trop jeunes encor pour te parler d'amour.

A qui donc ce manteau que cette femme essuie;
Il est couvert de boue et dégouttant de pluie;
C'est le tien, Maria, c'est celui d'un enfant.
Tes cheveux sont mouillés. Tes mains et ton visage
Sont devenus vermeils au froid souffle du vent.
Où donc t'en allais-tu par cette nuit d'orage?
Cette femme n'est pas ta mère, assurément.

Silence! on a parlé. Des femmes inconnues
Ont entr'ouvert la porte, — et d'autres, demi-nues,

Les cheveux en désordre et se traînant aux murs,
Traversaient en sueur des corridors obscurs.
Une lampe a bougé; — les restes d'une orgie,
Aux dernières lueurs de sa morne clarté,
Sont apparus au fond d'un boudoir écarté.
Les verres se heurtaient sur la nappe rougie;
La porte est retombée au bruit d'un rire affreux.
C'est une vision, n'est-il pas vrai, Marie?
C'est un rêve insensé qui m'a frappé les yeux.
Tout repose, tout dort; — cette femme est ta mère.
C'est le parfum des fleurs, c'est une huile légère
Qui baigne tes cheveux, et la chaste rougeur
Qui couvre ton beau front vient du sang de ton cœur.

Silence! quelqu'un frappe, — et, sur les dalles sombres
Un pas retentissant fait tressaillir la nuit.
Une lueur tremblante approche avec deux ombres...
C'est toi, maigre Rolla? que viens-tu faire ici?

O Faust! n'étais-tu pas prêt à quitter la terre
Dans cette nuit d'angoisse où l'archange déchu,
Sous son manteau de feu, comme une ombre légère,
T'emporta dans l'espace à ses pieds suspendu?
N'avais-tu pas crié ton dernier anathème,
Et, quand tu tressaillis au bruit des chants sacrés,
N'avais-tu pas frappé, dans ton dernier blasphème,
Ton front sexagénaire à tes murs délabrés?
Oui, le poison tremblait sur ta lèvre livide;
La Mort, qui t'escortait dans tes œuvres sans nom,
Avait à tes côtés descendu jusqu'au fond
La spirale sans fin de ton long suicide;
Et, trop vieux pour s'ouvrir, ton cœur s'était brisé,
Comme un roc, en hiver, par la froidure usé.
Ton heure était venue, athée à barbe grise;

L'arbre de ta science était déraciné.
L'ange exterminateur te vit avec surprise
Faire jaillir encor, pour te vendre au Damné,
Une goutte de sang de ton bras décharné.
Oh! sur quel océan, sur quelle grotte obscure,
Sur quel bois d'aloès et de frais oliviers,
Sur quelle neige intacte au sommet des glaciers,
Souffle-t-il à l'aurore une brise aussi pure,
Un vent d'est aussi plein des larmes du printemps,
Que celui qui passa sur ta tête blanchie,
Quand le ciel te donna de ressaisir la vie
Au manteau virginal d'un enfant de quinze ans?
Quinze ans! ô Roméo! l'âge de Juliette!
L'âge où vous vous aimiez! où le vent du matin,
Sur l'échelle de soie, au chant de l'alouette,
Berçait vos longs baisers et vos adieux sans fin!
Quinze ans! — l'âge céleste où l'arbre de la vie,
Sous la tiède oasis du désert embaumé,
Baigne ses fruits dorés de myrrhe et d'ambroisie,
Et, pour féconder l'air comme un palmier d'Asie,
N'a qu'à jeter au vent son voile parfumé!
Quinze ans! — l'âge où la femme, au jour de sa
         [naissance,
Sortit des mains de Dieu si blanche d'innocence,
Si riche de beauté, que son père immortel
De ses phalanges d'or en fit l'âge éternel!

Oh! la fleur de l'Eden, pourquoi l'as-tu fanée,
Insouciante enfant, belle Eve aux blonds cheveux?
Tout trahir et tout perdre était ta destinée;
Tu fis ton Dieu mortel, et tu l'en aimas mieux.
Qu'on te rende le ciel, tu le perdras encore.
Tu sais trop bien qu'ailleurs c'est toi que l'homme
         [adore;

Avec lui de nouveau tu voudrais t'exiler,
Pour mourir sur son cœur, et pour l'en consoler!
Rolla considérait d'un œil mélancolique
La belle Marion dormant dans son grand lit;
Je ne sais quoi d'horrible et presque diabolique
Le faisait jusqu'aux os frissonner malgré lui.
Marion coûtait cher. — Pour lui payer sa nuit,
Il avait dépensé sa dernière pistole.
Ses amis le savaient. Lui même, en arrivant,
Il s'était pris la main et donné sa parole
Que personne, au grand jour, ne le verrait vivant.
Trois ans, — les trois plus beaux de la belle
                                            [jeunesse, —
Trois ans de volupté, de délire et d'ivresse,
Allaient s'évanouir comme un songe léger,
Comme le chant lointain d'un oiseau passager.
Et cette triste nuit, — nuit de mort, — la dernière, —
Celle où l'agonisant fait encor sa prière,
Quand sa lèvre est muette, — où, pour le condamné,
Tout est si près de Dieu, que tout est pardonné, —
Il venait la passer chez une fille infâme,
Lui, chrétien, homme, fils d'un homme! Et cette
                                            [femme,
Cet être misérable, un brin d'herbe, un enfant,
Sur son cercueil ouvert dormait en l'attendant.
O chaos éternel! prostituer l'enfance!
Ne valait-il pas mieux, sur ce lit sans défense,
Balafrer ce beau corps au tranchant d'une faux!
Prendre ce cou de neige et lui tordre les os?
Ne valait-il pas mieux lui poser sur la face
Un masque de chaux vive avec un gant de fer,
Que d'en faire un ruisseau limpide à la surface,
Réfléchissant les fleurs et l'étoile qui passe,
Et d'en salir le fond des poisons de l'enfer?

Oh! qu'elle est belle encor! quel trésor, ô nature!
Oh! quel premier baiser l'Amour se préparait!
Quels doux fruits eût portés, quand sa fleur sera mûre,
Cette beauté céleste, et quelle flamme pure
Sur cette chaste lampe un jour s'éveillerait!

Pauvreté! Pauvreté! c'est toi la courtisane.
C'est toi qui dans ce lit a poussé cet enfant
Que la Grèce eût jeté sur l'autel de Diane!
Regarde, — elle a prié ce soir en s'endormant...
Prié! — Qui donc, grand Dieu! C'est toi qu'en cette
Il faut qu'à deux genoux elle conjure et prie;   [vie
C'est toi qui, chuchotant dans le souffle du vent,
Au milieu des sanglots d'une insomnie amère,
Es venue un beau soir murmurer à sa mère :
« Ta fille est belle et vierge, et tout cela se vend! »
Pour aller au sabbat, c'est toi qui l'as lavée,
Comme on lave les morts pour les mettre au tombeau;
C'est toi qui, cette nuit, quand elle est arrivée,
Aux lueurs des éclairs, courais sous son manteau!
Hélas! qui peut savoir pour quelle destinée,
En lui donnant du pain, peut-être elle était née?
D'un être sans pudeur ce n'est pas là le front.
Rien d'impur ne germait sous cette fraîche aurore.
Pauvre fille! à quinze ans ses sens dormaient encore,
Son nom était Marie, et non pas Marion.
Ce qui l'a dégradée, hélas! c'est la misère,
Et non l'amour et l'or. — Telle que la voilà
Sous les rideaux honteux de ce hideux repaire,
Dans cet infâme lit, elle donne à sa mère,
En rentrant au logis, ce qu'elle a gagné là.

Vous ne la plaignez pas, vous, femmes de ce monde!
Vous qui vivez gaiement dans une horreur profonde
De tout ce qui n'est pas riche et gai comme vous!
Vous ne la plaignez pas, vous, mères de familles,
Qui poussez les verrous aux portes de vos filles,
Et cachez un amant sous le lit de l'époux!
Vos amours sont dorés, vivants et poétiques;
Vous en parlez, du moins, — vous n'êtes pas
                                    [publiques.
Vous n'avez jamais vu le spectre de la Faim
Soulever en chantant les draps de votre couche,
Et, de sa lèvre blême effleurant votre bouche,
Demander un baiser pour un morceau de pain.

O mon siècle! est-il vrai que ce qu'on te voit faire
Se soit vu de tout temps? O fleuve impétueux!
Tu portes à la mer des cadavres hideux;
Ils flottent en silence, — et cette vieille terre,
Qui voit l'humanité vivre et mourir ainsi,
Autour de son soleil tournant dans son orbite,
Vers son père immortel n'en monte pas plus vite,
Pour tâcher de l'atteindre et de s'en plaindre à lui.
Eh bien, lève-toi donc, puisqu'il en est ainsi,
Lève-toi, les seins nus, belle prostituée.
Le vin coule et pétille, et la brise du soir
Berce tes rideaux blancs dans ton joyeux miroir.
C'est une belle nuit, — c'est moi qui l'ai payée.
Le Christ à son souper sentit moins de terreur
Que je ne sens au mien de gaieté dans le cœur.
Allons! vive l'amour que l'ivresse accompagne!
Que tes baisers brûlants sentent le vin d'Espagne!
Que l'esprit du vertige et des bruyants repas
A l'ange du plaisir nous porte dans ses bras!

Allons! chantons Bacchus, l'amour et la folie!
Buvons au temps qui passe, à la mort, à la vie!
Oublions et buvons; — vive la liberté!
Chantons l'or et la nuit, la vigne et la beauté!

IV

Dors-tu content, Voltaire, et ton hideux sourire
Voltige-t-il encor sur tes os décharnés?
Ton siècle était, dit-on, trop jeune pour te lire;
Le nôtre doit te plaire, et tes hommes sont nés.
Il est tombé sur nous, cet édifice immense
Que de tes larges mains tu sapais nuit et jour.
La Mort devait t'attendre avec impatience,
Pendant quatre-vingts ans que tu lui fis ta cour;
Vous devez vous aimer d'un infernal amour.
Ne quittes-tu jamais la couche nuptiale
Où vous vous embrassez dans les vers du tombeau,
Pour t'en aller tout seul promener ton front pâle
Dans un cloître désert ou dans un vieux château?
Que te disent alors tous ces grands corps sans vie,
Ces murs silencieux, ces autels désolés,
Que pour l'éternité ton souffle a dépeuplés?
Que te disent les croix? que te dit le Messie?
Oh! saigne-t-il encor, quand, pour le déclouer,
Sur son arbre tremblant, comme une fleur flétrie,
Ton spectre dans la nuit revient le secouer?
Crois-tu ta mission dignement accomplie,
Et comme l'Eternel, à la création,
Trouves-tu que c'est bien, et que ton œuvre est bon?
Au festin de mon hôte alors je te convie.
Tu n'as qu'à te lever; — quelqu'un soupe ce soir
Chez qui le Commandeur peut frapper et s'asseoir [1].

Entends-tu soupirer ces enfants qui s'embrassent?
On dirait, dans l'étreinte où leurs bras nus s'enlacent,
Par une double vie un seul corps animé.
Des sanglots inouïs, des plaintes oppressées,
Ouvrent en frissonnant leurs lèvres insensées.
En les baisant au front le Plaisir s'est pâmé.
Ils sont jeunes et beaux, et, rien qu'à les entendre,
Comme un pavillon d'or le ciel devrait descendre :
Regarde! — ils n'aiment pas, ils n'ont jamais aimé.

Où les ont-ils appris, ces mots si pleins de charmes,
Que la volupté seule, au milieu de ses larmes,
A le droit de répandre et de balbutier?
O femme! étrange objet de joie et de supplice!
Mystérieux autel où, dans le sacrifice,
On entend tour à tour blasphémer et prier!
Dis-moi, dans quel écho, dans quel air vivent-elles,
Ces paroles sans nom, et pourtant éternelles,
Qui ne sont qu'un délire, et depuis cinq mille ans
Se suspendent encore aux lèvres des amants?
O profanation! point d'amour, et deux anges!
Deux cœurs purs comme l'or, que les saintes phalanges
Porteraient à leur père en voyant leur beauté!
Point d'amour! et des pleurs! et la nuit qui murmure,
Et le vent qui frémit, et toute la nature
Qui pâlit de plaisir, qui boit la volupté!
Et des parfums fumants, et des flacons à terre,
Et des baisers sans nombre, et peut-être, ô misère!
Un malheureux de plus qui maudira le jour...
Point d'amour! et partout le spectre de l'amour!

Cloîtres silencieux, voûtes des monastères,
C'est vous, sombres caveaux, vous qui savez aimer!

Ce sont vos froides nefs, vos pavés et vos pierres,
Que jamais lèvre en feu n'a baisés sans pâmer.
Oh! venez donc rouvrir vos profondes entrailles
A ces deux enfants-là qui cherchent le plaisir
Sur un lit qui n'est bon qu'à dormir ou mourir;
Frappez-leur donc le cœur sur vos saintes murailles,
Que la haire sanglante y fasse entrer ses clous.
Trempez-leur donc le front dans les eaux baptismales,
Dites-leur donc un peu ce qu'avec leurs genoux
Il leur faudrait user de pierres sépulcrales
Avant de soupçonner qu'on aime comme vous!

Oui, c'est un vaste amour qu'au fond de vos calices
Vous buviez à plein cœur, moines mystérieux!
La tête du Sauveur errait sur vos cilices
Lorsque le doux sommeil avait fermé vos yeux,
Et, quand l'orgue chantait aux rayons de l'aurore,
Dans vos vitraux dorés vous la cherchiez encore.
Vous aimiez ardemment! oh! vous étiez heureux!

Vois-tu, vieil Arouet? cet homme plein de vie,
Qui de baisers ardents couvre ce sein si beau,
Sera couché demain dans un étroit tombeau.
Jetterais-tu sur lui quelques regards d'envie?
Sois tranquille, il t'a lu. Rien ne peut lui donner
Ni consolation ni lueur d'espérance.
Si l'incrédulité devient une science,
On parlera de Jacque, et, sans la profaner,
Dans ta tombe, ce soir, tu pourrais l'emmener.
Penses-tu cependant que si quelque croyance,
Si le plus léger fil le retenait encor,
Il viendrait sur ce lit prostituer sa mort?
Sa mort. — Ah! laisse-lui la plus faible pensée
Qu'elle n'est qu'un passage à quelque lieu d'horreur,

Au plus affreux, qu'importe? Il n'en aura pas peur;
Il la relèvera, la jeune fiancée,
Il la regardera dans l'espace élancée,
Porter au Dieu vivant la clef d'or de son cœur!

Voilà pourtant ton œuvre, Arouet, voilà l'homme
Tel que tu l'as voulu. — C'est dans ce siècle-ci,
C'est d'hier seulement qu'on peut mourir ainsi.
Quand Brutus s'écria sur les débris de Rome :
« Vertu, tu n'es qu'un nom! » il ne blasphéma pas.
Il avait tout perdu, sa gloire et sa patrie,
Son beau rêve adoré, sa liberté chérie,
Sa Portia, son Cassius, son sang et ses soldats;
Il ne voulait plus croire aux choses de la terre.
Mais, quand il se vit seul, assis sur une pierre,
En songeant à la mort, il regarda les cieux.
Il n'avait rien perdu dans cet espace immense;
Son cœur y respirait un air plein d'espérance;
Il lui restait encor son épée et ses dieux.
Et que nous reste-t-il, à nous, les déicides?
Pour qui travailliez-vous, démolisseurs stupides,
Lorsque vous disséquiez le Christ sur son autel?
Que vouliez-vous semer sur sa céleste tombe,
Quand vous jetiez au vent la sanglante colombe
Qui tombe en tournoyant dans l'abîme éternel?
Vous vouliez pétrir l'homme à votre fantaisie;
Vous vouliez faire un monde. — Eh bien, vous l'avez
                                          [fait.
Votre monde est superbe, et votre homme est parfait!
Les monts sont nivelés, la plaine est éclaircie;
Vous avez sagement taillé l'arbre de vie;
Tout est bien balayé sur vos chemins de fer,
Tout est grand, tout est beau, mais on meurt dans
                                          [votre air.

Vous y faites vibrer de sublimes paroles;
Elles flottent au loin dans des vents empestés.
Elles ont ébranlé de terribles idoles;
Mais les oiseaux du ciel en sont épouvantés.
L'hypocrisie est morte; on ne croit plus aux prêtres;
Mais la vertu se meurt, on ne croit plus à Dieu.
Le noble n'est plus fier du sang de ses ancêtres;
Mais il le prostitue au fond d'un mauvais lieu.
On ne mutile plus la pensée et la scène [1],
On a mis au plein vent l'intelligence humaine;
Mais le peuple voudra des combats de taureau.
Quand on est pauvre et fier, quand on est riche et
[triste,
On n'est plus assez fou pour se faire trappiste;
Mais on fait comme Escousse, on allume un réchaud [2].

V

Quand Rolla sur les toits vit le soleil paraître,
Il alla s'appuyer au bord de la fenêtre.
De pesants chariots commençaient à rouler.
Il courba son front pâle, et resta sans parler.
En longs ruisseaux de sang se déchiraient les nues;
Tel, quand Jésus cria, des mains du ciel venues
Fendirent en lambeaux le voile aux plis sanglants.

Un groupe délaissé de chanteurs ambulants
Murmurait sur la place une ancienne romance.
Ah! comme les vieux airs qu'on chantait à douze ans
Frappent droit dans le cœur aux heures de souffrance!
Comme ils dévorent tout! comme on se sent loin
[d'eux!
Comme on baisse la tête en les trouvant si vieux!

Sont-ce là tes soupirs, noir Esprit des ruines?
Ange des souvenirs, sont-ce là tes sanglots?
Ah! comme ils voltigeaient, frais et légers oiseaux,
Sur le palais doré des amours enfantines!
Comme ils savent rouvrir les fleurs des temps passés,
Et nous ensevelir, eux qui nous ont bercés!

Rolla se détourna pour regarder Marie.
Elle se trouvait lasse, et s'était rendormie.
Ainsi tous deux fuyaient les cruautés du sort,
L'enfant dans le sommeil, et l'homme dans la mort!

Quand le soleil se lève aux beaux jours de l'automne,
Les neiges sous ses pas paraissent s'embraser.
Les épaules d'argent de la Nuit qui frissonne
Se couvrent de rougeur sous son premier baiser.
Tel frissonne le corps d'une chaste pucelle,
Quand dans les soirs d'été le sang lui porte au cœur.
Tel le moindre désir qui l'effleure de l'aile
Met un voile de pourpre à la sainte pudeur.
Roi du monde, ô soleil! la terre est ta maîtresse;
Ta sœur dans ses bras nus l'endort à ton côté;
Tu n'as voulu pour toi l'éternelle jeunesse
Qu'afin de lui verser l'éternelle beauté!

Vous qui volez là-bas, légères hirondelles,
Dites-moi, dites-moi, pourquoi vais-je mourir?
Oh! l'affreux suicide! oh! si j'avais des ailes,
Par ce beau ciel si pur je voudrais les ouvrir!
Dites-moi, terre et cieux, qu'est-ce donc que l'aurore?
Qu'importe un jour de plus à ce vieil univers?
Dites-moi, verts gazons, dites-moi, sombres mers,
Quand des feux du matin l'horizon se colore,

Si vous n'éprouvez rien, qu'avez-vous donc en vous
Qui fait bondir le cœur et fléchir les genoux?
O terre! à ton soleil qui donc t'a fiancée?
Que chantent tes oiseaux? que pleure ta rosée?
Pourquoi de tes amours viens-tu m'entretenir?
Que me voulez-vous tous, à moi qui vais mourir?
Et pourquoi donc *aimer*? Pourquoi ce mot terrible
Revenait-il sans cesse à l'esprit de Rolla?
Quels étranges accords, quelle voix invisible
Venaient le murmurer, quand la mort était là?

A lui, qui, débauché jusques à la folie,
Et dans les cabarets vivant au jour le jour,
Aussi facilement qu'il méprisait la vie
Faisait gloire et métier de mépriser l'amour!
A lui, qui regardait ce mot comme une injure,
Et, comme un vieux soldat vous montre une blessure,
Montrait avec orgueil le rocher de son cœur,
Où n'avait pas germé la plus chétive fleur!
A lui, qui n'avait eu ni logis ni maîtresse,
Qui vivait en plein air, en défiant son sort,
Et qui laissait le vent secouer sa jeunesse,
Comme une feuille sèche au pied d'un arbre mort!

Et maintenant que l'homme avait vidé son verre,
Qu'il venait dans un bouge, à son heure dernière,
Chercher un lit de mort où l'on pût blasphémer;
Quand tout était fini, quand la nuit éternelle
Attendait de ses jours la dernière étincelle,
Qui donc au moribond osait parler d'aimer?
Lorsque le jeune aiglon, voyant partir sa mère,
En la suivant des yeux s'avance au bord du nid,
Qui donc lui dit alors qu'il peut quitter la terre,

Et sauter dans le ciel déployé devant lui?
Qui donc lui parle bas, l'encourage et l'appelle?
Il n'a jamais ouvert sa serre ni son aile;
Il sait qu'il est aiglon; — le vent passe, il le suit.
Il naît sous le soleil des âmes dégradées,
Comme il naît des chacals, des chiens et des serpents,
Qui meurent dans la fange où leurs mères sont nées,
Le ventre tout gonflé de leurs œufs malfaisants.
La nature a besoin de leurs sales lignées,
Pour engraisser la terre autour de ses tombeaux,
Chercher ses diamants, et nourrir ses corbeaux.

Mais, quand elle pétrit ses nobles créatures,
Elle qui voit là-haut comme on vit ici-bas,
Elle sait des secrets qui les font assez pures
Pour que le monde entier ne les lui souille pas.
Le moule en est d'airain, si l'espèce en est rare.
Elle peut les plonger dans ses plus noirs marais;
Elle sait ce que vaut son marbre de Carrare,
Et que les eaux du ciel ne l'entament jamais.

Il peut s'assimiler au débauché vulgaire,
Celui que le ciseau de la commune mère
A taillé dans les flancs de ses plus purs granits.
Il peut pendant trois ans étouffer sa pensée.
Dans la nuit de son cœur la vipère glacée
Déroule tôt ou tard ses anneaux infinis.

Nègres de Saint-Domingue, après combien d'années
De farouche silence et de stupidité,
Vos peuplades sans nombre, au soleil enchaînées,
Se sont-elles de terre enfin déracinées
Au souffle de la haine et de la liberté [1]?

C'est ainsi qu'aujourd'hui s'éveillent tes pensées,
O Rolla! c'est ainsi que bondissent tes fers,
Et que devant tes yeux des torches insensées
Courent à l'infini, traversant des déserts.
Ecrase maintenant les débris de ta vie;
Ecorche tes pieds nus sur tes flacons brisés;
Et dans le dernier toast de ta dernière orgie,
Etouffe le néant dans tes bras épuisés.
Le néant! le néant! vois-tu son ombre immense
Qui ronge le soleil sur son axe enflammé?
L'ombre gagne! il s'éteint, — l'éternité commence.
Tu n'aimeras jamais, toi qui n'as point aimé.
Rolla, pâle et tremblant, referma la croisée.
Il brisa sur sa tige un pauvre dahlia.
« J'aime, lui dit la fleur, et je meurs embrasée
Des baisers du zéphir, qui me relèvera.
J'ai jeté loin de moi, quand je me suis parée,
Les éléments impurs qui souillaient ma fraîcheur.
Il m'a baisée au front dans ma robe dorée;
Tu peux m'épanouir, et me briser le cœur. »

J'aime! — voilà le mot que la nature entière
Crie au vent qui l'emporte, à l'oiseau qui le suit!
Sombre et dernier soupir que poussera la terre
Quand elle tombera dans l'éternelle nuit!
Oh! vous le murmurez dans vos sphères sacrées,
Etoiles du matin, ce mot triste et charmant!
La plus faible de vous, quand Dieu vous a créées,
A voulu traverser les plaines éthérées,
Pour chercher le soleil, son immortel amant.
Elle s'est élancée au sein des nuits profondes.
Mais une autre l'aimait elle-même; — et les mondes
Se sont mis en voyage autour du firmament.

Jacque était immobile, et regardait Marie.
Je ne sais ce qu'avait cette femme endormie
D'étrange dans ses traits, de grand, de *déjà vu*.
Il se sentait frémir d'un frisson inconnu.
N'était-ce pas sa sœur, cette prostituée?
Les murs de cette chambre obscure et délabrée
N'étaient-ils pas aussi faits pour l'ensevelir?
Ne la sentait-il pas souffrir de sa torture,
Et saigner des douleurs dont il allait mourir?

« Oui, dans cette chétive et douce créature,
La Résignation marche à pas languissants.
La souffrance est ma sœur, — oui, voilà la statue
Que je devais trouver sur ma tombe étendue,
Dormant d'un doux sommeil tandis que j'y descends.
Oh! ne t'éveille pas! ta vie est à la terre,
Mais ton sommeil est pur, — ton sommeil est à Dieu!
Laisse-moi le baiser sur ta longue paupière;
C'est à lui, pauvre enfant, que je veux dire adieu;
Lui qui n'a pas vendu sa robe d'innocence;
Lui que je puis aimer, et n'ai point acheté;
Lui qui se croit encore aux jours de ton enfance,
Lui qui rêve! — et qui n'a de toi que la beauté.

O mon Dieu! n'est-ce pas une forme angélique
Qui flotte mollement sous ce rideau léger?
S'il est vrai que l'amour, ce cygne passager,
N'ait besoin, pour dorer son chant mélancolique,
Que des contours divins de la réalité,
Et de ce qui voltige autour de la beauté;
S'il est vrai qu'ici-bas on le trompe sans cesse,
Et que lui qui le sait, de peur de se guérir,
Doive éternellement ne prendre à sa maîtresse
Que les illusions qu'il lui faut pour souffrir;

Qu'ai-je à chercher ailleurs? la jeunesse et la vie
Ne sont-elles pas là dans toute leur fraîcheur?
Amour! tu peux venir. Que t'importe Marie?
Pendant que sur sa tige elle est épanouie,
Si tu n'es qu'un parfum, sors de ta triste fleur! »

Lentement, doucement, à côté de Marie,
Les yeux sur ses yeux bleus, leur fraîche haleine unie,
Rolla s'était couché : son regard assoupi
Flottait, puis remontait, puis mourait malgré lui.
Marie en soupirant entr'ouvrit sa paupière.
« Je faisais, lui dit-elle, un rêve singulier :
J'étais là, dans ce lit, je croyais m'éveiller;
La chambre me semblait comme un grand cimetière
Tout plein de tertres verts et de vieux ossements.
Trois hommes dans la neige apportaient une bière;
Ils la posèrent là pour faire leur prière;
Puis la bière s'ouvrit, et je vous vis dedans.
Un gros flot de sang noir vous coulait sur la face.
Vous vous êtes levé pour venir à mon lit;
Vous m'avez pris la main, et puis vous avez dit :
« Qu'est-ce que tu fais là? pourquoi prends-tu ma
Alors j'ai regardé, j'étais sur un tombeau.   [place? »
— Vraiment? répondit Jacque; eh bien, ma chère
                                            [amie,
Ton rêve est assez vrai, du moins, s'il n'est pas beau.
Tu n'auras pas besoin demain d'être endormie
Pour en voir un pareil; je me tuerai ce soir. »

Marie en souriant regarda son miroir.
Mais elle y vit Rolla si pâle derrière elle,
Qu'elle en resta muette et plus pâle que lui.
« Ah! dit-elle, en tremblant, qu'avez-vous aujourd'hui?

— Ce que j'ai? dit Rolla, tu ne sais pas, ma belle,
Que je suis ruiné depuis hier au soir?
C'est pour te dire adieu que je venais te voir.
Tout le monde le sait, il faut que je me tue.
— Vous avez donc joué? — Non, je suis ruiné.
— Ruiné? » dit Marie. Et, comme une statue,
Elle fixait à terre un grand œil étonné.
« Ruiné? ruiné? vous n'avez pas de mère?
Pas d'amis? de parents? personne sur la terre?
Vous voulez vous tuer? pourquoi vous tuez-vous? »
Elle se retourna sur le bord de sa couche.
Jamais son doux regard n'avait été si doux.
Deux ou trois questions flottèrent sur sa bouche;
Mais, n'osant pas les faire, elle s'en vint poser
Sa tête sur la sienne et lui prit un baiser.
« Je voudrais pourtant bien te faire une demande,
Murmura-t-elle enfin : moi je n'ai pas d'argent,
Et, sitôt que j'en ai, ma mère me le prend.
Mais j'ai mon collier d'or, veux-tu que je le vende?
Tu prendras ce qu'il vaut, et tu l'iras jouer. »

Rolla lui répondit par un léger sourire.
Il prit un flacon noir qu'il vida sans rien dire;
Puis, se penchant sur elle, il baisa son collier.
Quand elle souleva sa tête appesantie,
Ce n'était déjà plus qu'un être inanimé.
Dans ce chaste baiser son âme était partie,
Et, pendant un moment, tous deux avaient aimé.

UNE BONNE FORTUNE

I

C'est un fait reconnu, qu'une bonne fortune
Est un sujet divin pour un in-octavo.
Ainsi donc, bravement, je vais en conter une;
Le scandale est de mode; il se relie en veau.
C'est un goût naturel, qui va jusqu'à la Lune;
Depuis Endymion, on sait ce qu'elle vaut.

II

Ce qu'on fait maintenant, on le dit; et la cause
En est bien excusable : on fait si peu de chose!
Mais, si peu qu'il ait fait, chacun trouve à son gré
De le voir par écrit dûment enregistré;
Chacun sait aujourd'hui quand il fait de la prose;
Le siècle est, à vrai dire, un mandarin lettré.

III

Il faut en convenir, l'antique Modestie
Faisait bâiller son monde, et nous n'y tenions plus.
Grâce à Dieu, pour New-York elle est enfin partie;
C'était un vieux rameau de l'arbre de la vie :
Et tant de pauvres gens, d'ailleurs, s'y sont pendus,
Qu'il n'est pas étonnant qu'elle ait les bras rompus.

IV

Le scandale, au contraire, a cela d'admirable,
Qu'étant vieux comme Hérode, il est toujours
[nouveau.
Que voilà cinq mille ans qu'on le trouve adorable :
Toujours frais, toujours gai, vrai Tithon de la Fable [1],
Que l'Aurore, au lever, rend plus jeune et plus beau,
Et que Vénus, le soir, endort dans un berceau.

V

Apprenez donc, lecteur, que je viens d'Allemagne.
Vous savez, en été, comme on s'ennuie ici;
En outre, pour mon compte, ayant quelque souci,
Je m'en fus prendre à Bade un semblant de campagne.
(Bade est un parc anglais fait sur une montagne,
Ayant quelque rapport avec Montmorency.)

VI

Vers le mois de juillet, quiconque a de l'usage
Et porte du respect au boulevard de Gand,
Sait que le vrai bon ton ordonne absolument
A tout être créé possédant équipage
De se précipiter sur ce petit village,
Et de s'y bousculer impitoyablement.

VII

Les dames de Paris savent par la gazette
Que l'air de Bade est noble, et parfaitement sain.

Comme on va chez Herbault faire un peu de toilette,
On fait de la santé là-bas; c'est une emplette :
Des roses au visage, et de la neige au sein;
Ce qui n'est défendu par aucun médecin.

VIII

Bien entendu, d'ailleurs, que le but du voyage
Est de prendre les eaux; c'est un compte réglé.
D'eau, je n'en ai point vu lorsque j'y suis allé;
Mais qu'on en puisse voir, je n'en mets rien en gage;
Je crois même, en honneur, que l'eau du voisinage
A, quand on l'examine, un petit goût salé.

IX

Or, comme on a dansé tout l'hiver, on est lasse,
On accourt donc à Bade avec l'intention
De n'y pas soupçonner l'ombre d'un violon.
Mais dès qu'il y fait nuit, que voulez-vous qu'on fasse?
Personne au vieux Château, personne à la Terrasse;
On entre à la maison de Conversation [1].

X

Cette maison se trouve être un gros bloc fossile,
Bâti de vive force à grands coups de moellon;
C'est comme un temple grec, tout recouvert en tuile,
Une espèce de grange avec un péristyle,
Je ne sais quoi d'informe et n'ayant pas de nom;
Comme un grenier à foin, bâtard du Parthénon.

XI

J'ignore vers quel temps Belzébuth l'a construite.
Peut-être est-ce un mammouth du règne minéral.
Je la prendrais plutôt pour quelque aérolithe,
Tombée un jour de pluie, au temps du carnaval.
Quoi qu'il en soit du moins, les flancs de l'animal
Sont construits tout à point pour l'âme qui l'habite.

XII

Cette âme, c'est le jeu; mettez bas le chapeau,
Vous qui venez ici, mettez bas l'espérance.
Derrière ces piliers, dans cette salle immense,
S'étale un tapis vert, sur lequel se balance
Un grand lustre blafard au bout d'un oripeau
Que dispute à la nuit une pourpre en lambeau.

XIII

Là, du soir au matin, roule le grand *peut-être*,
Le hasard, noir flambeau de ces siècles d'ennui,
Le seul qui dans le ciel flotte encore aujourd'hui.
Un bal est à deux pas; à travers la fenêtre,
On le voit çà et là bondir et disparaître
Comme un chevreau lascif qu'une abeille poursuit.

XIV

Les croupiers nasillards chevrotent en cadence,
Au son des instruments, leurs mots mystérieux;

Tout est joie et chansons; la roulette commence :
Ils lui donnent le branle, ils la mettent en danse,
Et, ratissant gaiement l'or qui scintille aux yeux,
Ils jardinent ainsi sur un rythme joyeux.

XV

L'abreuvoir est public, et qui veut vient y boire.
J'ai vu les paysans, fils de la Forêt-Noire,
Leurs bâtons à la main, entrer dans ce réduit;
Je les ai vus penchés sur la bille d'ivoire,
Ayant à travers champs couru toute la nuit,
Fuyards désespérés de quelque honnête lit;

XVI

Je les ai vus debout, sous la lampe enfumée,
Avec leur veste rouge et leurs souliers boueux,
Tournant leurs grands chapeaux entre leurs doigts
Poser sous les râteaux la sueur d'une année! [calleux,
Et là, muets d'horreur devant la Destinée,
Suivre des yeux leur pain qui courait devant eux!

XVII

Dirai-je qu'ils perdaient? Hélas! ce n'était guères.
C'était bien vite fait de leur vider les mains.
Ils regardaient alors toutes ces étrangères,
Cet or, ces voluptés, ces belles passagères,
Tout ce monde enchanté de la saison des bains,
Qui s'en va sans poser le pied sur les chemins.

XVIII

Ils couraient, ils partaient, tout ivres de lumière,
Et la nuit sur leurs yeux posait son noir bandeau.
Ces mains vides, ces mains qui labourent la terre,
Il fallait les étendre, en rentrant au hameau,
Pour trouver à tâtons les murs de la chaumière,
L'aïeule au coin du feu, les enfants au berceau!

XIX

O toi, Père immortel, dont le Fils s'est fait homme,
Si jamais ton jour vient, Dieu juste, ô Dieu vengeur!...
J'oublie à tout moment que je suis gentilhomme.
Revenons à mon fait : tout chemin mène à Rome.
Ces pauvres paysans (pardonne-moi, lecteur),
Ces pauvres paysans, je les ai sur le cœur.

XX

Me voici donc à Bade : et vous pensez, sans doute,
Puisque j'ai commencé par vous parler du jeu,
Que j'eus pour premier soin, d'y perdre quelque peu.
Vous ne vous trompez pas, je vous en fais l'aveu.
De même que pour mettre une armée en déroute,
Il ne faut qu'un poltron qui lui montre la route,

XXI

De même, dans ma bourse, il ne faut qu'un écu
Qui tourne les talons, et le reste est perdu.

Tout ce que je possède a quelque ressemblance
Aux moutons de Panurge : au premier qui commence,
Voilà Panurge à sec et son troupeau tondu.
Hélas! le premier pas se fait sans qu'on y pense.

XXII

Ma poche est comme une île escarpée et sans bords,
On n'y saurait rentrer quand on en est dehors.
Au moindre fil cassé, l'écheveau se dévide :
Entraînement funeste et d'autant plus perfide,
Que j'eus de tous les temps la sainte horreur du vide,
Et qu'après le combat je rêve à tous mes morts.

XXIII

Un soir, venant de perdre une bataille honnête,
Ne possédant plus rien qu'un grand mal à la tête,
Je regardais le ciel, étendu sur un banc,
Et songeais, dans mon âme, aux héros d'Ossian.
Je pensai tout à coup à faire une conquête;
Il tressaillit en moi des phrases de roman.

XXIV

Il ne faudrait pourtant, me disais-je à moi-même,
Qu'une permission de notre seigneur Dieu,
Pour qu'il vînt à passer quelque femme en ce lieu.
Les bosquets sont déserts; la chaleur est extrême;
Les vents sont à l'amour; l'horizon est en feu;
Toute femme, ce soir, doit désirer qu'on l'aime.

XXV

S'il venait à passer, sous ces grands marronniers,
Quelque alerte beauté de l'école flamande,
Une ronde fillette, échappée à Téniers,
Ou quelque ange pensif de candeur allemande :
Une vierge en or fin d'un livre de légende,
Dans un flot de velours traînant ses petits pieds;

XXVI

Elle viendrait par là, de cette sombre allée,
Marchant à pas de biche avec un air boudeur,
Ecoutant murmurer le vent dans la feuillée,
De paresse amoureuse et de langueur voilée,
Dans ses doigts inquiets tourmentant une fleur,
Le printemps sur la joue, et le ciel dans le cœur.

XXVII

Elle s'arrêterait là-bas, sous la tonnelle.
Je ne lui dirais rien, j'irais tout simplement
Me mettre à deux genoux par terre devant elle,
Regarder dans ses yeux l'azur du firmament,
Et pour toute faveur la prier seulement
De se laisser aimer d'une amour immortelle.

XXVIII

Comme j'en étais là de mon raisonnement,
Enfoncé jusqu'au cou dans cette rêverie,

Une bonne passa, qui tenait un enfant.
Je crus m'apercevoir que le pauvre innocent
Avait dans ses grands yeux quelque mélancolie.
Ayant toujours aimé cet âge à la folie,

XXIX

Et ne pouvant souffrir de le voir maltraité,
Je fus à la rencontre, et m'enquis de la bonne
Quel motif de colère ou de sévérité
Avait du chérubin dérobé la gaieté.
« Quoi qu'il ait fait d'abord, je veux qu'on lui
[pardonne,
Lui dis-je, et ce qu'il veut, je veux qu'on le lui
[donne. »

XXX

(C'est mon opinion de gâter les enfants.)
Le marmot là-dessus, m'accueillant d'un sourire,
D'abord à me répondre hésita quelque temps;
Puis il tendit la main et finit par me dire :
« Qu'il n'avait pas de quoi donner aux mendiants. »
Le ton dont il le dit, je ne peux pas l'écrire.

XXXI

Mais vous savez, lecteur, que j'étais ruiné;
J'avais encor, je crois, deux écus dans ma bourse;
C'était, en vérité, mon unique ressource,
La seule goutte d'eau qui restât dans la source,
Le seul verre de vin pour mon prochain dîné;
Je les tirai bien vite, et je les lui donnai.

XXXII

Il les prit sans façon, et s'en fut de la sorte.
A quelques jours de là, comme j'étais au lit,
La Fortune, en passant, vint frapper à ma porte.
Je reçus de Paris une somme assez forte,
Et très heureusement il me vint à l'esprit
De payer l'hôtelier qui m'avait fait crédit.

XXXIII

Mon marmot cependant se trouvait une fille,
Anglaise de naissance et de bonne famille.
Or, la veille du jour fixé pour mon départ,
Je vins à rencontrer sa mère par hasard.
C'était au bal. — Au bal il faut bien qu'on babille;
Je fis donc pour le mieux mon métier de bavard.

XXXIV

Une goutte de lait dans la plaine éthérée
Tomba, dit-on, jadis, du haut du firmament.
La Nuit, qui sur son char passait en ce moment,
Vit ce pâle sillon sur sa mer azurée,
Et, secouant les plis de sa robe nacrée,
Fit au ruisseau céleste un lit de diamant.

XXXV

Les Grecs, enfants gâtés des Filles de Mémoire [1],
De miel et d'ambroisie ont doré cette histoire;

Mais j'en veux dire un point qui fut ignoré d'eux :
C'est que, lorsque Junon vit son beau sein d'ivoire
En un fleuve de lait changer ainsi les cieux,
Elle eut peur tout à coup du souverain des dieux.

XXXVI

Elle voulut poser ses mains sur sa poitrine,
Et, sentant ruisseler sa mamelle divine,
Pour épargner l'Olympe, elle se détourna;
Le soleil était loin, la terre était voisine;
Sur notre pauvre argile une goutte en tomba;
Tout ce que nous aimons nous est venu de là.

XXXVII

C'était un bel enfant que cette jeune mère;
Un véritable enfant, — et la riche Angleterre
Plus d'une fois dans l'eau jettera son filet
Avant d'y retrouver une perle aussi chère;
En vérité, lecteur, pour faire son portrait,
Je ne puis mieux trouver qu'une goutte de lait.

XXXVIII

Jamais le voile blanc de la mélancolie
Ne fut plus transparent sur un sang plus vermeil.
Je m'assis auprès d'elle et parlai d'Italie;
Car elle connaissait le pays sans pareil.
Elle en venait, hélas! à sa froide patrie
Rapportant dans son cœur un rayon du soleil.

XXXIX

Nous causâmes longtemps, elle était simple et bonne.
Ne sachant pas le mal, elle faisait le bien;
Des richesses du cœur elle me fit l'aumône,
Et, tout en écoutant comme le cœur se donne,
Sans oser y penser, je lui donnai le mien;
Elle emporta ma vie et n'en sut jamais rien.

XL

Le soir, en revenant, après la contredanse,
Je lui donnai le bras, nous entrâmes au jeu;
Car on ne peut sortir autrement de ce lieu.
« Vous partez, me dit-elle, et vous allez, je pense,
D'ici jusque chez vous faire quelque dépense;
Pour votre dernier jour il faut jouer un peu. »

XLI

Elle me fit asseoir avec un doux sourire.
Je ne sais quel caprice alors la conseilla;
Elle étendit la main et me dit : « Jouez là. »
Par cet ange aux yeux bleus je me laissai conduire,
Et je n'ai pas besoin, mon ami, de vous dire
Qu'avec quelques louis mon numéro gagna.

XLII

Nous jouâmes ainsi pendant une heure entière,
Et je vis devant moi tomber tout un trésor;

Si c'était rouge ou noir, je ne m'en souviens guère;
Si c'était dix ou vingt, je n'en sais rien encor;
Je partais pour la France, elle pour l'Angleterre,
Et je sortis de là les deux mains pleines d'or.

XLIII

Quand je rentrai chez moi, je vis cette richesse,
Je me souvins alors de ce jour de détresse
Où j'avais à l'enfant donné mes deux écus.
C'était par charité : je les croyais perdus.
De Celui qui voit tout je compris la sagesse :
La mère, ce soir-là, me les avait rendus.

XLIV

Lecteur, si je n'ai pas la mémoire égarée,
Je t'ai promis, je crois, en commençant ceci,
Une bonne fortune : elle finit ainsi.
Mon bonheur, tu le vois, vécut une soirée;
J'en connais cependant de plus longue durée
Que je ne voudrais pas changer pour celui-ci.

LUCIE [1]

ELÉGIE

Mes chers amis, quand je mourrai,
Plantez un saule au cimetière.

> J'aime son feuillage éploré;
> La pâleur m'en est douce et chère,
> Et son ombre sera légère
> A la terre où je dormirai [1].

Un soir, nous étions seuls, j'étais assis près d'elle;
Elle penchait la tête, et sur son clavecin
Laissait, tout en rêvant, flotter sa blanche main.
Ce n'était qu'un murmure : on eût dit les coups d'aile
D'un zéphyr éloigné glissant sur des roseaux,
Et craignant en passant d'éveiller les oiseaux.
Les tièdes voluptés des nuits mélancoliques
Sortaient autour de nous du calice des fleurs.
Les marronniers du parc et les chênes antiques
Se berçaient doucement sous leurs rameaux en pleurs.
Nous écoutions la nuit; la croisée entr'ouverte
Laissait venir à nous les parfums du printemps;
Les vents étaient muets, la plaine était déserte;
Nous étions seuls, pensifs, et nous avions quinze ans.
Je regardais Lucie. — Elle était pâle et blonde.
Jamais deux yeux plus doux n'ont du ciel le plus pur
Sondé la profondeur et réfléchi l'azur.
Sa beauté m'enivrait; je n'aimais qu'elle au monde.
Mais je croyais l'aimer comme on aime une sœur,
Tant ce qui venait d'elle était plein de pudeur!
Nous nous tûmes longtemps; ma main touchait la
[sienne.
Je regardais rêver son front triste et charmant,
Et je sentais dans l'âme, à chaque mouvement,
Combien peuvent sur nous, pour guérir toute peine,
Ces deux signes jumeaux de paix et de bonheur,
Jeunesse de visage et jeunesse de cœur.
La lune, se levant dans un ciel sans nuage,
D'un long réseau d'argent tout à coup l'inonda.

Elle vit dans mes yeux resplendir son image;
Son sourire semblait d'un ange : elle chanta.
. . . .

. . . .

Fille de la douleur, harmonie! harmonie!
Langue que pour l'amour inventa le génie!
Qui nous vint d'Italie, et qui lui vint des cieux!
Douce langue du cœur, la seule où la pensée,
Cette vierge craintive et d'une ombre offensée,
Passe en gardant son voile et sans craindre les yeux!
Qui sait ce qu'un enfant peut entendre et peut dire
Dans tes soupirs divins, nés de l'air qu'il respire,
Tristes comme son cœur et doux comme sa voix?
On surprend un regard, une larme qui coule;
Le reste est un mystère ignoré de la foule,
Comme celui des flots, de la nuit et des bois!

— Nous étions seuls, pensifs; je regardais Lucie.
L'écho de sa romance en nous semblait frémir.
Elle appuya sur moi sa tête appesantie.
Sentais-tu dans ton cœur Desdemona gémir,
Pauvre enfant? Tu pleurais; sur ta bouche adorée
Tu laissas tristement mes lèvres se poser,
Et ce fut ta douleur qui reçut mon baiser.
Telle je t'embrassai, froide et décolorée,
Telle, deux mois après, tu fus mise au tombeau;
Telle, ô ma chaste fleur! tu t'es évanouie.
Ta mort fut un sourire aussi doux que ta vie,
Et tu fus rapportée à Dieu dans ton berceau.

Doux mystère du toit que l'innocence habite,
Chansons, rêves d'amour, rires, propos d'enfant,
Et toi, charme inconnu dont rien ne se défend,

Qui fit hésiter Faust au seuil de Marguerite,
Candeur des premiers jours, qu'êtes-vous devenus?

Paix profonde à ton âme, enfant! à ta mémoire!
Adieu! ta blanche main sur le clavier d'ivoire,
Durant les nuits d'été, ne voltigera plus...

> Mes chers amis, quand je mourrai,
> Plantez un saule au cimetière.
> J'aime son feuillage éploré;
> La pâleur m'en est douce et chère,
> Et son ombre sera légère
> A la terre où je dormirai.

LA NUIT DE MAI [1]

LA MUSE

Poète, prends ton luth et me donne un baiser;
La fleur de l'églantier sent ses bourgeons éclore,
Le printemps naît ce soir; les vents vont s'embraser;
Et la bergeronnette, en attendant l'aurore,
Aux premiers buissons verts commence à se poser.
Poète, prends ton luth, et me donne un baiser.

LE POÈTE

Comme il fait noir dans la vallée!
J'ai cru qu'une forme voilée
Flottait là-bas sur la forêt.
Elle sortait de la prairie;
Son pied rasait l'herbe fleurie;

C'est une étrange rêverie;
Elle s'efface et disparaît.

LA MUSE

Poète, prends ton luth; la nuit, sur la pelouse,
Balance le zéphyr dans son voile odorant.
La rose, vierge encor, se referme jalouse
Sur le frelon nacré qu'elle enivre en mourant.
Ecoute! tout se tait; songe à ta bien-aimée.
Ce soir, sous les tilleuls, à la sombre ramée
Le rayon du couchant laisse un adieu plus doux.
Ce soir, tout va fleurir : l'immortelle nature
Se remplit de parfums, d'amour et de murmure,
Comme le lit joyeux de deux jeunes époux.

LE POÈTE

Pourquoi mon cœur bat-il si vite?
Qu'ai-je donc en moi qui s'agite
Dont je me sens épouvanté?
Ne frappe-t-on pas à ma porte?
Pourquoi ma lampe à demi morte
M'éblouit-elle de clarté?
Dieu puissant! tout mon corps frissonne.
Qui vient? qui m'appelle? — Personne.
Je suis seul; c'est l'heure qui sonne;
O solitude! ô pauvreté!

LA MUSE

Poète, prends ton luth; le vin de la jeunesse
Fermente cette nuit dans les veines de Dieu.
Mon sein est inquiet; la volupté l'oppresse,
Et les vents altérés m'ont mis la lèvre en feu.
O paresseux enfant! regarde, je suis belle.
Notre premier baiser, ne t'en souviens-tu pas,

Quand je te vis si pâle au toucher de mon aile,
Et que, les yeux en pleurs, tu tombas dans mes bras?
Ah! je t'ai consolé d'une amère souffrance!
Hélas! bien jeune encor, tu te mourais d'amour [1].
Console-moi ce soir, je me meurs d'espérance
J'ai besoin de prier pour vivre jusqu'au jour.

LE POÈTE

Est-ce toi dont la voix m'appelle,
O ma pauvre Muse! est-ce toi?
O ma fleur! ô mon immortelle!
Seul être pudique et fidèle
Où vive encor l'amour de moi!
Oui, te voilà, c'est toi, ma blonde,
C'est toi, ma maîtresse et ma sœur!
Et je sens, dans la nuit profonde,
De ta robe d'or qui m'inonde
Les rayons glisser dans mon cœur.

LA MUSE

Poète, prends ton luth; c'est moi, ton immortelle,
Qui t'ai vu cette nuit triste et silencieux,
Et qui, comme un oiseau que sa couvée appelle,
Pour pleurer avec toi descends du haut des cieux.
Viens, tu souffres, ami. Quelque ennui solitaire
Te ronge, quelque chose a gémi dans ton cœur;
Quelque amour t'est venu, comme on en voit sur terre,
Une ombre de plaisir, un semblant de bonheur.
Viens, chantons devant Dieu; chantons dans tes pen-
[sées,
Dans tes plaisirs perdus, dans tes peines passées;
Partons, dans un baiser, pour un monde inconnu.
Eveillons au hasard les échos de ta vie,
Parlons-nous de bonheur, de gloire et de folie,

Et que ce soit un rêve, et le premier venu.
Inventons quelque part des lieux où l'on oublie;
Partons, nous sommes seuls, l'univers est à nous.
Voici la verte Ecosse et la brune Italie,
Et la Grèce, ma mère, où le miel est si doux;
Argos, et Ptéléon, ville des hécatombes [1],
Et Messa la divine, agréable aux colombes [2],
Et le front chevelu du Pélion [3], changeant;
Et le bleu Titarèse [4], et le golfe d'argent
Qui montre dans ses eaux, où le cygne se mire,
La blanche Oloossone à la blanche Camyre [5].
Dis-moi, quel songe d'or nos chants vont-ils bercer?
D'où vont venir les pleurs que nous allons verser?
Ce matin, quand le jour a frappé ta paupière,
Quel séraphin pensif, courbé sur ton chevet,
Secouait des lilas dans sa robe légère,
Et te contait tout bas les amours qu'il rêvait?
Chanterons-nous l'espoir, la tristesse ou la joie?
Tremperons-nous de sang les bataillons d'acier?
Suspendrons-nous l'amant sur l'échelle de soie?
Jetterons-nous au vent l'écume du coursier?
Dirons-nous quelle main, dans les lampes sans nombre
De la maison céleste, allume nuit et jour
L'huile sainte de vie et d'éternel amour?
Crierons-nous à Tarquin : « Il est temps, voici
                                 [l'ombre [6]! »
Descendrons-nous cueillir la perle au fond des mers?
Mènerons-nous la chèvre aux ébéniers amers?
Montrerons-nous le ciel à la Mélancolie?
Suivrons-nous le chasseur sur les monts escarpés?
La biche le regarde; elle pleure et supplie;
Sa bruyère l'attend; ses faons sont nouveau-nés;
Il se baisse, il l'égorge, il jette à la curée
Sur les chiens en sueur son cœur encor vivant.

Peindrons-nous une vierge à la joue empourprée,
S'en allant à la messe, un page la suivant,
Et d'un regard distrait, à côté de sa mère,
Sur la lèvre entr'ouverte oubliant sa prière?
Elle écoute en tremblant, dans l'écho du pilier,
Résonner l'éperon d'un hardi cavalier.
Dirons-nous aux héros des vieux temps de la France
De monter tout armés aux créneaux de leurs tours,
Et de ressusciter la naïve romance
Que leur gloire oubliée apprit aux troubadours?
Vêtirons-nous de blanc une molle élégie?
L'homme de Waterloo nous dira-t-il sa vie,
Et ce qu'il a fauché du troupeau des humains
Avant que l'envoyé de la nuit éternelle
Vînt sur son tertre vert l'abattre d'un coup d'aile,
Et sur son cœur de fer lui croiser les deux mains?
Clouerons-nous au poteau d'une satire altière
Le nom sept fois vendu d'un pâle pamphlétaire,
Qui, poussé par la faim, du fond de son oubli,
S'en vient, tout grelottant d'envie et d'impuissance,
Sur le front du génie insulter l'espérance,
Et mordre le laurier que son souffle a sali?
Prends ton luth! prends ton luth! je ne peux plus me
Mon aile me soulève au souffle du printemps.   [taire;
Le vent va m'emporter; je vais quitter la terre.
Une larme de toi! Dieu m'écoute; il est temps.

LE POÈTE

S'il ne te faut, ma sœur chérie,
Qu'un baiser d'une lèvre amie
Et qu'une larme de mes yeux,
Je te les donnerai sans peine;
De nos amours qu'il te souvienne,

Sur mes lèvres était sans cesse
Prête à chanter comme un oiseau;
Mais j'ai souffert un dur martyre,
Et le moins que j'en pourrais dire,
Si je l'essayais sur ma lyre,
La briserait comme un roseau.

LA NUIT DE DÉCEMBRE

LE POÈTE

Du temps que j'étais écolier,
Je restais un soir à veiller
Dans notre salle solitaire.
Devant ma table vint s'asseoir
Un pauvre enfant vêtu de noir,
Qui me ressemblait comme un frère.

Son visage était triste et beau :
A la lueur de mon flambeau,
Dans mon livre ouvert il vint lire.
Il pencha son front sur sa main,
Et resta jusqu'au lendemain,
Pensif, avec un doux sourire.

Comme j'allais avoir quinze ans,
Je marchais un jour, à pas lents,
Dans un bois, sur une bruyère.
Au pied d'un arbre vint s'asseoir
Un jeune homme vêtu de noir,
Qui me ressemblait comme un frère.

Je lui demandai mon chemin;
Il tenait un luth d'une main,
De l'autre un bouquet d'églantine.
Il me fit un salut d'ami,
Et, se détournant à demi,
Me montra du doigt la colline[1].

A l'âge où l'on croit à l'amour,
J'étais seul dans ma chambre un jour,
Pleurant ma première misère.
Au coin de mon feu vint s'asseoir
Un étranger vêtu de noir,
Qui me ressemblait comme un frère.

Il était morne et soucieux;
D'une main il montrait les cieux,
Et de l'autre il tenait un glaive.
De ma peine il semblait souffrir,
Mais il ne poussa qu'un soupir,
Et s'évanouit comme un rêve.

A l'âge où l'on est libertin,
Pour boire un toast en un festin,
Un jour je soulevai mon verre.
En face de moi vint s'asseoir
Un convive vêtu de noir,
Qui me ressemblait comme un frère.

Il secouait sous son manteau
Un haillon de pourpre en lambeau,
Sur sa tête un myrte stérile[1].
Son bras maigre cherchait le mien,
Et mon verre, en touchant le sien,
Se brisa dans ma main débile.

Un an après, il était nuit;
J'étais à genoux près du lit
Où venait de mourir mon père[1].
Au chevet du lit vint s'asseoir
Un orphelin vêtu de noir,
Qui me ressemblait comme un frère.

Ses yeux étaient noyés de pleurs;
Comme les anges de douleurs,
Il était couronné d'épine;
Son luth à terre était gisant,
Sa pourpre de couleur de sang,
Et son glaive dans sa poitrine.

Je m'en suis si bien souvenu,
Que je l'ai toujours reconnu
A tous les instants de ma vie.
C'est une étrange vision,
Et cependant, ange ou démon,
J'ai vu partout cette ombre amie.

Lorsque plus tard, las de souffrir,
Pour renaître ou pour en finir,
J'ai voulu m'exiler de France;
Lorsqu'impatient de marcher,
J'ai voulu partir, et chercher
Les vestiges d'une espérance;

A Pise, au pied de l'Apennin;
A Cologne, en face du Rhin;
A Nice, au penchant des vallées;
A Florence, au fond des palais;
A Brigues, dans les vieux chalets;
Au sein des Alpes désolées;

A Gênes, sous les citronniers;
A Vevey, sous les verts pommiers;
Au Havre, devant l'Atlantique;
A Venise, à l'affreux Lido,
Où vient sur l'herbe d'un tombeau
Mourir la pâle Adriatique,

Partout où, sous ces vastes cieux,
J'ai lassé mon cœur et mes yeux,
Saignant d'une éternelle plaie;
Partout où le boiteux Ennui,
Traînant ma fatigue après lui,
M'a promené sur une claie;

Partout où, sans cesse altéré
De la soif d'un monde ignoré,
J'ai suivi l'ombre de mes songes;
Partout où, sans avoir vécu,
J'ai revu ce que j'avais vu,
La face humaine et ses mensonges;

Partout où, le long des chemins,
J'ai posé mon front dans mes mains,
Et sangloté comme une femme;
Partout où j'ai, comme un mouton,
Qui laisse sa laine au buisson,
Senti se dénuer mon âme;

Partout où j'ai voulu dormir,
Partout où j'ai voulu mourir,
Partout où j'ai touché la terre,
Sur ma route est venu s'asseoir
Un malheureux vêtu de noir,
Qui me ressemblait comme un frère.

Qui donc es-tu, toi que dans cette vie
     Je vois toujours sur mon chemin?
Je ne puis croire, à ta mélancolie,
     Que tu sois mon mauvais Destin.
Ton doux sourire a trop de patience,
     Tes larmes ont trop de pitié.
En te voyant, j'aime la Providence.
Ta douleur même est sœur de ma souffrance;
     Elle ressemble à l'Amitié.

Qui donc es-tu? — Tu n'es pas mon bon ange,
     Jamais tu ne viens m'avertir.
Tu vois mes maux (c'est une chose étrange!)
     Et tu me regardes souffrir.
Depuis vingt ans tu marches dans ma voie,
     Et je ne saurais t'appeler.
Qui donc es-tu, si c'est Dieu qui t'envoie?
Tu me souris sans partager ma joie,
     Tu me plains sans me consoler!

Ce soir encor je t'ai vu m'apparaître.
     C'était par une triste nuit.
L'aile des vents battait à ma fenêtre;
     J'étais seul, courbé sur mon lit.
J'y regardais une place chérie,
     Tiède encor d'un baiser brûlant;
Et je songeais comme la femme oublie,
Et je sentais un lambeau de ma vie
     Qui se déchirait lentement.

Je rassemblais des lettres de la veille,
     Des cheveux, des débris d'amour.
Tout ce passé me criait à l'oreille
     Ses éternels serments d'un jour.

Je contemplais ces reliques sacrées,
        Qui me faisaient trembler la main :
Larmes du cœur par le cœur dévorées,
Et que les yeux qui les avaient pleurées
        Ne reconnaîtront plus demain!

J'enveloppais dans un morceau de bure
        Ces ruines des jours heureux.
Je me disais qu'ici-bas ce qui dure,
        C'est une mèche de cheveux.
Comme un plongeur dans une mer profonde,
        Je me perdais dans tant d'oubli.
De tous côtés j'y retournais la sonde,
Et je pleurais, seul, loin des yeux du monde,
        Mon pauvre amour enseveli.

J'allais poser le sceau de cire noire
        Sur ce fragile et cher trésor.
J'allais le rendre, et, n'y pouvant pas croire,
        En pleurant j'en doutais encor[1].
Ah! faible femme, orgueilleuse insensée,
        Malgré toi, tu t'en souviendras!
Pourquoi, grand Dieu! mentir à sa pensée?
Pourquoi ces pleurs, cette gorge oppressée,
        Ces sanglots, si tu n'aimais pas?

Oui, tu languis, tu souffres, et tu pleures;
        Mais ta chimère est entre nous.
Eh bien! adieu! Vous compterez les heures
        Qui me sépareront de vous.
Partez, partez, et dans ce cœur de glace
        Emportez l'orgueil satisfait.
Je sens encor le mien jeune et vivace,
Et bien des maux pourront y trouver place
        Sur le mal que vous m'avez fait.

Partez, partez! la Nature immortelle
    N'a pas tout voulu vous donner.
Ah! pauvre enfant, qui voulez être belle,
    Et ne savez pas pardonner!
Allez, allez, suivez la destinée;
    Qui vous perd n'a pas tout perdu.
Jetez au vent notre amour consumée; —
Eternel Dieu! toi que j'ai tant aimée,
    Si tu pars, pourquoi m'aimes-tu?

Mais tout à coup j'ai vu dans la nuit sombre
    Une forme glisser sans bruit.
Sur mon rideau j'ai vu passer une ombre;
    Elle vient s'asseoir sur mon lit.
Qui donc es-tu, morne et pâle visage,
    Sombre portrait vêtu de noir?
Que me veux-tu, triste oiseau de passage?
Est-ce un vain rêve? est-ce ma propre image
    Que j'aperçois dans ce miroir?

Qui donc es-tu, spectre de ma jeunesse,
    Pèlerin que rien n'a lassé?
Dis-moi pourquoi je te trouve sans cesse
    Assis dans l'ombre où j'ai passé.
Qui donc es-tu, visiteur solitaire,
    Hôte assidu de mes douleurs?
Qu'as-tu donc fait pour me suivre sur terre?
Qui donc es-tu, qui donc es-tu, mon frère,
    Qui n'apparais qu'au jour des pleurs?

LA VISION

— Ami, notre père est le tien.
Je ne suis ni l'ange gardien,

Ni le mauvais destin des hommes.
Ceux que j'aime, je ne sais pas
De quel côté s'en vont leurs pas
Sur ce peu de fange où nous sommes.

Je ne suis ni dieu ni démon,
Et tu m'as nommé par mon nom
Quand tu m'as appelé ton frère;
Où tu vas, j'y serai toujours,
Jusques au dernier de tes jours,
Où j'irai m'asseoir sur ta pierre.

Le ciel m'a confié ton cœur.
Quand tu seras dans la douleur,
Viens à moi sans inquiétude,
Je te suivrai sur le chemin;
Mais je ne puis toucher ta main,
Ami, je suis la Solitude.

LA NUIT D'AOUT

LA MUSE

Depuis que le soleil, dans l'horizon immense,
A franchi le Cancer sur son axe enflammé,
Le bonheur m'a quittée, et j'attends en silence
L'heure où m'appellera mon ami bien-aimé.
Hélas! depuis longtemps sa demeure est déserte;
Des beaux jours d'autrefois rien n'y semble vivant.
Seule, je viens encor, de mon voile couverte,
Poser mon front brûlant sur sa porte entr'ouverte,
Comme une veuve en pleurs au tombeau d'un enfant.

LE POÈTE

Salut à ma fidèle amie!
Salut, ma gloire et mon amour!
La meilleure et la plus chérie
Est celle qu'on trouve au retour.
L'opinion et l'avarice
Viennent un temps de m'emporter[1].
Salut, ma mère et ma nourrice!
Salut, salut consolatrice!
Ouvre tes bras, je viens chanter.

LA MUSE

Pourquoi, cœur altéré, cœur lassé d'espérance,
T'enfuis-tu si souvent pour revenir si tard?
Que t'en vas-tu chercher, sinon quelque hasard?
Et que rapportes-tu, sinon quelque souffrance?
Que fais-tu loin de moi, quand j'attends jusqu'au jour?
Tu suis un pâle éclair dans une nuit profonde.
Il ne te restera de tes plaisirs du monde
Qu'un impuissant mépris pour notre honnête amour.
Ton cabinet d'étude est vide quand j'arrive;
Tandis qu'à ce balcon, inquiète et pensive,
Je regarde en rêvant les murs de ton jardin,
Tu te livres dans l'ombre à ton mauvais destin.
Quelque fière beauté te retient dans sa chaîne,
Et tu laisses mourir cette pauvre verveine
Dont les derniers rameaux, en des temps plus heureux,
Devaient être arrosés des larmes de tes yeux.
Cette triste verdure est mon vivant symbole;
Ami, de ton oubli nous mourrons toutes deux,
Et son parfum léger, comme l'oiseau qui vole,
Avec mon souvenir s'enfuira dans les cieux.

LE POÈTE

Quand j'ai passé par la prairie,
J'ai vu, ce soir, dans le sentier,
Une fleur tremblante et flétrie,
Une pâle fleur d'églantier.
Un bourgeon vert à côté d'elle
Se balançait sur l'arbrisseau;
Je vis poindre une fleur nouvelle;
La plus jeune était la plus belle :
L'homme est ainsi, toujours nouveau.

LA MUSE

Hélas! toujours un homme, hélas! toujours des larmes!
Toujours les pieds poudreux et la sueur au front!
Toujours d'affreux combats et de sanglantes armes:
Le cœur a beau mentir, la blessure est au fond.
Hélas! par tous pays, toujours la même vie :
Convoiter, regretter, prendre et tendre la main;
Toujours mêmes acteurs et même comédie,
Et, quoi qu'ait inventé l'humaine hypocrisie,
Rien de vrai là-dessous que le squelette humain.
Hélas! mon bien-aimé, vous n'êtes plus poète.
Rien ne réveille plus votre lyre muette;
Vous vous noyez le cœur dans un rêve inconstant;
Et vous ne savez pas que l'amour de la femme
Change et dissipe en pleurs les trésors de votre âme,
Et que Dieu compte plus les larmes que le sang.

LE POÈTE

Quand j'ai traversé la vallée,
Un oiseau chantait sur son nid.
Ses petits, sa chère couvée,

Venaient de mourir dans la nuit.
Cependant il chantait l'aurore;
O ma Muse, ne pleurez pas!
A qui perd tout, Dieu reste encore,
Dieu là-haut, l'espoir ici-bas.

LA MUSE

Et que trouveras-tu, le jour où la misère
Te ramènera seul au paternel foyer?
Quand tes tremblantes mains essuieront la poussière
De ce pauvre réduit que tu crois oublier,
De quel front viendras-tu, dans ta propre demeure,
Chercher un peu de calme et d'hospitalité?
Une voix sera là pour crier à toute heure :
Qu'as-tu fait de ta vie et de ta liberté?
Crois-tu donc qu'on oublie autant qu'on le souhaite?
Crois-tu qu'en te cherchant tu te retrouveras?
De ton cœur ou de toi lequel est le poète?
C'est ton cœur, et ton cœur ne te répondra pas.
L'amour l'aura brisé; les passions funestes
L'auront rendu de pierre au contact des méchants;
Tu n'en sentiras plus que d'effroyables restes,
Qui remueront encor, comme ceux des serpents.
O ciel! qui t'aidera? Que ferai-je moi-même,
Quand celui qui peut tout défendra que je t'aime,
Et quand mes ailes d'or, frémissant malgré moi,
M'emporteront à lui pour me sauver de toi?
Pauvre enfant! nos amours n'étaient pas menacées,
Quand dans les bois d'Auteuil, perdu dans tes pensées,
Sous les verts marronniers et les peupliers blancs,
Je t'agaçais le soir en détours nonchalants.
Ah! j'étais jeune alors et nymphe, et les dryades
Entr'ouvraient pour me voir l'écorce des bouleaux,

Et les pleurs qui coulaient durant nos promenades
Tombaient, purs comme l'or, dans le cristal des eaux.
Qu'as-tu fait, mon amant, des jours de ta jeunesse?
Qui m'a cueilli mon fruit sur mon arbre enchanté?
Hélas! ta joue en fleur plaisait à la déesse
Qui porte dans ses mains la force et la santé [1].
De tes yeux insensés, les larmes l'ont pâlie;
Ainsi que ta beauté, tu perdras ta vertu.
Et moi qui t'aimerai comme une unique amie,
Quand les dieux irrités m'ôteront ton génie,
Si je tombe des cieux, que me répondras-tu?

LE POÈTE

Puisque l'oiseau des bois voltige et chante encore
Sur la branche où ses œufs sont brisés dans le nid;
Puisque la fleur des champs entr'ouverte à l'aurore,
Voyant sur la pelouse une autre fleur éclore,
S'incline sans murmure et tombe avec la nuit;

Puisqu'au fond des forêts, sous les toits de verdure,
On entend le bois mort craquer dans le sentier,
Et puisqu'en traversant l'immortelle nature,
L'homme n'a su trouver de science qui dure,
Que de marcher toujours et toujours oublier;

Puisque, jusqu'aux rochers, tout se change en pous-
                                        [sière;
Puisque tout meurt ce soir pour revivre demain;
Puisque c'est un engrais que le meurtre et la guerre;
Puisque sur une tombe on voit sortir de terre
Le brin d'herbe sacré qui nous donne le pain;

O Muse! que m'importe ou la mort ou la vie?
J'aime, et je veux pâlir; j'aime et je veux souffrir;

J'aime, et pour un baiser je donne mon génie;
J'aime, et je veux sentir sur ma joue amaigrie
Ruisseler une source impossible à tarir.

J'aime, et je veux chanter la joie et la paresse,
Ma folle expérience et mes soucis d'un jour,
Et je veux raconter, et répéter sans cesse
Qu'après avoir juré de vivre sans maîtresse,
J'ai fait serment de vivre et de mourir d'amour.

Dépouille devant tous l'orgueil qui te dévore,
Cœur gonflé d'amertume et qui t'es cru fermé.
Aime, et tu renaîtras; fais-toi fleur pour éclore.
Après avoir souffert, il faut souffrir encore;
Il faut aimer sans cesse, après avoir aimé.

LA NUIT D'OCTOBRE [1]

le Poète

Le mal dont j'ai souffert s'est enfui comme un rêve
Je n'en puis comparer le lointain souvenir
Qu'à ces brouillards légers que l'aurore soulève,
Et qu'avec la rosée on voit s'évanouir.

la Muse

Qu'aviez-vous donc, ô mon poète!
Et quelle est la peine secrète
Qui de moi vous a séparé?

Hélas! je m'en ressens encore.
Quel est donc ce mal que j'ignore
Et dont j'ai si longtemps pleuré?

LE POÈTE

C'était un mal vulgaire et bien connu des hommes;
Mais, lorsque nous avons quelque ennui dans le cœur,
Nous nous imaginons, pauvres fous que nous sommes,
Que personne avant nous n'a senti la douleur.

LA MUSE

Il n'est de vulgaire chagrin
Que celui d'une âme vulgaire.
Ami, que ce triste mystère
S'échappe aujourd'hui de ton sein.
Crois-moi, parle avec confiance;
Le sévère dieu du silence
Est un des frères de la Mort;
En se plaignant on se console,
Et quelquefois une parole
Nous a délivrés d'un remord [1].

LE POÈTE

S'il fallait maintenant parler de ma souffrance,
Je ne sais trop quel nom elle devrait porter,
Si c'est amour, folie, orgueil, expérience,
Ni si personne au monde en pourrait profiter.
Je veux bien toutefois t'en raconter l'histoire,
Puisque nous voilà seuls, assis près du foyer.
Prends cette lyre, approche, et laisse ma mémoire
Au son de tes accords doucement s'éveiller.

LA MUSE

Avant de me dire ta peine,
O poète! en es-tu guéri?
Songe, qu'il t'en faut aujourd'hui
Parler sans amour et sans haine.
S'il te souvient que j'ai reçu
Le doux nom de consolatrice,
Ne fais pas de moi la complice
Des passions qui t'ont perdu.

LE POÈTE

Je suis si bien guéri de cette maladie,
Que j'en doute parfois lorsque j'y veux songer;
Et quand je pense aux lieux où j'ai risqué ma vie,
J'y crois voir à ma place un visage étranger.
Muse, sois donc sans crainte; au souffle qui t'inspire
Nous pouvons sans péril tous deux nous confier.
Il est doux de pleurer, il est doux de sourire
Au souvenir des maux qu'on pourrait oublier.

LA MUSE

Comme une mère vigilante
Au berceau d'un fils bien-aimé,
Ainsi je me penche tremblante
Sur ce cœur qui m'était fermé.
Parle, ami, — ma lyre attentive
D'une note faible et plaintive
Suit déjà l'accent de ta voix,
Et dans un rayon de lumière,
Comme une vision légère,
Passent les ombres d'autrefois.

LE POÈTE

Jours de travail! seuls jours où j'ai vécu!
    O trois fois chère solitude!
Dieu soit loué, j'y suis donc revenu,
    A ce vieux cabinet d'étude!
Pauvre réduit, murs tant de fois déserts,
    Fauteuils poudreux, lampe fidèle,
O mon palais, mon petit univers,
    Et toi, Muse, ô jeune immortelle,
Dieu soit loué, nous allons donc chanter!
    Oui, je veux vous ouvrir mon âme,
Vous saurez tout, et je vais vous conter
    Le mal que peut faire une femme;
Car c'en est une, ô mes pauvres amis
    (Hélas! vous le saviez peut-être),
C'est une femme à qui je fus soumis,
    Comme le serf l'est à son maître.
Joug détesté! c'est par là que mon cœur
    Perdit sa force et sa jeunesse; —
Et cependant, auprès de ma maîtresse,
    J'avais entrevu le bonheur.
Près du ruisseau, quand nous marchions ensemble,
    Le soir, sur le sable argentin,
Quand devant nous le blanc spectre du tremble
    De loin nous montrait le chemin;
Je vois encore, aux rayons de la lune,
    Ce beau corps plier dans mes bras...
N'en parlons plus... — je ne prévoyais pas
    Où me conduirait la Fortune.
Sans doute alors la colère des dieux
    Avait besoin d'une victime;
Car elle m'a puni comme d'un crime
    D'avoir essayé d'être heureux.

LA MUSE

L'image d'un doux souvenir
Vient de s'offrir à ta pensée.
Sur la trace qu'il a laissée
Pourquoi crains-tu de revenir?
Est-ce faire un récit fidèle
Que de renier ses beaux jours?
Si ta fortune fut cruelle,
Jeune homme, fais du moins comme elle,
Souris à tes premiers amours.

LE POÈTE

Non, — c'est à mes malheurs que je prétends sourire.
Muse, je te l'ai dit : je veux, sans passion,
Te conter mes ennuis, mes rêves, mon délire,
Et t'en dire le temps, l'heure et l'occasion.
C'était, il m'en souvient, par une nuit d'automne,
Triste et froide, à peu près semblable à celle-ci;
Le murmure du vent, de son bruit monotone,
Dans mon cerveau lassé berçait mon noir souci.
J'étais à la fenêtre, attendant ma maîtresse;
Et, tout en écoutant dans cette obscurité,
Je me sentais dans l'âme une telle détresse,
Qu'il me vint le soupçon d'une infidélité.
La rue où je logeais était sombre et déserte;
Quelques ombres passaient, un falot à la main;
Quand la bise sifflait dans la porte entr'ouverte,
On entendait de loin comme un soupir humain.
Je ne sais, à vrai dire, à quel fâcheux présage
Mon esprit inquiet alors s'abandonna.
Je rappelais en vain un reste de courage,
Et me sentis frémir lorsque l'heure sonna.

Elle ne venait pas. Seul, la tête baissée,
Je regardai longtemps les murs et le chemin, —
Et je ne t'ai pas dit quelle ardeur insensée
Cette inconstante femme allumait en mon sein;
Je n'aimais qu'elle au monde, et vivre un jour sans elle
Me semblait un destin plus affreux que la mort.
Je me souviens pourtant qu'en cette nuit cruelle
Pour briser mon lien je fis un long effort.
Je la nommai cent fois perfide et déloyale,
Je comptai tous les maux qu'elle m'avait causés.
Hélas! au souvenir de sa beauté fatale,
Quels maux et quels chagrins n'étaient pas apaisés!
Le jour parut enfin. — Las d'une vaine attente,
Sur le bord du balcon je m'étais assoupi;
Je rouvris la paupière à l'aurore naissante,
Et je laissai flotter mon regard ébloui.
Tout à coup, au détour de l'étroite ruelle,
J'entends sur le gravier marcher à petit bruit...
Grand Dieu! préservez-moi! je l'aperçois, c'est elle;
Elle entre. — D'où viens-tu? Qu'as-tu fait cette nuit?
Réponds, que me veux-tu? qui t'amène à cette heure?
Ce beau corps, jusqu'au jour, où s'est-il étendu?
Tandis qu'à ce balcon, seul, je veille et je pleure,
En quel lieu, dans quel lit, à qui souriais-tu?
Perfide! audacieuse! est-il encor possible
Que tu viennes offrir ta bouche à mes baisers?
Que demandes-tu donc? par quelle soif horrible
Oses-tu m'attirer dans tes bras épuisés?
Va-t'en, retire-toi, spectre de ma maîtresse!
Rentre dans ton tombeau, si tu t'en es levé;
Laisse-moi pour toujours oublier ma jeunesse,
Et, quand je pense à toi, croire que j'ai rêvé!

LA MUSE

Apaise-toi, je t'en conjure;
Tes paroles m'ont fait frémir.
O mon bien-aimé! ta blessure
Est encor prête à se rouvrir.
Hélas! elle est donc bien profonde?
Et les misères de ce monde
Sont si lentes à s'effacer!
Oublie, enfant, et de ton âme
Chasse le nom de cette femme,
Que je ne veux pas prononcer.

LE POÈTE

Honte à toi qui la première
M'a appris la trahison,
Et d'horreur et de colère
M'as fait perdre la raison!
Honte à toi, femme à l'œil sombre,
Dont les funestes amours
Ont enseveli dans l'ombre
Mon printemps et mes beaux jours!
C'est ta voix, c'est ton sourire,
C'est ton regard corrupteur,
Qui m'ont appris à maudire
Jusqu'au semblant du bonheur;
C'est ta jeunesse et tes charmes
Qui m'ont fait désespérer,
Et si je doute des larmes,
C'est que je t'ai vu pleurer.
Honte à toi, j'étais encore
Aussi simple qu'un enfant;
Comme une fleur à l'aurore,
Mon cœur s'ouvrait en t'aimant.

Certes, ce cœur sans défense
Put sans peine être abusé;
Mais lui laisser l'innocence
Etait encor plus aisé.
Honte à toi! tu fus la mère
De mes premières douleurs,
Et tu fis de ma paupière
Jaillir la source des pleurs!
Elle coule, sois-en sûre,
Et rien ne la tarira;
Elle sort d'une blessure
Qui jamais ne guérira;
Mais dans cette source amère
Du moins je me laverai,
Et j'y laisserai, j'espère,
Ton souvenir abhorré!

LA MUSE

Poète, c'est assez. Auprès d'une infidèle,
Quand ton illusion n'aurait duré qu'un jour,
N'outrage pas ce jour lorsque tu parles d'elle;
Si tu veux être aimé, respecte ton amour.
Si l'effort est trop grand pour la faiblesse humaine
De pardonner les maux qui nous viennent d'autrui,
Epargne-toi du moins le tourment de la haine;
A défaut du pardon, laisse venir l'oubli.
Les morts dorment en paix dans le sein de la terre :
Ainsi doivent dormir nos sentiments éteints.
Ces reliques du cœur ont aussi leur poussière;
Sur leurs restes sacrés ne portons pas les mains.
Pourquoi, dans ce récit d'une vive souffrance,
Ne veux-tu voir qu'un rêve et qu'un amour trompé?
Est-ce donc sans motif qu'agit la Providence,
Et crois-tu donc distrait le Dieu qui t'a frappé?

Le coup dont tu te plains t'a préservé peut-être,
Enfant; car c'est par là que ton cœur s'est ouvert.
L'homme est un apprenti, la douleur est son maître,
Et nul ne se connaît tant qu'il n'a pas souffert.
C'est une dure loi, mais une loi suprême,
Vieille comme le monde et la fatalité,
Qu'il nous faut du malheur recevoir le baptême,
Et qu'à ce triste prix tout doit être acheté.
Les moissons pour mûrir ont besoin de rosée;
Pour vivre et pour sentir l'homme a besoin des pleurs;
La joie a pour symbole une plante brisée,
Humide encor de pluie et couverte de fleurs.
Ne te disais-tu pas guéri de ta folie?
N'es-tu pas jeune, heureux, partout le bienvenu?
Et ces plaisirs légers qui font aimer la vie,
Si tu n'avais pleuré, quel cas en ferais-tu?
Lorsqu'au déclin du jour, assis sur la bruyère,
Avec un vieil ami tu bois en liberté,
Dis-moi, d'aussi bon cœur lèverais-tu ton verre,
Si tu n'avais senti le prix de la gaîté?
Aimerais-tu les fleurs, les prés et la verdure,
Les sonnets de Pétrarque et le chant des oiseaux,
Michel-Ange et les arts, Shakspeare et la nature,
Si tu n'y retrouvais quelques anciens sanglots?
Comprendrais-tu des cieux l'ineffable harmonie,
Le silence des nuits, le murmure des flots,
Si quelque part là-bas la fièvre et l'insomnie
Ne t'avaient fait songer à l'éternel repos?
N'as-tu pas maintenant une belle maîtresse?
Et, lorsqu'en t'endormant tu lui serres la main,
Le lointain souvenir des maux de ta jeunesse
Ne rend-il pas plus doux son sourire divin?
N'allez-vous pas aussi vous promener ensemble
Au fond des bois fleuris, sur le sable argentin?

Et, dans ce vert palais, le blanc spectre du tremble
Ne sait-il plus, le soir, vous montrer le chemin?
Ne vois-tu pas alors, aux rayons de la lune,
Plier comme autrefois un beau corps dans tes bras,
Et si dans le sentier tu trouvais la Fortune,
Derrière elle, en chantant, ne marcherais-tu pas?
De quoi te plains-tu donc? L'immortelle espérance
S'est retrempée en toi sous la main du malheur.
Pourquoi veux-tu haïr ta jeune expérience,
Et détester un mal qui t'a rendu meilleur?
O mon enfant! plains-la, cette belle infidèle,
Qui fit couler jadis les larmes de tes yeux;
Plains-la! c'est une femme, et Dieu t'a fait, près d'elle,
Deviner, en souffrant, le secret des heureux.
Sa tâche fut pénible; elle t'aimait peut-être;
Mais le destin voulait qu'elle brisât ton cœur.
Elle savait la vie, et te l'a fait connaître;
Une autre a recueilli le fruit de ta douleur.
Plains-la! son triste amour a passé comme un songe;
Elle a vu ta blessure et n'a pu la fermer.
Dans ses larmes, crois-moi, tout n'était pas mensonge.
Quand tout l'aurait été, plains-la! tu sais aimer.

LE POÈTE

Tu dis vrai : la haine est impie,
Et c'est un frisson plein d'horreur
Quand cette vipère assoupie
Se déroule dans notre cœur.
Ecoute-moi donc, ô déesse!
Et sois témoin de mon serment :
Par les yeux bleus de ma maîtresse,
Et par l'azur du firmament:
Par cette étincelle brillante
Qui de Vénus porte le nom,

Et, comme une perle tremblante,
Scintille au loin sur l'horizon;
Par la grandeur de la nature,
Par la bonté du Créateur,
Par la clarté tranquille et pure
De l'astre cher au voyageur [1],
Par les herbes de la prairie,
Par les forêts, par les prés verts,
Par la puissance de la vie,
Par la sève de l'univers,
Je te bannis de ma mémoire,
Reste d'un amour insensé,
Mystérieuse et sombre histoire
Qui dormiras dans le passé!
Et toi qui, jadis, d'une amie
Portas la forme et le doux nom,
L'instant suprême où je t'oublie
Doit être celui du pardon.
Pardonnons-nous; — je romps le charme
Qui nous unissait devant Dieu.
Avec une dernière larme
Reçois un éternel adieu.
— Et maintenant, blonde rêveuse,
Maintenant, Muse, à nos amours!
Dis-moi quelque chanson joyeuse,
Comme au premier temps des beaux jours.
Déjà la pelouse embaumée
Sent les approches du matin;
Viens éveiller ma bien-aimée,
Et cueillir les fleurs du jardin.
Viens voir la nature immortelle
Sortir des voiles du sommeil;
Nous allons renaître avec elle
Au premier rayon du soleil!

LETTRE A M. DE LAMARTINE [1]

Lorsque le grand Byron allait quitter Ravenne
Et chercher sur les mers quelque plage lointaine
Où finir en héros son immortel ennui,
Comme il était assis aux pieds de sa maîtresse,
Pâle, et déjà tourné du côté de la Grèce,
Celle qu'il appelait alors sa Guiccioli [2]
Ouvrit un soir un livre où l'on parlait de lui.

Avez-vous de ce temps conservé la mémoire,
Lamartine, et ces vers au prince des proscrits,
Vous souvient-il encor qui les avait écrits [3]?
Vous étiez jeune alors, vous, notre chère gloire.
Vous veniez d'essayer pour la première fois
Ce beau luth éploré qui vibre sous vos doigts.
La Muse que le ciel vous avait fiancée
Sur votre front rêveur cherchait votre pensée,
Vierge craintive encore, amante des lauriers.
Vous ne connaissiez pas, noble fils de la France,
Vous ne connaissiez pas, sinon par sa souffrance,
Ce sublime orgueilleux à qui vous écriviez.
De quel droit osiez-vous l'aborder et le plaindre?
Quel aigle, Ganymède [4], à ce dieu vous portait?
Pressentiez-vous qu'un jour vous le pourriez atteindre.
Celui qui de si haut alors vous écoutait?
Non, vous aviez vingt ans, et le cœur vous battait
Vous aviez lu *Lara*, *Manfred* et *le Corsaire*,
Et vous aviez écrit sans essuyer vos pleurs;

Le souffle de Byron vous soulevait de terre,
Et vous alliez à lui, porté par ses douleurs.
Vous appeliez de loin cette âme désolée;
Pour grand qu'il vous parût, vous le sentiez ami,
Et, comme le torrent dans la verte vallée,
L'écho de son génie en vous avait gémi.
Et lui, lui dont l'Europe, encore tout armée,
Écoutait en tremblant les sauvages concerts;
Lui qui depuis dix ans fuyait sa renommée
Et de sa solitude emplissait l'univers;
Lui, le grand inspiré de la Mélancolie,
Qui, las d'être envié, se changeait en martyr;
Lui, le dernier amant de la pauvre Italie,
Pour son dernier exil s'apprêtant à partir;
Lui qui, rassasié de la grandeur humaine,
Comme un cygne, à son chant sentant sa mort

                        [prochaine,
Sur terre autour de lui cherchait pour qui mourir...
Il écouta ces vers que lisait sa maîtresse,
Ce doux salut lointain d'un jeune homme inconnu.
Je ne sais si du style il comprit la richesse;
Il laissa dans ses yeux sourire sa tristesse :
Ce qui venait du cœur lui fut le bienvenu.

Poète, maintenant que ta muse fidèle,
Par ton unique amour sûre d'être immortelle,
De la verveine en fleur t'a couronné le front,
A ton tour, reçois-moi comme le grand Byron.
De t'égaler jamais je n'ai pas l'espérance;
Ce que tu tiens du ciel, nul ne me l'a promis,
Mais de ton sort au mien plus grande est la distance,
Meilleur en sera Dieu qui peut nous rendre amis.
Je ne t'adresse pas d'inutiles louanges,
Et je ne songe point que tu me répondras:

Pour être proposés, ces illustres échanges
Veulent être signés d'un nom que je n'ai pas.
J'ai cru pendant longtemps que j'étais las du monde;
J'ai dit que je niais, croyant avoir douté,
Et j'ai pris, devant moi, pour une nuit profonde
Mon ombre qui passait pleine de vanité.
Poète, je t'écris pour te dire que j'aime,
Qu'un rayon du soleil est tombé jusqu'à moi,
Et qu'en un jour de deuil et de douleur suprême,
Les pleurs que je versais m'ont fait penser à toi.

Qui de nous, Lamartine, et de notre jeunesse,
Ne sait par cœur ce chant, des amants adoré,
Qu'un soir, au bord d'un lac, tu nous as soupiré?
Qui n'a lu mille fois, qui ne relit sans cesse
Ces vers mystérieux où parle ta maîtresse,
Et qui n'a sangloté sur ces divins sanglots,
Profonds comme le ciel et purs comme les flots?
Hélas! ces longs regrets des amours mensongères,
Ces ruines du temps qu'on trouve à chaque pas,
Ces sillons infinis de lueurs éphémères,
Qui peut se dire un homme, et ne les connaît pas?
Quiconque aima jamais porte une cicatrice;
Chacun l'a dans le sein, toujours prête à s'ouvrir;
Chacun la garde en soi, cher et secret supplice,
Et mieux il est frappé, moins il en veut guérir.
Te le dirai-je, à toi, chantre de la souffrance,
Que ton glorieux mal, je l'ai souffert aussi?
Qu'un instant, comme toi, devant ce ciel immense,
J'ai serré dans mes bras la vie et l'espérance,
Et qu'ainsi que le tien, mon rêve s'est enfui?
Te dirai-je qu'un soir, dans la brise embaumée,
Endormi, comme toi, dans la paix du bonheur,
Aux célestes accents d'une voix bien-aimée,

J'ai cru sentir le temps s'arrêter dans mon cœur?
Te dirai-je qu'un soir, resté seul sur la terre,
Dévoré, comme toi, d'un affreux souvenir,
Je me suis étonné de ma propre misère,
Et de ce qu'un enfant peut souffrir sans mourir [1]?
Ah! ce que j'ai senti dans cet instant terrible,
Oserai-je m'en plaindre et te le raconter?
Comment exprimerai-je une peine indicible?
Après toi, devant toi, puis-je encor le tenter?
Oui, de ce jour fatal, plein d'horreur et de charmes,
Je veux fidèlement te faire le récit;
Ce ne sont pas des chants, ce ne sont que des larmes,
Et je ne te dirai que ce que Dieu m'a dit.

Lorsque le laboureur, regagnant sa chaumière,
Trouve le soir son champ rasé par le tonnerre,
Il croit d'abord qu'un rêve a fasciné ses yeux,
Et, doutant de lui-même, interroge les cieux.
Partout la nuit est sombre, et la terre enflammée.
Il cherche autour de lui la place accoutumée
Où sa femme l'attend sur le seuil entr'ouvert;
Il voit un peu de cendre au milieu d'un désert.
Ses enfants demi-nus sortent de la bruyère
Et viennent lui conter comme leur pauvre mère
Est morte sous le chaume avec des cris affreux;
Mais maintenant au loin tout est silencieux.
Le misérable écoute et comprend sa ruine.
Il serre, désolé, ses fils sur sa poitrine;
Il ne lui reste plus, s'il ne tend pas la main,
Que la faim pour ce soir et la mort pour demain.
Pas un sanglot ne sort de sa gorge oppressée;
Muet et chancelant, sans force et sans pensée,
Il s'assoit à l'écart, les yeux sur l'horizon,
Et, regardant s'enfuir sa moisson consumée,

Dans les noirs tourbillons de l'épaisse fumée
L'ivresse du malheur emporte sa raison.

Tel, lorsque abandonné d'une infidèle amante,
Pour la première fois j'ai connu la douleur,
Transpercé tout à coup d'une flèche sanglante,
Seul, je me suis assis dans la nuit de mon cœur,
Ce n'était pas au bord d'un lac au flot limpide,
Ni sur l'herbe fleurie au penchant des coteaux;
Mes yeux noyés de pleurs ne voyaient que le vide,
Mes sanglots étouffés n'éveillaient point d'échos.
C'était dans une rue obscure et tortueuse
De cet immense égout qu'on appelle Paris;
Autour de moi criait cette foule railleuse
Qui des infortunés n'entend jamais les cris.
Sur le pavé noirci les blafardes lanternes
Versaient un jour douteux plus triste que la nuit,
Et, suivant au hasard ces feux vagues et ternes,
L'homme passait dans l'ombre, allant où va le bruit.
Partout retentissait comme une joie étrange;
C'était en février, au temps du carnaval.
Les masques avinés, se croisant dans la fange,
S'accostaient d'une injure ou d'un refrain banal.
Dans un carrosse ouvert une troupe entassée
Paraissait par moments sous le ciel pluvieux,
Puis se perdait au loin dans la ville insensée,
Hurlant un hymne impur sous la résine en feux.
Cependant des vieillards, des enfants et des femmes
Se barbouillaient de lie au fond des cabarets,
Tandis que de la nuit les prêtresses infâmes
Promenaient çà et là leurs spectres inquiets.
On eût dit un portrait de la débauche antique,
Un de ces soirs fameux chers au peuple romain,
Où des temples secrets la Vénus impudique

Sortait échevelée, une torche à la main.
Dieu juste! pleurer seul par une nuit pareille!
O mon unique amour! que vous avais-je fait?
Vous m'aviez pu quitter, vous qui juriez la veille
Que vous étiez ma vie et que Dieu le savait?
Ah! toi, le savais-tu, froide et cruelle amie,
Qu'à travers cette honte et cette obscurité,
J'étais là, regardant de ta lampe chérie,
Comme une étoile au ciel, la tremblante clarté?
Non, tu n'en savais rien, je n'ai pas vu ton ombre;
Ta main n'est pas venue entr'ouvrir ton rideau.
Tu n'as pas regardé si le ciel était sombre;
Tu ne m'as pas cherché dans cet affreux tombeau!

Lamartine, c'est là, dans cette rue obscure,
Assis sur une borne, au fond d'un carrefour,
Les deux mains sur mon cœur, et serrant ma blessure,
Et sentant y saigner un invincible amour;
C'est là, dans cette nuit d'horreur et de détresse,
Au milieu des transports d'un peuple furieux
Qui semblait en passant crier à ma jeunesse :
« Toi qui pleures ce soir, n'as-tu pas ri comme eux? »
C'est là, devant ce mur, où j'ai frappé ma tête,
Où j'ai posé deux fois le fer sur mon sein nu;
C'est là, le croiras-tu? chaste et noble poète,
Que de tes chants divins je me suis souvenu.
O toi qui sais aimer, réponds, amant d'Elvire,
Comprends-tu que l'on parte et qu'on se dise adieu?
Comprends-tu que ce mot, la main puisse l'écrire,
Et le cœur le signer, et les lèvres le dire,
Les lèvres, qu'un baiser vient d'unir devant Dieu!
Comprends-tu qu'un lien qui, dans l'âme immortelle,
Chaque jour plus profond se forme à notre insu;
Qui déracine en nous la volonté rebelle,

Et nous attache au cœur son merveilleux tissu;
Un lien tout-puissant dont les nœuds et la trame
Sont plus durs que la roche et que les diamants;
Qui ne craint ni le temps, ni le fer, ni la flamme,
Ni la mort elle-même, et qui fait des amants
Jusque dans le tombeau s'aimer les ossements;
Comprends-tu que dix ans ce lien nous enlace,
Qu'il ne fasse dix ans qu'un seul être de deux[1],
Puis tout à coup se brise, et, perdu dans l'espace,
Nous laisse épouvantés d'avoir cru vivre heureux?
O poète! il est dur que la nature humaine,
Qui marche à pas comptés vers une fin certaine,
Doive encor s'y traîner en portant une croix,
Et qu'il faille ici-bas mourir plus d'une fois.
Car de quel autre nom peut s'appeler sur terre
Cette nécessité de changer de misère,
Qui nous fait, jour et nuit, tout prendre et tout
                                        [quitter,
Si bien que notre temps se passe à convoiter?
Ne sont-ce pas des morts, et des morts effroyables,
Que tant de changements d'êtres si variables,
Qui se disent toujours fatigués d'espérer,
Et qui sont toujours prêts à se transfigurer?
Quel tombeau que le cœur, et quelle solitude!
Comment la passion devient-elle habitude,
Et comment se fait-il que, sans y trébucher,
Sur ses propres débris l'homme puisse marcher?
Il y marche pourtant; c'est Dieu qui l'y convie.
Il va semant partout et prodiguant sa vie :
Désir, crainte, colère, inquiétude, ennui,
Tout passe et disparaît, tout est fantôme en lui.
Son misérable cœur est fait de telle sorte,
Qu'il faut incessamment qu'une ruine en sorte;
Que la mort soit son terme, il ne l'ignore pas,

Et, marchant à la mort, il meurt à chaque pas.
Il meurt dans ses amis, dans son fils, dans son père;
Il meurt dans ce qu'il pleure et dans ce qu'il espère;
Et, sans parler des corps qu'il faut ensevelir,
Qu'est-ce donc qu'oublier, si ce n'est pas mourir?
Ah! c'est plus que mourir; c'est survivre à soi-même.
L'âme remonte au ciel quand on perd ce qu'on aime.
Il ne reste de nous qu'un cadavre vivant;
Le désespoir l'habite, et le néant l'attend.

Eh bien! bon ou mauvais, inflexible ou fragile,
Humble ou fier, triste ou gai, mais toujours gémissant,
Cet homme, tel qu'il est, cet être fait d'argile,
Tu l'as vu, Lamartine, et son sang est ton sang.
Son bonheur est le tien; sa douleur est la tienne;
Et des maux qu'ici-bas il lui faut endurer,
Pas un qui ne te touche et qui ne t'appartienne;
Puisque tu sais chanter, ami, tu sais pleurer.
Dis-moi, qu'en penses-tu dans tes jours de tristesse?
Que t'a dit le malheur, quand tu l'as consulté?
Trompé par tes amis, trahi par ta maîtresse,
Du ciel et de toi-même as-tu jamais douté?

Non, Alphonse, jamais. La triste expérience
Nous apporte la cendre, et n'éteint pas le feu.
Tu respectes le mal fait par la Providence,
Tu le laisses passer et tu crois à ton Dieu.
Quel qu'il soit, c'est le mien; il n'est pas deux
                                        [croyances.
Je ne sais pas son nom, j'ai regardé les cieux.
Je sais qu'ils sont à lui, je sais qu'ils sont immenses,
Et que l'immensité ne peut pas être à deux.
J'ai connu, jeune encor, de sévères souffrances;
J'ai vu verdir les bois, et j'ai tenté d'aimer.

Je sais ce que la terre engloutit d'espérances,
Et, pour y recueillir, ce qu'il y faut semer.
Mais ce que j'ai senti, ce que je veux t'écrire,
C'est ce que m'ont appris les anges de douleur;
Je le sais mieux encore et puis mieux te le dire,
Car leur glaive, en entrant, l'a gravé dans mon cœur :

Créature d'un jour qui t'agites une heure,
De quoi viens-tu te plaindre et qui te fait gémir?
Ton âme t'inquiète, et tu crois qu'elle pleure :
Ton âme est immortelle, et tes pleurs vont tarir.

Tu te sens le cœur pris d'un caprice de femme [1],
Et tu dis qu'il se brise à force de souffrir.
Tu demandes à Dieu de soulager ton âme :
Ton âme est immortelle, et ton cœur va guérir.

Le regret d'un instant te trouble et te dévore;
Tu dis que le passé te voile l'avenir.
Ne te plains pas d'hier; laisse venir l'aurore :
Ton âme est immortelle, et le temps va s'enfuir.

Ton corps est abattu du mal de ta pensée;
Tu sens ton front peser et tes genoux fléchir.
Tombe, agenouille-toi, créature insensée :
Ton âme est immortelle, et la mort va venir.

Tes os dans le cercueil vont tomber en poussière,
Ta mémoire, ton nom, ta gloire vont périr,
Mais non pas ton amour, si ton amour t'est chère :
Ton âme est immortelle, et va s'en souvenir.

A LA MALIBRAN [1]

STANCES

I

Sans doute il est trop tard pour parler encor d'elle;
Depuis qu'elle n'est plus quinze jours sont passés,
Et dans ce pays-ci quinze jours, je le sais,
Font d'une mort récente une vieille nouvelle.
De quelque nom d'ailleurs que le regret s'appelle,
L'homme, par tout pays, en a bien vite assez.

II

O Maria-Félicia [2], le peintre et le poète
Laissent, en expirant, d'immortels héritiers;
Jamais l'affreuse nuit ne les prend tout entiers.
A défaut d'action, leur grande âme inquiète
De la mort et du temps entreprend la conquête,
Et, frappés dans la lutte, ils tombent en guerriers.

III

Celui-là sur l'airain a gravé sa pensée;
Dans un rythme doré [3] l'autre l'a cadencée;
Du moment qu'on l'écoute, on lui devient ami
Sur sa toile, en mourant, Raphaël l'a laissée,

Et, pour que le néant ne touche point à lui,
C'est assez d'un enfant sur sa mère endormi.

IV

Comme dans une lampe une flamme fidèle,
Au fond du Parthénon le marbre inhabité
Garde de Phidias la mémoire éternelle,
Et la jeune Vénus, fille de Praxitèle[1],
Sourit encor, debout dans sa divinité,
Aux siècles impuissants qu'a vaincus sa beauté.

V

Recevant d'âge en âge une nouvelle vie,
Ainsi s'en vont à Dieu les gloires d'autrefois;
Ainsi le vaste écho de la voix du génie
Devient du genre humain l'universelle voix...
Et de toi, morte hier, de toi, pauvre Marie,
Au fond d'une chapelle[2] il nous reste une croix!

VI

Une croix! et l'oubli, la nuit et le silence!
Ecoutez! c'est le vent, c'est l'Océan immense;
C'est un pêcheur qui chante au bord du grand
                                              [chemin.
Et de tant de beauté, de gloire et d'espérance,
De tant d'accords si doux d'un instrument divin,
Pas un faible soupir, pas un écho lointain!

VII

Une croix! et ton nom écrit sur une pierre,
Non pas même le tien, mais celui d'un époux,
Voilà ce qu'après toi tu laisses sur la terre;
Et ceux qui t'iront voir à ta maison dernière,
N'y trouvant pas ce nom qui fut aimé de nous,
Ne sauront pour prier où poser les genoux.

VIII

O Ninette [1]! où sont-ils, belle muse adorée,
Ces accents pleins d'amour, de charme et de terreur,
Qui voltigeaient le soir sur ta lèvre inspirée,
Comme un parfum léger sur l'aubépine en fleur?
Où vibre maintenant cette voix éplorée,
Cette harpe vivante attachée à ton cœur?

IX

N'était-ce pas hier, fille joyeuse et folle,
Que ta verve railleuse animait Corilla [2],
Et que tu nous lançais avec la Rosina
La roulade amoureuse et l'œillade espagnole?
Ces pleurs sur tes bras nus, quand tu chantais *le Saule*,
N'était-ce pas hier, pâle Desdemona?

X

N'était-ce pas hier qu'à la fleur de ton âge
Tu traversais l'Europe, une lyre à la main;

Dans la mer, en riant, te jetant à la nage,
Chantant la tarentelle au ciel napolitain,
Cœur d'ange et de lion, libre oiseau de passage,
Espiègle enfant ce soir, sainte artiste demain?

XI

N'était-ce pas hier qu'enivrée et bénie
Tu traînais à ton char un peuple transporté,
Et que Londre et Madrid, la France et l'Italie,
Apportaient à tes pieds cet or tant convoité,
Cet or deux fois sacré qui payait ton génie,
Et qu'à tes pieds souvent laissa ta charité?

XII

Qu'as-tu fait pour mourir, ô noble créature,
Belle image de Dieu, qui donnais en chemin
Au riche un peu de joie, au malheureux du pain?
Ah! qui donc frappe ainsi dans la mère nature,
Et quel faucheur aveugle, affamé de pâture,
Sur les meilleurs de nous ose porter la main?

XIII

Ne suffit-il donc pas à l'ange de ténèbres
Qu'à peine de ce temps il nous reste un grand nom?
Que Géricault, Cuvier, Schiller, Gœthe et Byron
Soient endormis d'hier sous les dalles funèbres,
Et que nous ayons vu tant d'autres morts célèbres
Dans l'abîme entr'ouvert suivre Napoléon?

XIV

Nous faut-il perdre encor nos têtes les plus chères,
Et venir en pleurant leur fermer les paupières,
Dès qu'un rayon d'espoir a brillé dans leurs yeux?
Le ciel de ses élus devient-il envieux?
Ou faut-il croire, hélas! ce que disaient nos pères,
Que lorsqu'on meurt si jeune on est aimé des dieux?

XV

Ah! combien, depuis peu, sont partis pleins de vie!
Sous les cyprès anciens que de saules nouveaux!
La cendre de Robert à peine refroidie [1],
Bellini tombe et meurt [2]! — Une lente agonie
Traîne Carrel [3] sanglant à l'éternel repos.
Le seuil de notre siècle est pavé de tombeaux.

XVI

Que nous restera-t-il si l'ombre insatiable,
Dès que nous bâtissons, vient tout ensevelir?
Nous qui sentons déjà le sol si variable,
Et, sur tant de débris, marchons vers l'avenir,
Si le vent, sous nos pas, balaye ainsi le sable,
De quel deuil le Seigneur veut-il donc nous vêtir?

XVII

Hélas! Marietta, tu nous restais encore.
Lorsque, sur le sillon, l'oiseau chante à l'aurore,

Le laboureur s'arrête, et, le front en sueur,
Aspire dans l'air pur un souffle de bonheur.
Ainsi nous consolait ta voix fraîche et sonore,
Et tes chants dans les cieux emportaient la douleur.

XVIII

Ce qu'il nous faut pleurer sur ta tombe hâtive.
Ce n'est pas l'art divin, ni ses savants secrets :
Quelque autre étudiera cet art que tu créais;
C'est ton âme, Ninette, et ta grandeur naïve,
C'est cette voix du cœur qui seule au cœur arrive,
Que nul autre, après toi, ne nous rendra jamais.

XIX

Ah! tu vivrais encor sans cette âme indomptable.
Ce fut là ton seul mal, et le secret fardeau
Sous lequel ton beau corps plia comme un roseau.
Il en soutint longtemps la lutte inexorable.
C'est le Dieu tout-puissant, c'est la Muse implacable
Qui dans ses bras en feu t'a portée au tombeau.

XX

Que ne l'étouffais-tu, cette flamme brûlante
Que ton sein palpitant ne pouvait contenir!
Tu vivrais, tu verrais te suivre et t'applaudir
De ce public blasé la foule indifférente,
Qui prodigue aujourd'hui sa faveur inconstante
A des gens dont pas un, certes, n'en doit mourir.

XXI

Connaissais-tu si peu l'ingratitude humaine?
Quel rêve as-tu donc fait de te tuer pour eux?
Quelques bouquets de fleurs te rendaient-ils si vaine,
Pour venir nous verser de vrais pleurs sur la scène,
Lorsque tant d'histrions et d'artistes fameux,
Couronnés mille fois, n'en ont pas dans les yeux?

XXII

Que ne détournais-tu la tête pour sourire,
Comme on en use ici quand on feint d'être ému?
Hélas! on t'aimait tant, qu'on n'en aurait rien vu.
Quand tu chantais *le Saule,* au lieu de ce délire,
Que ne t'occupais-tu de bien porter ta lyre?
La Pasta fait ainsi : que ne l'imitais-tu [1]?

XXIII

Ne savais-tu donc pas, comédienne imprudente,
Que ces cris insensés qui te sortaient du cœur
De ta joue amaigrie augmentaient la pâleur?
Ne savais-tu donc pas que, sur ta tempe ardente,
Ta main de jour en jour se posait plus tremblante,
Et que c'est tenter Dieu que d'aimer la douleur?

XXIV

Ne sentais-tu donc pas que ta belle jeunesse
De tes yeux fatigués s'écoulait en ruisseaux,

Et de ton noble cœur s'exhalait en sanglots?
Quand de ceux qui t'aimaient tu voyais la tristesse,
Ne sentais-tu donc pas qu'une fatale ivresse
Berçait ta vie errante à ses derniers rameaux?

XXV

Oui, oui, tu le savais, qu'au sortir du théâtre,
Un soir dans ton linceul il faudrait te coucher.
Lorsqu'on te rapportait plus froide que l'albâtre,
Lorsque le médecin, de ta veine bleuâtre,
Regardait goutte à goutte un sang noir s'épancher,
Tu savais quelle main venait de te toucher.

XXVI

Oui, oui, tu le savais, et que, dans cette vie,
Rien n'est bon que d'aimer, n'est vrai que de souffrir.
Chaque soir dans tes chants tu te sentais pâlir.
Tu connaissais le monde, et la foule, et l'envie,
Et, dans ce corps brisé concentrant ton génie,
Tu regardais aussi la Malibran mourir.

XXVII

Meurs donc! ta mort est douce, et ta tâche est remplie
Ce que l'homme ici-bas appelle le génie,
C'est le besoin d'aimer; hors de là tout est vain.
Et, puisque tôt ou tard l'amour humain s'oublie,
Il est d'une grande âme et d'un heureux destin
D'expirer comme toi pour un amour divin!

L'ESPOIR EN DIEU [1]

Tant que mon pauvre cœur, encor plein de jeunesse,
A ses illusions n'aura pas dit adieu,
Je voudrais m'en tenir à l'antique sagesse,
Qui du sobre Epicure a fait un demi-dieu.
Je voudrais vivre, aimer, m'accoutumer aux hommes,
Chercher un peu de joie et n'y pas trop compter,
Faire ce qu'on a fait, être ce que nous sommes,
Et regarder le ciel sans m'en inquiéter.

Je ne puis; — malgré moi l'infini me tourmente.
Je n'y saurais songer sans crainte et sans espoir;
Et, quoi qu'on en ait dit, ma raison s'épouvante
De ne pas le comprendre et pourtant de le voir.
Qu'est-ce donc que ce monde, et qu'y venons-nous
                                              [faire,
Si, pour qu'on vive en paix, il faut voiler les cieux?
Passer comme un troupeau les yeux fixés à terre,
Et renier le reste, est-ce donc être heureux?
Non, c'est cesser d'être homme et dégrader son âme.
Dans la création le hasard m'a jeté;
Heureux ou malheureux, je suis né d'une femme,
Et je ne puis m'enfuir hors de l'humanité.

Que faire donc? « Jouis, dit la raison païenne;
Jouis et meurs; les dieux ne songent qu'à dormir.
— Espère seulement, répond la foi chrétienne;
Le ciel veille sans cesse, et tu ne peux mourir. »

Entre ces deux chemins j'hésite et je m'arrête.
Je voudrais, à l'écart, suivre un plus doux sentier.
Il n'en existe pas, dit une voix secrète;
En présence du ciel, il faut croire ou nier.
Je le pense en effet; les âmes tourmentées
Dans l'un et l'autre excès se jettent tour à tour,
Mais les indifférents ne sont que des athées;
Ils ne dormiraient plus s'ils doutaient un seul jour.
Je me résigne donc, et, puisque la matière
Me laisse dans le cœur un désir plein d'effroi [1],
Mes genoux fléchiront; je veux croire et j'espère.
Que vais-je devenir, et que veut-on de moi?
Me voilà dans les mains d'un Dieu plus redoutable
Que ne sont à la fois tous les maux d'ici-bas;
Me voilà seul, errant, fragile et misérable,
Sous les yeux d'un témoin qui ne me quitte pas.
Il m'observe, il me suit. Si mon cœur bat trop vite,
J'offense sa grandeur et sa divinité.
Un gouffre est sous mes pas : si je m'y précipite,
Pour expier une heure il faut l'éternité.
Mon juge est un bourreau qui trompe sa victime.
Pour moi, tout devient piège et tout change de nom;
L'amour est un péché, le bonheur est un crime,
Et l'œuvre des sept jours n'est que tentation.
Je ne garde plus rien de la nature humaine,
Il n'existe pour moi ni vertu ni remord [2].
J'attends la récompense et j'évite la peine;
Mon seul guide est la peur, et mon seul but la mort.

On me dit cependant qu'une joie infinie
Attend quelques élus. — Où sont-ils, ces heureux?
Si vous m'avez trompé, me rendrez-vous la vie?
Si vous m'avez dit vrai, m'ouvrirez-vous les cieux?
Hélas! ce beau pays dont parlaient vos prophètes,

S'il existe là-haut, ce doit être un désert.
Vous les voulez trop purs, les heureux que vous faites,
Et quand leur joie arrive, ils en ont trop souffert.
Je suis seulement homme, et ne veux pas moins être,
Ni tenter davantage. — A quoi donc m'arrêter?
Puisque je ne puis croire aux promesses du prêtre,
Est-ce l'indifférent que je vais consulter?

Si mon cœur, fatigué du rêve qui l'obsède,
A la réalité revient pour s'assouvir,
Au fond des vains plaisirs que j'appelle à mon aide
Je trouve un tel dégoût, que je me sens mourir.
Aux jours même où parfois la pensée est impie,
Où l'on voudrait nier pour cesser de douter,
Quand je posséderais tout ce qu'en cette vie
Dans ses vastes désirs l'homme peut convoiter;
Donnez-moi le pouvoir, la santé, la richesse,
L'amour même, l'amour, le seul bien d'ici-bas!
Que la blonde Astarté, qu'idolâtrait la Grèce,
De ses îles d'azur sorte en m'ouvrant les bras;
Quand je pourrais saisir dans le sein de la terre
Les secrets éléments de sa fécondité,
Transformer à mon gré la vivace matière,
Et créer pour moi seul une unique beauté;
Quand Horace, Lucrèce et le vieil Epicure,
Assis à mes côtés, m'appelleraient heureux,
Et quand ces grands amants de l'antique nature
Me chanteraient la joie et le mépris des dieux,
Je leur dirais à tous : « Quoi que nous puissions faire,
Je souffre, il est trop tard; le monde s'est fait vieux.
Une immense espérance a traversé la terre;
Malgré nous vers le ciel il faut lever les yeux! »

Que me reste-t-il donc? Ma raison révoltée

Essaye en vain de croire et mon cœur de douter.
Le chrétien m'épouvante, et ce que dit l'athée,
En dépit de mes sens, je ne puis l'écouter.
Les vrais religieux me trouveront impie,
Et les indifférents me croiront insensé.
A qui m'adresserai-je, et quelle voix amie
Consolera ce cœur que le doute a blessé?

Il existe, dit-on, une philosophie
Qui nous explique tout sans révélation,
Et qui peut nous guider à travers cette vie
Entre l'indifférence et la religion.
J'y consens. — Où sont-ils, ces faiseurs de systèmes,
Qui savent, sans la foi, trouver la vérité,
Sophistes impuissants qui ne croient qu'en eux-mêmes?
Quels sont leurs arguments et leur autorité?
L'un me montre ici-bas deux principes en guerre,
Qui, vaincus tour à tour, sont tous deux immortels [1];
L'autre découvre au loin, dans le ciel solitaire,
Un inutile Dieu qui ne veut pas d'autels [2].
Je vois rêver Platon et penser Aristote;
J'écoute, j'applaudis, et poursuis mon chemin.
Sous les rois absolus je trouve un Dieu despote;
On nous parle aujourd'hui d'un Dieu républicain [3].
Pythagore et Leibnitz transfigurent mon être.
Descartes m'abandonne au sein des tourbillons.
Montaigne s'examine, et ne peut se connaître.
Pascal fuit en tremblant ses propres visions.
Pyrrhon me rend aveugle, et Zénon insensible.
Voltaire jette à bas tout ce qu'il voit debout.
Spinosa, fatigué de tenter l'impossible,
Cherchant en vain son Dieu, croit le trouver partout.
Pour le sophiste anglais l'homme est une machine.
Enfin sort des brouillards un rhéteur allemand

Qui, du philosophisme achevant la ruine,
Déclare le ciel vide, et conclut au néant.

Voilà donc les débris de l'humaine science!
Et, depuis cinq mille ans qu'on a toujours douté,
Après tant de fatigue et de persévérance,
C'est là le dernier mot qui nous en est resté!
Ah! pauvres insensés, misérables cervelles,
Qui de tant de façons avez tout expliqué,
Pour aller jusqu'aux cieux il vous fallait des ailes;
Vous aviez le désir, la foi vous a manqué.
Je vous plains; votre orgueil part d'une âme blessée.
Vous sentiez les tourments dont mon cœur est rempli,
Et vous la connaissiez, cette amère pensée
Qui fait frissonner l'homme en voyant l'infini.
Eh bien, prions ensemble, — abjurons la misère
De vos calculs d'enfants, de tant de vains travaux.
Maintenant que vos corps sont réduits en poussière,
J'irai m'agenouiller pour vous sur vos tombeaux.
Venez, rhéteurs païens, maîtres de la science,
Chrétiens des temps passés et rêveurs d'aujourd'hui;
Croyez-moi, la prière est un cri d'espérance!
Pour que Dieu nous réponde, adressons-nous à lui.
Il est juste, il est bon; sans doute il vous pardonne.
Tous vous avez souffert, le reste est oublié.
Si le ciel est désert, nous n'offensons personne;
Si quelqu'un nous entend, qu'il nous prenne en pitié!

    O toi que nul n'a pu connaître,
    Et n'a renié sans mentir,
    Réponds-moi, toi qui m'as fait naître,
    Et demain me feras mourir!

    Puisque tu te laisses comprendre,
    Pourquoi fais-tu douter de toi?

Quel triste plaisir peux-tu prendre
A tenter notre bonne foi?

Dès que l'homme lève la tête,
Il croit t'entrevoir dans les cieux;
La création, sa conquête,
N'est qu'un vaste temple à ses yeux.

Dès qu'il redescend en lui-même,
Il t'y trouve; tu vis en lui.
S'il souffre, s'il pleure, s'il aime,
C'est son Dieu qui le veut ainsi

De la plus noble intelligence
La plus sublime ambition
Est de prouver ton existence,
Et de faire épeler ton nom.

De quelque façon qu'on t'appelle,
Brahma, Jupiter ou Jésus,
Vérité, Justice éternelle,
Vers toi tous les bras sont tendus.

Le dernier des fils de la terre
Te rend grâces du fond du cœur,
Dès qu'il se mêle à sa misère
Une apparence de bonheur.

Le monde entier te glorifie :
L'oiseau te chante sur son nid;
Et pour une goutte de pluie
Des milliers d'êtres t'ont béni.

Tu n'as rien fait qu'on ne l'admire;
Rien de toi n'est perdu pour nous;

Tout prie, et tu ne peux sourire
Que nous ne tombions à genoux.

Pourquoi donc, ô Maître suprême,
As-tu créé le mal si grand,
Que la raison, la vertu même,
S'épouvantent en le voyant?

Lorsque tant de choses sur terre
Proclament la Divinité,
Et semblent attester d'un père
L'amour, la force et la bonté,

Comment, sous la sainte lumière,
Voit-on des actes si hideux,
Qu'ils font expirer la prière
Sur les lèvres du malheureux?

Pourquoi, dans ton œuvre céleste,
Tant d'éléments si peu d'accord?
A quoi bon le crime et la peste?
O Dieu juste! pourquoi la mort?

Ta pitié dut être profonde
Lorsqu'avec ses biens et ses maux,
Cet admirable et pauvre monde
Sortit en pleurant du chaos!

Puisque tu voulais le soumettre
Aux douleurs dont il est rempli,
Tu n'aurais pas dû lui permettre
De t'entrevoir dans l'infini.

Pourquoi laisser notre misère
Rêver et deviner un Dieu?

Le doute a désolé la terre;
Nous en voyons trop ou trop peu.

Si ta chétive créature
Est indigne de t'approcher,
Il fallait laisser la nature
T'envelopper et te cacher.

Il te resterait ta puissance,
Et nous en sentirions les coups;
Mais le repos et l'ignorance
Auraient rendu nos maux plus doux.

Si la souffrance et la prière
N'atteignent pas ta majesté,
Garde ta grandeur solitaire,
Ferme à jamais l'immensité.

Mais si nos angoisses mortelles
Jusqu'à toi peuvent parvenir;
Si, dans les plaines éternelles,
Parfois tu nous entends gémir,

Brise cette voûte profonde
Qui couvre la création;
Soulève les voiles du monde,
Et montre-toi, Dieu juste et bon!

Tu n'apercevras sur la terre
Qu'un ardent amour de la foi,
Et l'humanité tout entière
Se prosternera devant toi.

Les larmes qui l'ont épuisée
Et qui ruissellent de ses yeux,

Comme une légère rosée
S'évanouiront dans les cieux.

Tu n'entendras que tes louanges,
Qu'un concert de joie et d'amour,
Pareil à celui dont tes anges
Remplissent l'éternel séjour;

Et dans cet hosanna suprême,
Tu verras, au bruit de nos chants,
S'enfuir le doute et le blasphème,
Tandis que la Mort elle-même
Y joindra ses derniers accents.

A LA MI-CAREME

I

Le carnaval s'en va, les roses vont éclore;
Sur les flancs des coteaux déjà court le gazon.
Cependant du plaisir la frileuse saison
Sous ses grelots légers rit et voltige encore,
Tandis que, soulevant les voiles de l'aurore,
Le Printemps inquiet paraît à l'horizon.

II

Du pauvre mois de mars il ne faut pas médire,
Bien que le laboureur le craigne justement :

L'univers y renaît; il est vrai que le vent,
La pluie et le soleil s'y disputent l'empire.
Qu'y faire? Au temps des fleurs, le monde est un
[enfant;
C'est sa première larme et son premier sourire.

III

C'est dans le mois de mars que tente de s'ouvrir
L'anémone sauvage aux corolles tremblantes.
Les femmes et les fleurs appellent le zéphyr;
Et du fond des boudoirs les belles indolentes,
Balançant mollement leurs tailles nonchalantes,
Sous les vieux marronniers commencent à venir.

IV

C'est alors que les bals, plus joyeux et plus rares,
Prolongent plus longtemps leurs dernières fanfares;
A ce bruit qui nous quitte, on court avec ardeur;
La valseuse se livre avec plus de langueur :
Les yeux sont plus hardis, les lèvres moins avares,
La lassitude enivre, et l'amour vient au cœur.

V

S'il est vrai qu'ici-bas l'adieu de ce qu'on aime
Soit un si doux chagrin qu'on en voudrait mourir,
C'est dans le mois de mars, c'est à la mi-carême,
Qu'au sortir d'un souper un enfant du plaisir
Sur la valse et l'amour devrait faire un poème,
Et saluer gaiement ses dieux prêts à partir.

VI

Mais qui saura chanter tes pas pleins d'harmonie,
Et tes secrets divins, du vulgaire ignorés,
Belle Nymphe allemande aux brodequins dorés [1]?
O Muse de la valse! ô fleur de poésie!
Où sont, de notre temps, les buveurs d'ambroisie
Dignes de s'étourdir dans tes bras adorés?

VII

Quand, sur le Cithéron, la Bacchanale antique
Des filles de Cadmus dénouait les cheveux,
On laissait la beauté danser devant les dieux;
Et si quelque profane, au son de la musique,
S'élançait dans les chœurs, la prêtresse impudique
De son thyrse de fer frappait l'audacieux [2].

VIII

Il n'en est pas ainsi dans nos fêtes grossières;
Les vierges aujourd'hui se montrent moins sévères,
Et se laissent toucher sans grâce et sans fierté.
Nous ouvrons à qui veut nos quadrilles vulgaires;
Nous perdons le respect qu'on doit à la beauté.
Et nos plaisirs bruyants font fuir la volupté.

IX

Tant que régna chez nous le menuet gothique [3],
D'observer la mesure on se souvint encor.

Nos pères la gardaient aux jours de thermidor,
Lorsqu'au bruit des canons dansait la République,
Lorsque la Tallien [1], soulevant sa tunique,
Faisait de ses pieds nus craquer les anneaux d'or.

X

Autres temps, autres mœurs; le rythme et la cadence
Ont suivi les hasards et la commune loi.
Pendant que l'univers, ligué contre la France,
S'épuisait de fatigue à lui donner un roi,
La valse d'un coup d'aile a détrôné la danse.
Si quelqu'un s'en est plaint, certes, ce n'est pas moi.

XI

Je voudrais seulement, puisqu'elle est notre hôtesse,
Qu'on sût mieux honorer cette jeune déesse.
Je voudrais qu'à sa voix on pût régler nos pas,
Ne pas voir profaner une si douce ivresse,
Froisser d'un si beau sein les contours délicats,
Et le premier venu l'emporter dans ses bras.

XII

C'est notre barbarie et notre indifférence
Qu'il nous faut accuser; notre esprit inconstant
Se prend de fantaisie et vit de changement;
Mais le désordre même a besoin d'élégance;
Et je voudrais du moins qu'une duchesse, en France,
Sût valser aussi bien qu'un bouvier allemand.

DUPONT ET DURAND [1]

DIALOGUE

DURAND

Mânes de mes aïeux, quel embarras mortel!
J'invoquerais un dieu, si je savais lequel.
Voilà bientôt trente ans que je suis sur la terre,
Et j'en ai passé dix à chercher un libraire.
Pas un être vivant n'a lu mes manuscrits,
Et seul dans l'univers je connais mes écrits.

DUPONT

Par l'ombre de Brutus, quelle fâcheuse affaire!
Mon ventre est plein de cidre et de pommes de terre.
J'en ai l'âme engourdie, et, pour me réveiller,
Personne à qui parler des œuvres de Fourier [2]!
En quel temps vivons-nous? Quel dîner déplorable!

DURAND

Que vois-je donc là-bas? Quel est ce pauvre diable
Qui dans ses doigts transis souffle avec désespoir,
Et rôde en grelottant sous un mince habit noir?
J'ai vu chez Flicoteau ce piteux personnage [3].

DUPONT

Je ne me trompe pas. Ce morne et plat visage,
Cet œil sombre et penaud, ce front préoccupé,
Sur ces longs cheveux gras ce grand chapeau râpé...
C'est mon ami Durand, mon ancien camarade.

DURAND

Est-ce toi, cher Dupont? Mon fidèle Pylade,
Ami de ma jeunesse, approche, embrassons-nous.
Tu n'es donc pas encore à l'hôpital des fous?
J'ai cru que tes parents t'avaient mis à Bicêtre[1].

DUPONT

Parle bas. J'ai sauté ce soir par la fenêtre,
Et je cours en cachette écrire un feuilleton.
Mais toi, tu n'as donc pas ton lit à Charenton?
L'on m'avait dit pourtant que ton rare génie...

DURAND

Ah! Dupont, que le monde aime la calomnie!
Quel ingrat animal que ce sot genre humain,
Et que l'on a de peine à faire son chemin!

DUPONT

Frère, à qui le dis-tu? Dans le siècle où nous sommes,
Je n'ai que trop connu ce que valent les hommes.
Le monde, chaque jour, devient plus entêté,
Et tombe plus avant dans l'imbécillité.

DURAND

Te souvient-il, Dupont, des jours de notre enfance,
Lorsque, riches d'orgueil et pauvres de science,
Rossés par un sous-maître et toujours paresseux,
Dans la crasse et l'oubli nous dormions tous les deux?
Que ces jours bienheureux sont chers à ma mémoire!

DUPONT

Paresseux! tu l'as dit. Nous l'étions avec gloire;
Ignorants, Dieu le sait! Ce que j'ai fait depuis

A montré clairement si j'avais rien appris.
Mais quelle douce odeur avait le réfectoire!
Ah! dans ce temps du moins je pus manger et boire!
Courbé sur mon pupitre, en secret je lisais
Des bouquins de rebut achetés au rabais.
Barnave et Desmoulins m'ont valu des férules;
De l'aimable Saint-Just les touchants opuscules
Reposaient sur mon cœur, et je tendais la main
Avec la dignité d'un sénateur romain.
Tu partageas mon sort, tu manquas tes études.

DURAND

Il est vrai, le génie a ses vicissitudes.
Mon crâne ossianique, aux lauriers destiné,
Du bonnet d'âne alors fut parfois couronné.
Mais l'on voyait déjà ce dont j'étais capable.
J'avais d'écrivailler une rage incurable;
Honni de nos pareils, moulu de coups de poing,
Je rimais à l'écart, accroupi dans un coin.
Dès l'âge de quinze ans, sachant à peine lire,
Je dévorais Schiller, Dante, Gœthe, Shakspeare;
Le front me démangeait en lisant leurs écrits.
Quant à ces polissons qu'on admirait jadis,
Tacite, Cicéron, Virgile, Horace, Homère,
Nous savons, Dieu merci! quel cas on en peut faire.
Dans les secrets de l'art prompte à m'initier,
Ma muse, en bégayant, tentait de plagier;
J'adorais tour à tour l'Angleterre et l'Espagne,
L'Italie, et surtout l'emphatique Allemagne.
Que n'eussé-je pas fait pour savoir le patois
Que le savetier Sachs mit en gloire autrefois [1]!
J'aurais certainement produit un grand ouvrage.
Mais, forcé de parler notre ignoble langage,
J'ai du moins fait serment, tant que j'existerais,

De ne jamais écrire un livre en bon français;
Tu me connais, tu sais si j'ai tenu parole.

DUPONT

Quand arrive l'hiver, l'hirondelle s'envole;
Ainsi s'est envolé le trop rapide temps
Où notre ventre à jeun put compter sur nos dents
Quels beaux croûtons de pain coupait la ménagère!

DURAND

N'en parlons plus; ce monde est un lieu de misère.
Sois franc, je t'en conjure, et dis-moi ton destin.
Que fis-tu tout d'abord loin du Quartier latin?

DUPONT

Quand?

DURAND

Lorsqu'à dix-neuf ans tu sortis du collège.

DUPONT

Ce que je fis?

DURAND

Oui, parle.

DUPONT

Eh! mon ami, qu'en sais-je?
J'ai fait ce que l'oiseau fait en quittant son nid,
Ce que put le hasard et ce que Dieu permit.

DURAND

Mais encor?

DUPONT

Rien du tout. J'ai flâné dans les rues;
J'ai marché devant moi, libre, bayant aux grues;
Mal nourri, peu vêtu, couchant dans un grenier,
Dont je déménageais dès qu'il fallait payer,
De taudis en taudis, colportant ma misère,
Ruminant de Fourier le rêve humanitaire,
Empruntant çà et là le plus que je pouvais,
Dépensant un écu sitôt que je l'avais,
Délayant de grands mots en phrases insipides,
Sans chemise et sans bas, et les poches si vides,
Qu'il n'est que mon esprit au monde d'aussi creux;
Tel je vécus, râpé, sycophante, envieux.

DURAND

Je le sais; quelquefois, de peur que tu ne meures,
Lorsque ton estomac criait : « Il est six heures! »
J'ai dans ta triste main glissé, non sans regret,
Cinq francs que tu courais perdre chez Bénazet[1].
Mais que fis-tu plus tard? car tu n'as pas, je pense,
Mené jusqu'aujourd'hui cette affreuse existence?

DUPONT

Toujours! J'atteste ici Brutus et Spinosa
Que je n'ai jamais eu que l'habit que voilà!
Et comment en changer? A qui rend-on justice?
On ne voit qu'intérêt, convoitise, avarice.
J'avais fait un projet... Je te le dis tout bas...
Un projet! Mais au moins tu n'en parleras pas...
C'est plus beau que Lycurgue, et rien d'aussi sublime
N'aura jamais paru si Ladvocat[2] m'imprime.
L'univers, mon ami, sera bouleversé,
On ne verra plus rien qui ressemble au passé;

Les riches seront gueux et les nobles infâmes;
Nos maux seront des biens, les hommes seront femmes,
Et les femmes seront... tout ce qu'elles voudront.
Les plus vieux ennemis se réconcilieront,
Le Russe avec le Turc, l'Anglais avec la France,
La foi religieuse avec l'indifférence,
Et le drame moderne avec le sens commun.
De rois, de députés, de ministres, pas un.
De magistrats, néant; de lois, pas davantage.
J'abolis la famille et romps le mariage;
Voilà. Quant aux enfants, en feront qui pourront.
Ceux qui voudront trouver leurs pères chercheront.
Du reste, on ne verra, mon cher, dans les campagnes,
Ni forêts, ni clochers, ni vallons, ni montagnes :
Chansons que tout cela! Nous les supprimerons,
Nous les démolirons, comblerons, brûlerons.
Ce ne seront partout que houilles et bitumes,
Trottoirs, masures, champs plantés de bons légumes,
Carottes, fèves, pois, et qui veut peut jeûner,
Mais nul n'aura du moins le droit de bien dîner.
Sur deux rayons de fer un chemin magnifique
De Paris à Pékin ceindra ma république.
Là, cent peuples divers, confondant leur jargon,
Feront une Babel d'un colossal wagon.
Là, de sa roue en feu le coche humanitaire [1]
Usera jusqu'aux os les muscles de la terre.
Du haut de ce vaisseau les hommes stupéfaits
Ne verront qu'une mer de choux et de navets.
Le monde sera propre et net comme une écuelle;
L'humanitairerie [2] en fera sa gamelle,
Et le globe rasé, sans barbe ni cheveux,
Comme un grand potiron roulera dans les cieux.
Quel projet, mon ami! quelle chose admirable!
À d'aussi vastes plans rien est-il comparable?

Je les avais écrits dans mes moments perdus.
Croirais-tu bien, Durand, qu'on ne les a pas lus?
Que veux-tu! notre siècle est sans yeux, sans oreilles.
Offrez-lui des trésors, montrez-lui des merveilles :
Pour aller à la Bourse, il vous tourne le dos.
Ceux-là nous font des lois, et ceux-ci des canaux;
On aime le plaisir, l'argent, la bonne chère;
On voit des fainéants qui labourent la terre;
L'homme de notre temps ne veut pas s'éclairer,
Et j'ai perdu l'espoir de le régénérer.
Mais toi, quel fut ton sort? A ton tour sois sincère.

DURAND

Je fus d'abord garçon chez un vétérinaire.
On me donnait par mois dix-huit livres dix sous;
Mais il me déplaisait de me mettre à genoux
Pour graisser le sabot d'une bête malade,
Dont je fus maintes fois payé d'une ruade.
Fatigué du métier, je rompis mon licou,
Et, confiant en Dieu, j'allai sans savoir où.
Je m'arrêtai d'abord chez un marchand d'estampes
Qui pour certains romans faisait des culs-de-lampes.
J'en fis pendant deux ans; dans de méchants écrits
Je glissais à tâtons de plus méchants croquis.
Ce travail ignoré me servit par la suite;
Car je rendis ainsi mon esprit parasite,
L'accoutumant au vol, le greffant sur autrui.
Je me lassai pourtant du rôle d'apprenti.
J'allai dîner un jour chez le père la Tuile [1];
J'y rencontrai Dubois, vaudevilliste habile,
Grand buveur, comme on sait, grand chanteur de cou-
                                              [plets,
Dont la gaîté vineuse emplit les cabarets.
Il m'apprit l'orthographe et corrigea mon style.

Nous fîmes à nous deux le quart d'un vaudeville,
Aux théâtres forains lequel fut présenté,
Et refusé partout à l'unanimité.
Cet échec me fut dur, et je sentis ma bile
Monter en bouillonnant à mon cerveau stérile.
Je résolus d'écrire, en rentrant au logis,
Un ouvrage quelconque et d'étonner Paris.
De la soif de rimer ma cervelle obsédée
Pour la première fois eut un semblant d'idée.
Je tirai mon verrou, j'eus soin de m'entourer
De tous les écrivains qui pouvaient m'inspirer.
Soixante in-octavos inondèrent ma table.
J'accouchai lentement d'un poème effroyable.
La lune et le soleil se battaient dans mes vers,
Vénus avec le Christ y dansait aux enfers.
Vois combien ma pensée était philosophique :
De tout ce qu'on a fait, faire un chef-d'œuvre unique,
Tel fut mon but : Brahma, Jupiter, Mahomet,
Platon, Job, Marmontel, Néron et Bossuet,
Tout s'y trouvait; mon œuvre est l'immensité même.
Mais le point capital de ce divin poème,
C'est un chœur de lézards chantant au bord de l'eau.
Racine n'est qu'un drôle auprès d'un tel morceau.
On ne m'a pas compris; mon livre symbolique,
Poudreux, mais vierge encor, n'est plus qu'une relique.
Désolant résultat! triste virginité!
Mais vers d'autres destins je me vis emporté.
Le ciel me conduisit chez un vieux journaliste,
Charlatan ruiné, jadis séminariste,
Qui, dix fois dans sa vie à bon marché vendu,
Sur les honnêtes gens crachait pour un écu.
De ce digne vieillard j'endossai la livrée.
Le fiel suintait déjà de ma plume altérée;
Je me sentais renaître et mordis au métier.

Ah! Dupont, qu'il est doux de tout déprécier!
Pour un esprit mort-né, convaincu d'impuissance,
Qu'il est doux d'être un sot et d'en tirer vengeance!
A quelque vrai succès lorsqu'on vient d'assister,
Qu'il est doux de rentrer et de se débotter,
Et de dépecer l'homme, et de salir sa gloire,
Et de pouvoir sur lui vider une écritoire,
Et d'avoir quelque part un journal inconnu
Où l'on puisse à plaisir nier ce qu'on a vu!
Le mensonge anonyme est le bonheur suprême.
Ecrivains, députés, ministres, rois, Dieu même,
J'ai tout calomnié pour apaiser ma faim.
Malheureux avec moi qui jouait au plus fin!
Courait-il dans Paris une histoire secrète?
Vite je l'imprimais le soir dans ma gazette,
Et rien ne m'échappait. De la rue au salon,
Les graviers, en marchant, me restaient au talon.
De ce temps scandaleux j'ai su tous les scandales,
Et les ai racontés. Ni plaintes ni cabales
Ne m'eussent fait fléchir, sois-en bien convaincu...
Mais tu rêves, Dupont; à quoi donc penses-tu?

DUPONT

Ah! Durand! du moins si j'avais un cœur de femme
Qui sût par quelque amour consoler ma grande âme!
Mais non; j'étale en vain mes grâces dans Paris.
Il en est de ma peau comme de tes écrits;
Je l'offre à tout venant et personne n'y touche.
Sur mon grabat désert en grondant je me couche,
Et j'attends; — rien ne vient. — C'est de quoi se
                                            [noyer!

DURAND

Ne fais-tu rien le soir pour te désennuyer?

DUPONT

Je joue aux dominos quelquefois chez Procope [1].

DURAND

Ma foi! c'est un beau jeu. L'esprit s'y développe;
Et ce n'est pas un homme à faire un quiproquo,
Celui qui juste à point sait faire domino.
Entrons dans un café. C'est aujourd'hui dimanche.

DUPONT

Si tu veux me tenir quinze sous sans revanche,
J'y consens.

DURAND

      Un instant! commençons par jouer
La *consommation* d'abord pour essayer.
Je vais boire à tes frais, pour sûr, un petit verre.

DUPONT

Les liqueurs me font mal. Je n'aime que la bière.
Qu'as-tu sur toi?

DURAND

      Trois sous.

DUPONT

          Entrons au cabaret.

DURAND

Après vous.

DUPONT

    Après vous.

DURAND

      Après vous, s'il vous plaît.

AU ROI

Après l'attentat de Meunier [1]

Prince, les assassins consacrent ta puissance.
Ils forcent Dieu lui-même à nous montrer sa main.
Par droit d'élection tu régnais sur la France;
La balle et le poignard te font un droit divin.

De ceux dont le hasard couronna la naissance,
Nous en savons plusieurs qui sont sacrés en vain.
Toi, tu l'es par le peuple et par la Providence;
Souris au parricide et poursuis ton chemin.

Mais sois prudent, Philippe, et songe à la patrie,
Ta pensée est son bien, ton corps son bouclier;
Sur toi, comme sur elle, il est temps de veiller.

Ferme un immense abîme et conserve ta vie.
Défendons-nous ensemble, et laissons-nous le temps
De vieillir, toi pour nous, et nous pour tes enfants.

SUR LA NAISSANCE
DU COMTE DE PARIS

De tant de jours de deuil, de crainte et d'espérance.
De tant d'efforts perdus, de tant de maux soufferts,
En es-tu lasse enfin, pauvre terre de France,

Et de tes vieux enfants l'éternelle inconstance
Laissera-t-elle un jour le calme à l'univers?

Comprends-tu tes destins et sais-tu ton histoire?
Depuis un demi-siècle as-tu compté tes pas?
Est-ce assez de grandeur, de misère et de gloire,
Et, sinon par pitié, pour ta propre mémoire,
Par fatigue du moins t'arrêteras-tu pas?

Ne te souvient-il plus de ces temps d'épouvante
Où de quatre-vingt-neuf résonna le tocsin?
N'était-ce pas hier, et la source sanglante
Où Paris baptisa sa liberté naissante,
La sens-tu pas encor qui coule de ton sein?

A-t-il rassasié ta fierté vagabonde,
A-t-il pour les combats assouvi ton penchant,
Cet homme audacieux qui traversa le monde,
Pareil au laboureur qui traverse son champ,
Armé du soc de fer qui déchire et féconde?

S'il te fallait alors des spectacles guerriers,
Est-ce assez d'avoir vu l'Europe dévastée,
De Memphis à Moscou la terre disputée,
Et l'étranger deux fois assis à nos foyers,
Secouant de ses pieds la neige ensanglantée?

S'il te faut aujourd'hui des éléments nouveaux,
En est-ce assez pour toi d'avoir mis en lambeaux
Tout ce qui porte un nom, gloire, philosophie,
Religion, amour, liberté, tyrannie,
D'avoir fouillé partout, jusque dans les tombeaux?

En est-ce assez pour toi des vaines théories,
Sophismes monstrueux dont on nous a bercés,

Spectres républicains sortis des temps passés,
Abus de tous les droits, honteuses rêveries
D'assassins en délire ou d'enfants insensés?

En est-ce assez pour toi d'avoir, en cinquante ans,
Vu tomber Robespierre et passer Bonaparte,
Charles dix pour l'exil partir en cheveux blancs,
D'avoir imité Londre, Athènes, Rome et Sparte;
Et d'être enfin Français n'est-il pas bientôt temps?

Si ce n'est pas assez, prends ton glaive et ta lance.
Réveille tes soldats, dresse tes échafauds;
En guerre! et que demain le siècle recommence,
Afin qu'un jour du moins le meurtre et la licence
Repus de notre sang, nous laissent le repos!

Mais, si Dieu n'a pas fait la souffrance inutile,
Si des maux d'ici-bas quelque bien peut venir,
Si l'orage apaisé rend le ciel plus tranquille,
S'il est vrai qu'en tombant sur un terrain fertile
Les larmes du passé fécondent l'avenir;

Sache donc profiter de ton expérience,
Toi qu'une jeune reine, en ses touchants adieux,
Appelait autrefois plaisant pays de France [1]
Connais-toi donc toi-même, ose donc être heureux,
Ose donc franchement bénir la Providence!

Laisse dire à qui veut que ton grand cœur s'abat,
Que la paix t'affaiblit, que tes forces s'épuisent :
Ceux qui le croient le moins sont ceux qui te le
[disent.
Ils te savent debout, ferme, et prête au combat;
Et, ne pouvant briser ta force, ils la divisent.

Laisse-les s'agiter, ces gens à passion,
De nos vieux harangueurs modernes parodies;
Laisse-les étaler leurs froides comédies,
Et, les deux bras croisés, te prêcher l'action.
Leur seule vérité, c'est leur ambition.

Que t'importent des mots, des phrases ajustées?
As-tu vendu ton blé, ton bétail et ton vin?
Es-tu libre? Les lois sont-elles respectées?
Crains-tu de voir ton champ pillé par le voisin?
Le maître a-t-il son toit, et l'ouvrier son pain?

Si nous avons cela, le reste est peu de chose.
Il en faut plus pourtant; à travers nos remparts,
De l'univers jaloux pénètrent les regards.
Paris remplit le monde, et, lorsqu'il se repose,
Pour que sa gloire veille, il a besoin des arts.

Où les vit-on fleurir mieux qu'au siècle où nous
                                    [sommes?
Quand vit-on au travail plus de mains s'exercer?
Quand fûmes-nous jamais plus libres de penser?
On veut nier en vain les choses et les hommes :
Nous aurons à nos fils une page à laisser.

Le bruit de nos canons retentit aujourd'hui;
Que l'Europe l'écoute, elle doit le connaître!
France, au milieu de nous un enfant vient de naître,
Et, si ma faible voix se fait entendre ici,
C'est devant son berceau que je te parle ainsi.

Son courageux aïeul est ce roi populaire
Qu'on voit depuis huit ans, sans crainte et sans colère,

En pilote hardi nous montrer le chemin.
Son père est près du trône, une épée à la main;
Tous les infortunés savent quelle est sa mère[1].

Ce n'est qu'un fils de plus que le ciel t'a donné,
France, ouvre-lui tes bras sans peur, sans flatterie;
Soulève doucement ta mamelle meurtrie,
Et verse en souriant, vieille mère patrie,
Une goutte de lait à l'enfant nouveau-né.

29 août 1838.

IDYLLE[2]

A quoi passer la nuit quand on soupe en carême?
Ainsi, le verre en main, raisonnaient deux amis.
Quels entretiens choisir, honnêtes et permis,
Mais gais, tels qu'un vieux vin les conseille et les
[aime?

RODOLPHE

Parlons de nos amours; la joie et la beauté
Sont mes dieux les plus chers, après la liberté.
Ebauchons, en trinquant, une joyeuse idylle.
Par les bois et les prés, les bergers de Virgile
Fêtaient la poésie à toute heure, en tout lieu;
Ainsi chante au soleil la cigale dorée.
D'une voix plus modeste, au hasard inspirée,
Nous, comme le grillon, chantons au coin du feu.

ALBERT

Faisons ce qui te plaît. Parfois, en cette vie,
Une chanson nous berce et nous aide à souffrir,
Et, si nous offensons l'antique poésie,
Son ombre même est douce à qui la sait chérir.

RODOLPHE

Rosalie est le nom de la brune fillette
Dont l'inconstant hasard m'a fait maître et seigneur.
Son nom fait mon délice, et, quand je le répète,
Je le sens, chaque fois, mieux gravé dans mon cœur.

ALBERT

Je ne puis sur ce ton parler de mon amie.
Bien que son nom aussi soit doux à prononcer,
Je ne saurais sans honte à tel point l'offenser,
Et dire, en un seul mot, le secret de ma vie.

RODOLPHE

Que la fortune abonde en caprices charmants!
Dès nos premiers regards nous devînmes amants.
C'était un mardi gras dans une mascarade;
Nous soupions; — la Folie agita ses grelots,
Et notre amour naissant sortit d'une rasade,
Comme autrefois Vénus de l'écume des flots.

ALBERT

Quels mystères profonds dans l'humaine misère!
Quand, sous les marronniers, à côté de sa mère,
Je la vis, à pas lents, entrer si doucement
(Son front était si pur, son regard si tranquille!),
Le ciel m'en est témoin, dès le premier moment,
Je compris que l'aimer était peine inutile;

Et cependant mon cœur prit un amer plaisir
A sentir qu'il aimait et qu'il allait souffrir!

RODOLPHE

Depuis qu'à mon chevet rit cette tête folle,
Elle en chasse à la fois le sommeil et l'ennui;
Au bruit de nos baisers le temps joyeux s'envole,
Et notre lit de fleurs n'a pas encore un pli.

ALBERT

Depuis que dans ses yeux ma peine à pris naissance,
Nul ne sait le tourment dont je suis déchiré.
Elle-même l'ignore, — et ma seule espérance
Est qu'elle le devine un jour, quand j'en mourrai.

RODOLPHE

Quand mon enchanteresse entr'ouvre sa paupière,
Sombre comme la nuit, pur comme la lumière,
Sur l'émail de ses yeux brille un noir diamant.

ALBERT

Comme sur une fleur une goutte de pluie,
Comme une pâle étoile au fond du firmament,
Ainsi brille en tremblant le regard de ma mie.

RODOLPHE

Son front n'est pas plus grand que celui de Vénus.
Par un nœud de ruban deux bandeaux retenus
L'entourent mollement d'une fraîche auréole;
Et, lorsqu'au pied du lit tombent ses longs cheveux,
On croirait voir, le soir, sur ses flancs amoureux,
Se dérouler gaiement la mantille espagnole.

ALBERT

Ce bonheur à mes yeux n'a pas été donné
De voir jamais ainsi la tête bien-aimée.
Le chaste sanctuaire où siège sa pensée
D'un diadème d'or est toujours couronné.

RODOLPHE

Voyez-la, le matin, qui gazouille et sautille;
Son cœur est un oiseau, — sa bouche est une fleur.
C'est là qu'il faut saisir cette indolente fille,
Et, sur la pourpre vive où le rire pétille,
De son souffle enivrant respirer la fraîcheur.

ALBERT

Une fois seulement, j'étais le soir près d'elle;
Le sommeil lui venait et la rendait plus belle;
Elle pencha vers moi son front plein de langueur,
Et, comme on voit s'ouvrir une rose endormie,
Dans un faible soupir, des lèvres de ma mie,
Je sentis s'exhaler le parfum de son cœur.

RODOLPHE

Je voudrais voir qu'un jour ma belle dégourdie,
Au cabaret voisin de champagne étourdie,
S'en vînt, en jupon court, se glisser dans tes bras.
Qu'adviendrait-il alors de ta mélancolie?
Car enfin toute chose est possible ici-bas.

ALBERT

Si le profond regard de ma chère maîtresse
Un instant par hasard s'arrêtait sur le tien,
Qu'adviendrait-il alors de cette folle ivresse?
Aimer est quelque chose, et le reste n'est rien.

RODOLPHE

Non, l'amour qui se tait n'est qu'une rêverie.
Le silence est la mort, et l'amour est la vie;
Et c'est un vieux mensonge à plaisir inventé,
Que de croire au bonheur hors de la volupté!
Je ne puis partager ni plaindre ta souffrance.
Le hasard est là-haut pour les audacieux;
Et celui dont la crainte a tué l'espérance
Mérite son malheur et fait injure aux dieux.

ALBERT

Non, quand leur âme immense entra dans la nature,
Les dieux n'ont pas tout dit à la matière impure
Qui reçut dans ses flancs leur forme et leur beauté.
C'est une vision que la réalité.
Non, des flacons brisés, quelques vaines paroles
Qu'on prononce au hasard et qu'on croit échanger,
Entre deux froids baisers quelques rires frivoles,
Et d'un être inconnu le contact passager,
Non, ce n'est pas l'amour, ce n'est pas même un rêve,
Et la satiété, qui succède au désir,
Amène un tel dégoût quand le cœur se soulève,
Que je ne sais, au fond, si c'est peine ou plaisir.

RODOLPHE

Est-ce peine ou plaisir, une alcôve bien close,
Et le punch allumé, quand il fait mauvais temps?
Est-ce peine ou plaisir, l'incarnat de la rose,
La blancheur de l'albâtre et l'odeur du printemps?
Quand la réalité ne serait qu'une image,
Et le contour léger des choses d'ici-bas,
Me préserve le ciel d'en savoir davantage!
Le masque est si charmant, que j'ai peur du visage,
Et même en carnaval je n'y toucherais pas.

ALBERT

Une larme en dit plus que tu n'en pourrais dire.

RODOLPHE

Une larme a son prix, c'est la sœur d'un sourire.
Avec deux yeux bavards parfois j'aime à jaser;
Mais le seul vrai langage au monde est un baiser.

ALBERT

Ainsi donc, à ton gré dépense ta paresse.
O mon pauvre secret! que nos chagrins sont doux!

RODOLPHE

Ainsi donc, à ton gré promène ta tristesse.
O mes pauvres soupers! comme on médit de vous!

ALBERT

Prends garde seulement que ta belle étourdie
Dans quelque honnête ennui ne perde sa gaieté.

RODOLPHE

Prends garde seulement que ta rose endormie
Ne trouve un papillon quelque beau soir d'été.

ALBERT

Des premiers feux du jour j'aperçois la lumière.

RODOLPHE

Laissons notre dispute, et vidons notre verre.
Nous aimons, c'est assez, chacun a sa façon.
J'en ai connu plus d'une, et j'en sais la chanson.
Le droit est au plus fort en amour comme en guerre,
Et la femme qu'on aime aura toujours raison.

SILVIA [1]

A Madame ***

Il est donc vrai, vous vous plaignez aussi,
Vous dont l'œil noir, gai comme un jour de fête,
Du monde entier pourrait chasser l'ennui.
    Combien donc pesait le souci
    Qui vous a fait baisser la tête?
C'est, j'imagine, un aussi lourd fardeau
    Que le roitelet de la fable;
    Ce grand chagrin qui vous accable
    Me fait souvenir du roseau.
    Je suis bien loin d'être le chêne,
Mais, dites-moi, vous qu'en un autre temps
(Quand nos aïeux vivaient en bons enfants)
J'aurais nommée Iris, ou Philis, ou Climène,
    Vous qui, dans ce siècle bourgeois,
Osez encor me permettre parfois
    De vous appeler ma marraine [2],
Est-ce bien vous qui m'écrivez ainsi,
Et songiez-vous qu'il faut qu'on vous réponde?
    Savez-vous que, dans votre ennui,
Sans y penser, madame et chère blonde,
    Vous me grondez comme un ami?
    Paresse et manque de courage,
    Dites-vous; s'il en est ainsi,
    Je vais me remettre à l'ouvrage.
    Hélas! l'oiseau revient au nid,
    Et quelquefois même à la cage.

Sur mes lauriers on me croit endormi;
C'est trop d'honneur pour un instant d'oubli,
Et dans mon lit les lauriers n'ont que faire;
    Ce ne serait pas mon affaire.
Je sommeillais seulement à demi,
    A côté d'un brin de verveine
    Dont le parfum vivait à peine,
    Et qu'en rêvant j'avais cueilli.
Je l'avouerai, ce coupable silence,
Ce long repos, si maltraité de vous,
Paresse, amour, folie ou nonchalance,
    Tout ce temps perdu me fut doux.
Je dirai plus, il me fut profitable;
Et, si jamais mon inconstant esprit
    Sait revêtir de quelque fable
    Ce que la vérité m'apprit,
    Je vous paraîtrai moins coupable.
    Le silence est un conseiller
    Qui dévoile plus d'un mystère;
    Et qui veut un jour bien parler
    Doit d'abord apprendre à se taire.
    Et, quand on se tairait toujours,
    Du moment qu'on vit et qu'on aime,
    Qu'importe le reste? et vous-même,
    Quand avez-vous compté les jours?
Et puisqu'il faut que tout s'évanouisse,
N'est-ce donc pas une folle avarice,
    De conserver comme un trésor
    Ce qu'un coup de vent nous enlève?
Le meilleur de ma vie a passé comme un rêve
    Si léger, qu'il m'est cher encor.
Mais revenons à vous, ma charmante marraine.
    Vous croyez donc vous ennuyer?
Et l'hiver qui s'en vient, rallumant le foyer,

A fait rêver la châtelaine.
Un roman, dites-vous, pourrait vous égayer;
Triste chose à vous envoyer!
Que ne demandez-vous un conte à La Fontaine?
C'est avec celui-là qu'il est bon de veiller;
Ouvrez-le sur votre oreiller,
Vous verrez se lever l'aurore.
Molière l'a prédit, et j'en suis convaincu,
Bien des choses auront vécu
Quand nos enfants liront encore
Ce que le bonhomme a conté,
Fleur de sagesse et de gaieté.
Mais quoi! la mode vient, et tue un vieil usage.
On n'en veut plus, du sobre et franc langage
Dont il enseignait la douceur,
Le seul français, et qui vienne du cœur;
Car, n'en déplaise à l'Italie,
La Fontaine, sachez-le bien,
En prenant tout n'imita rien;
Il est sorti du sol de la patrie,
Le vert laurier qui couvre son tombeau;
Comme l'antique, il est nouveau.
Ma protectrice bien-aimée,
Quand votre lettre parfumée
Est arrivée à votre enfant gâté,
Je venais de causer en toute liberté
Avec le grand ami Shakspeare.
Du sujet cependant Boccace était l'auteur;
Car il féconde tout, ce charmant inventeur;
Même après l'autre, il fallait le relire.
J'étais donc seul, ses *Nouvelles* en main,
Et de la nuit la lueur azurée,
Se jouant avec le matin,
Etincelait sur la tranche dorée

Du petit livre florentin;
Et je songeais, quoi qu'on dise ou qu'on fasse,
Combien c'est vrai que les Muses sont sœurs;
Qu'il eut raison, ce pinceau plein de grâce,
Qui nous les montre au sommet du Parnasse,
        Comme une guirlande de fleurs!
        La Fontaine a ri dans Boccace,
        Où Shakspeare fondait en pleurs.
Sera-ce trop que d'enhardir ma muse
Jusqu'à tenter de traduire à mon tour
Dans ce livre amoureux une histoire d'amour [1]?
        Mais tout est bon qui vous amuse.
Je n'oserais, si ce n'était pour vous,
Car c'est beaucoup que d'essayer ce style
Tant oublié, qui fut jadis si doux,
        Et qu'aujourd'hui l'on croit facile.

        Il fut donc, dans notre cité,
        Selon ce qu'on nous a conté
(Boccace parle ainsi; la cité, c'est Florence),
    Un gros marchand, riche, homme d'importance,
        Qui de sa femme eut un enfant;
        Après quoi, presque sur-le-champ,
        Ayant mis ordre à ses affaires,
        Il passa de ce monde ailleurs.
La mère survivait; on nomma des tuteurs,
        Gens loyaux, prudents et sévères,
        Capables de se faire honneur
        En gardant les biens d'un mineur.
    Le jouvenceau, courant le voisinage,
        Sentit d'abord douceur de cœur
        Pour une fille de son âge,
        Qui pour père avait un tailleur;
Et peu à peu l'enfant devenant homme,

Le temps changea l'habitude en amour,
    De telle sorte que Jérôme
Sans voir Silvia ne pouvait vivre un jour.
A son voisin la fille accoutumée
Aima bientôt comme elle était aimée.
De ce danger la mère s'avisa,
Gronda son fils, longtemps moralisa,
Sans rien gagner par force ou par adresse.
    Elle croyait que la richesse
    En ce monde doit tout changer,
Et d'un buisson peut faire un oranger [1].
Ayant donc pris les tuteurs à partie,
La mère dit : « Cet enfant que voici,
Lequel n'a pas quatorze ans, Dieu merci!
Va désoler le reste de ma vie.
    Il s'est si bien amouraché
    De la fille d'un mercenaire,
Qu'un de ces jours, s'il n'en est empêché,
    Je vais me réveiller grand'mère.
Soir ni matin, il ne la quitte pas.
    C'est, je crois, Silvia qu'on l'appelle;
Et, s'il doit voir quelque autre dans ses bras,
    Il se consumera pour elle.
Il faudrait donc, avec votre agrément,
    L'éloigner par quelque voyage;
    Il est jeune, la fille est sage,
    Elle l'oubliera sûrement;
Et nous le marierons à quelque honnête femme. »
    Les tuteurs dirent que la dame
    Avait parlé fort sagement.
« Te voilà grand, dirent-ils à Jérôme,
    Il est bon de voir du pays.
Va-t'en passer quelques jours à Paris,
    Voir ce que c'est qu'un gentilhomme.

Le bel usage, et comme on vit là-bas;
            Dans peu de temps tu reviendras. »
A ce conseil, le garçon, comme on pense,
            Répondit qu'il n'en ferait rien,
            Et qu'il pouvait voir aussi bien
            Comment l'on vivait à Florence.
            Là-dessus, la mère en fureur
Répond d'abord par une grosse injure;
Puis elle prend l'enfant par la douceur;
            On le raisonne, on le conjure,
A ses tuteurs il lui faut obéir;
On lui promet de ne le retenir
Qu'un an au plus. Tant et tant on le prie,
Qu'il cède enfin. Il quitte sa patrie;
            Il part, tout plein de ses amours,
            Comptant les nuits, comptant les jours,
Laissant derrière lui la moitié de sa vie.
L'exil dura deux ans; ce long terme passé,
            Jérôme revint à Florence,
Du mal d'amour plus que jamais blessé,
Croyant sans doute être récompensé.
            Mais c'est un grand tort que l'absence.
Pendant qu'au loin courait le jouvenceau,
            La fille s'était mariée.
En revoyant les rives de l'Arno,
            Il n'y trouva que le tombeau
            De son espérance oubliée.
            D'abord il n'en murmura point,
            Sachant que le monde, en ce point,
            Agit rarement d'autre sorte.
De l'infidèle il connaissait la porte,
Et tous les jours il passait sur le seuil,
            Espérant un signe, un coup d'œil,
            Un rien, comme on fait quand on aime.

Mais tous ses pas furent perdus :
Silvia ne le connaissait plus,
Dont il sentit une douleur extrême.
Cependant, avant d'en mourir,
Il voulut de son souvenir
Essayer de parler lui-même.
Le mari n'était pas jaloux,
Ni la femme bien surveillée.
Un soir que les nouveaux époux
Chez un voisin étaient à la veillée,
Dans la maison, au tomber de la nuit,
Jérôme entra, se cacha près du lit,
Derrière une pièce de toile;
Car l'époux était tisserand,
Et fabriquait cette espèce de voile
Qu'on met sur un balcon toscan.
Bientôt après les mariés rentrèrent,
Et presque aussitôt se couchèrent.
Dès qu'il entend dormir l'époux,
Dans l'ombre vers Silvia Jérôme s'achemine,
Et lui posant la main sur la poitrine,
Il lui dit doucement : « Mon âme, dormez-vous? »
La pauvre enfant, croyant voir un fantôme,
Voulut crier; le jeune homme ajouta :
« Ne criez pas, je suis votre Jérôme.
— Pour l'amour de Dieu, dit Silvia,
Allez-vous-en, je vous en prie.
Il est passé, ce temps de notre vie
Où notre enfance eut loisir de s'aimer.
Vous voyez, je suis mariée.
Dans les devoirs auxquels je suis liée,
Il ne me sied plus de penser
A vous revoir ni vous entendre.
Si mon mari venait à vous surprendre,

Songez que le moindre des maux
Serait pour moi d'en perdre le repos;
Songez qu'il m'aime et que je suis sa femme. »
A ce discours, le malheureux amant
Fut navré jusqu'au fond de l'âme.
Ce fut en vain qu'il peignit son tourment,
Et sa constance et sa misère;
Par promesse ni par prière,
Tout son chagrin ne put rien obtenir.
Alors, sentant la mort venir,
Il demanda que, pour grâce dernière,
Elle le laissât se coucher
Pendant un instant auprès d'elle,
Sans bouger et sans la toucher,
Seulement pour se réchauffer,
Ayant au cœur une glace mortelle,
Lui promettant de ne pas dire un mot,
Et qu'il partirait aussitôt,
Pour ne la revoir de sa vie.
La jeune femme, ayant quelque compassion,
Moyennant la condition,
Voulut contenter son envie.
Jérôme profita d'un moment de pitié;
Il se coucha près de Silvie.
Considérant alors quelle longue amitié
Pour cette femme il avait eue,
Et quelle était sa cruauté,
Et l'espérance à tout jamais perdue,
Il résolut de cesser de souffrir,
Et rassemblant dans un dernier soupir
Toutes les forces de sa vie,
Il serra la main de sa mie,
Et rendit l'âme à son côté.
Silvia, non sans quelque surprise,

Admirant sa tranquillité,
Resta d'abord quelque temps indécise.
« Jérôme, il faut sortir d'ici,
Dit-elle enfin, l'heure s'avance. »
Et, comme il gardait le silence,
Elle pensa qu'il s'était endormi.
Se soulevant donc à demi,
Et doucement l'appelant à voix basse,
Elle étendit la main vers lui,
Et le trouva froid comme glace.
Elle s'en étonna d'abord;
Bientôt, l'ayant touché plus fort,
Et voyant sa peine inutile,
Son ami restant immobile,
Elle comprit qu'il était mort.
Que faire? il n'était pas facile
De le savoir en un moment pareil.
Elle avisa de demander conseil
A son mari, le tira de son somme,
Et lui conta l'histoire de Jérôme,
Comme un malheur advenu depuis peu,
Sans dire à qui ni dans quel lieu.
« En pareil cas, répondit le bonhomme,
Je crois que le meilleur serait
De porter le mort en secret
A son logis, l'y laisser sans rancune,
Car la femme n'a point failli,
Et le mal est à la fortune.
— C'est donc à nous de faire ainsi, »
Dit la femme; et, prenant la main de son mari
Elle lui fit toucher près d'elle
Le corps sur son lit étendu.
Bien que troublé par ce coup imprévu,
L'époux se lève, allume sa chandelle;

Et, sans entrer en plus de mots,
Sachant que sa femme est fidèle,
Il charge le corps sur son dos,
A sa maison secrètement l'emporte,
Le dépose devant la porte,
Et s'en revient sans avoir été vu.
Lorsqu'on trouva, le jour étant venu,
Le jeune homme couché par terre,
Ce fut une grande rumeur;
Et le pire, dans ce malheur,
Fut le désespoir de la mère.
Le médecin aussitôt consulté,
Et le corps partout visité,
Comme on n'y vit point de blessure,
Chacun parlait à sa façon
De cette sinistre aventure.
La populaire opinion
Fut que l'amour de sa maîtresse
Avait jeté Jérôme en cette adversité,
Et qu'il était mort de tristesse,
Comme c'était la vérité.

Le corps fut donc à l'église porté,
Et là s'en vint la malheureuse mère,
Au milieu des amis en deuil,
Exhaler sa douleur amère.
Tandis qu'on menait le cercueil,
Le tisserand qui, dans le fond de l'âme,
Ne laissait pas d'être inquiet :
« Il est bon, dit-il à sa femme,
Que tu prennes ton mantelet,
Et t'en ailles à cette église
Où l'on enterre ce garçon
Qui mourut hier à la maison.
J'ai quelque peur qu'on ne médise

Sur cet inattendu trépas,
Et ce serait un mauvais pas,
Tout innocents que nous en sommes.
Je me tiendrai parmi les hommes,
Et prierai Dieu, tout en les écoutant.
De ton côté, prends soin d'en faire autant
A l'endroit qu'occupent les femmes.
Tu retiendras ce que ces bonnes âmes
Diront de nous, et nous ferons
Selon ce que nous entendrons. »
La pitié trop tard à Silvie
Etait venue, et ce discours lui plut.
Celui dont un baiser eût conservé la vie,
Le voulant voir encore, elle s'en fut.
Il est étrange, il est presque incroyable
Combien c'est chose inexplicable
Que la puissance de l'amour.
Ce cœur, si chaste et si sévère,
Qui semblait fermé sans retour
Quand la fortune était prospère,
Tout à coup s'ouvrit au malheur.
A peine dans l'église entrée,
De compassion et d'horreur
Silvia se sentit pénétrée;
L'ancien amour s'éveilla tout entier.
Le front baissé, de son manteau voilée,
Traversant la triste assemblée,
Jusqu'à la bière il lui fallut aller;
Et là, sous le drap mortuaire
Sitôt qu'elle vit son ami,
Défaillante et poussant un cri,
Comme une sœur embrasse un frère,
Sur le cercueil elle tomba;
Et, comme la douleur avait tué Jérôme.

De sa douleur ainsi mourut Silvia.
Cette fois ce fut au jeune homme
A céder la moitié du lit :
L'un près de l'autre on les ensevelit.
Ainsi ces deux amants, séparés sur la terre,
Furent unis, et la mort fit
Ce que l'amour n'avait pu faire.

CHANSON [1]

A Saint-Blaise, à la Zuecca,
Vous étiez, vous étiez bien aise
A Saint-Blaise.
A Saint-Blaise, à la Zuecca,
Nous étions bien là.

Mais de vous en souvenir
Prendrez-vous la peine?
Mais de vous en souvenir
Et d'y revenir,

A Saint-Blaise, à la Zuecca,
Dans les prés fleuris cueillir la verveine,
A Saint-Blaise, à la Zuecca,
Vivre et mourir là!

1835.

CHANSON DE BARBERINE [1]

Beau chevalier qui partez pour la guerre,
  Qu'allez-vous faire
  Si loin d'ici?
Voyez-vous pas que la nuit est profonde,
  Et que le monde
  N'est que souci?

Vous qui croyez qu'une amour délaissée
  De la pensée
  S'enfuit ainsi,
Hélas! hélas! chercheurs de renommée,
  Votre fumée
  S'envole aussi.

Beau chevalier qui partez pour la guerre,
  Qu'allez-vous faire
  Si loin de nous?
J'en vais pleurer, moi qui me laissais dire
  Que mon sourire
  Était si doux.

1836.

CHANSON DE FORTUNIO [1]

Si vous croyez que je vais dire
      Qui j'ose aimer,
      Je ne saurais, pour un empire,
      Vous la nommer.

Nous allons chanter à la ronde,
      Si vous voulez,
Que je l'adore et qu'elle est blonde
      Comme les blés.

Je fais ce que sa fantaisie
      Veut m'ordonner,
Et je puis, s'il lui faut ma vie,
      La lui donner.

Du mal qu'une amour ignorée
      Nous fait souffrir,
J'en porte l'âme déchirée
      Jusqu'à mourir.

Mais j'aime trop pour que je die
      Qui j'ose aimer,
Et je veux mourir pour ma mie
      Sans la nommer.

1836.

A NINON [1]

Si je vous le disais pourtant, que je vous aime,
Qui sait, brune aux yeux bleus, ce que vous en diriez?
L'amour, vous le savez, cause une peine extrême;
C'est un mal sans pitié que vous plaignez vous-même;
Peut-être cependant que vous m'en puniriez.

Si je vous le disais, que six mois de silence
Cachent de longs tourments et des vœux insensés :
Ninon, vous êtes fine, et votre insouciance
Se plaît, comme une fée, à deviner d'avance;
Vous me répondriez peut-être : Je le sais.

Si je vous le disais, qu'une douce folie
A fait de moi votre ombre, et m'attache à vos pas :
Un petit air de doute et de mélancolie,
Vous le savez, Ninon, vous rend bien plus jolie;
Peut-être diriez-vous que vous n'y croyez pas.

Si je vous le disais, que j'emporte dans l'âme
Jusques aux moindres mots de nos propos du soir :
Un regard offensé, vous le savez, madame,
Change deux yeux d'azur en deux éclairs de flamme;
Vous me défendriez peut-être de vous voir.

Si je vous le disais, que chaque nuit je veille,
Que chaque jour je pleure et je prie à genoux;
Ninon, quand vous riez, vous savez qu'une abeille
Prendrait pour une fleur votre bouche vermeille;
Si je vous le disais, peut-être en ririez-vous.

Mais vous n'en saurez rien. — Je viens, sans rien en
                                            [dire,
M'asseoir sous votre lampe et causer avec vous;
Votre voix, je l'entends; votre air, je le respire;
Et vous pouvez douter, deviner et sourire,
Vos yeux ne verront pas de quoi m'être moins doux.

Je récolte en secret des fleurs mystérieuses :
Le soir, derrière vous, j'écoute au piano
Chanter sur le clavier vos mains harmonieuses,
Et, dans les tourbillons de nos valses joyeuses,
Je vous sens, dans mes bras, plier comme un roseau.

La nuit, quand de si loin le monde nous sépare,
Quand je rentre chez moi pour tirer mes verrous,
De mille souvenirs en jaloux je m'empare;
Et là, seul devant Dieu, plein d'une joie avare,
J'ouvre, comme un trésor, mon cœur tout plein de
                                            [vous.

J'aime, et je sais répondre avec indifférence;
J'aime, et rien ne le dit; j'aime, et seul je le sais;
Et mon secret m'est cher, et chère ma souffrance,
Et j'ai fait le serment d'aimer sans espérance,
Mais non pas sans bonheur; — je vous vois, c'est assez.

Non, je n'étais pas né pour ce bonheur suprême,
De mourir dans vos bras et de vivre à vos pieds.
Tout me le prouve, hélas! jusqu'à ma douleur même...
Si je vous le disais pourtant, que je vous aime,
Qui sait, brune aux yeux bleus, ce que vous en diriez?

                                        1837

A SAINTE-BEUVE

SUR UN PASSAGE D'UN ARTICLE INSÉRÉ DANS LA « REVUE DES DEUX MONDES [1] »

Ami, tu l'as bien dit : en nous, tant que nous sommes,
Il existe souvent une certaine fleur
Qui s'en va dans la vie et s'effeuille du cœur.
« Il existe, en un mot, chez les trois quarts des
[hommes,
Un poète mort jeune à qui l'homme survit. »
Tu l'as bien dit, ami, mais tu l'as trop bien dit.

Tu ne prenais pas garde, en traçant ta pensée,
Que ta plume en faisait un vers harmonieux,
Et que tu blasphémais dans la langue des dieux.
Relis-toi, je te rends à ta Muse offensée;
Et souviens-toi qu'en nous il existe souvent
Un poète endormi toujours jeune et vivant.

Juillet 1837.

A ALFRED DE MUSSET

RÉPONSE DE M. SAINTE-BEUVE

Il n'est pas mort, ami, ce poète, en mon âme;
Il n'est pas mort, ami, tu le dis, je le crois.
Il ne dort pas, il veille, étincelle sans flamme;
La flamme, je l'étouffe, et je retiens ma voix.

Que dire et que chanter quand la plage est déserte,
Quand les flots des jours pleins sont déjà retirés,
Quand l'écume flétrie et partout l'algue verte
Couvrent au loin les bords au matin si sacrés.

Que dire des soupirs que la jeunesse enfuie
Renvoie à tous instants à ce cœur non soumis?
Que dire des banquets où s'égaya la vie,
Et des premiers plaisirs, et des premiers amis?

L'amour vint sérieux pour moi dans son ivresse.
Sous les fleurs tu chantais, raillant ses dons jaloux.
Enfin, un jour tu crus! moi, j'y croyais sans cesse...
Sept ans entiers, sept ans!... Alfred, y croyons-nous?

L'une, ardente, vous prend dans sa soif, et vous jette
Comme un fruit qu'on méprise après l'avoir séché.
L'autre, tendre et croyante, un jour devient muette,
Et pleure, et dit que l'astre en son ciel s'est couché!

Le mal qu'on savait moins se révèle à toute heure,
Inhérent à la terre, irréparable et lent.
On croyait tout changer, il faut que tout demeure.
Railler, maudire alors, amer et violent,

A quoi bon? — Trop sentir, c'est bien souvent se taire,
C'est refuser du chant l'aimable guérison,
C'est vouloir dans son cœur tout son deuil volontaire,
C'est enchaîner sa lampe aux murs de sa prison!

Mais cependant, ami, si ton luth qui me tente,
Si ta voix d'autrefois se remet à briller;

Si ton frais souvenir dans ta course bruyante,
Ton cor de gai chasseur me revient appeler;

Si de toi quelque accent léger, pourtant sensible,
Comme aujourd'hui m'apporte un écho du passé,
S'il revient éveiller, à ce cœur accessible,
Ce qu'il cache dans l'ombre et qu'il n'a pas laissé,

Soudain ma voix renaît, mon soupir chante encore,
Mon pleur, comme au matin, s'échappe harmonieux,
Et, tout parlant d'ennuis qu'il vaut mieux qu'on
Le désir me reprend de les conter aux cieux.[dévore,

A LYDIE

TRADUIT D'HORACE (ODE IX, LIVRE III)

HORACE

Lorsque je t'avais pour amie,
Quand nul jeune garçon, plus robuste que moi,
N'entourait de ses bras ton épaule arrondie,
Auprès de toi, blanche Lydie,
J'ai vécu plus joyeux et plus heureux qu'un roi.

LYDIE

Quand pour toi j'étais la plus chère
Quand Chloé pâlissait auprès de Lydia,
Lydia, qu'on vantait dans l'Italie entière,
Vécut plus heureuse et plus fière
Que dans les bras d'un dieu la Romaine Ilia.

HORACE

Chloé me gouverne à présent,
Chloé, savante au luth, habile en l'art du chant;
Le doux son de sa voix de volupté m'enivre.
Je suis prêt à cesser de vivre
Si, pour la préserver, les dieux voulaient mon sang.

LYDIE

Je me consume maintenant
D'une amoureuse ardeur que rien ne peut éteindre,
Pour le fils d'Ornithus, ce bel adolescent.
Je mourrais deux fois sans me plaindre
Si, pour le préserver, les dieux voulaient mon sang.

HORACE

Eh quoi! si dans notre pensée
L'ancien amour se rallumait?
Si, la blonde Chloé de ma maison chassée,
Ma porte se rouvrait? si Vénus offensée
Au joug d'airain nous ramenait?

LYDIE

Calaïs, ma richesse unique,
Est plus beau qu'un soleil levant,
Et toi plus léger que le vent,
Plus prompt à t'irriter que l'âpre Adriatique;
Cependant près de toi, si c'était ton plaisir,
Volontiers j'irais vivre, et volontiers mourir.

1837.

A LYDIE

IMITATION

HORACE

Du temps où tu m'aimais, Lydie,
De ses bras, nul autre que moi
N'entourait ta gorge arrondie;
J'ai vécu plus heureux qu'un roi.

LYDIE

Du temps où j'étais ta maîtresse,
Tu me préférais à Chloé;
Je m'endormais à ton côté,
Plus heureuse qu'une déesse.

HORACE

Chloé me gouverne à présent,
Savante au luth, habile au chant;
La douceur de sa voix m'enivre.
Je suis prêt à cesser de vivre
S'il fallait lui donner mon sang.

LYDIE

Je me consume maintenant
Pour Calaïs, mon jeune amant,
Qui dans mon cœur a pris ta place.
Je mourrais deux fois, cher Horace,
S'il fallait lui donner mon sang.

Horace

Eh quoi! si dans notre pensée
L'ancien amour se ranimait?
Si ma blonde était délaissée?
Si demain Vénus offensée
A ta porte me ramenait?

Lydie

Calaïs est jeune et fidèle,
Et toi, poète, ton désir
Est plus léger que l'hirondelle,
Plus inconstant que le zéphyr;
Pourtant, s'il t'en prenait envie,
Avec toi j'aimerais la vie;
Avec toi je voudrais mourir.

1837.

A ALF. T. [1]

SONNET

Qu'il est doux d'être au monde, et quel bien que
                            [la vie!
Tu le disais ce soir par un beau jour d'été.
Tu le disais, ami, dans un site enchanté,
Sur le plus vert coteau de ta forêt chérie.

Nos chevaux, au soleil, foulaient l'herbe fleurie:
Et moi, silencieux, courant à ton côté,

Je laissais au hasard flotter ma rêverie;
Mais dans le fond du cœur je me suis répété :

— Oui, la vie est un bien, la joie est une ivresse;
Il est doux d'en user sans crainte et sans soucis;
Il est doux de fêter les dieux de la jeunesse,

De couronner de fleurs son verre et sa maîtresse,
D'avoir vécu trente ans comme Dieu l'a permis,
Et, si jeunes encor, d'être de vieux amis.

Bury, 10 août 1838.

A UNE FLEUR

Que me veux-tu, chère fleurette,
Aimable et charmant souvenir?
Demi-morte et demi-coquette,
Jusqu'à moi qui te fait venir?

Sous ce cachet enveloppée,
Tu viens de faire un long chemin.
Qu'as-tu vu? que t'a dit la main
Qui sur le buisson t'a coupée?

N'es-tu qu'une herbe desséchée
Qui vient achever de mourir?
Ou ton sein, prêt à refleurir,
Renferme-t-il une pensée?

Ta fleur, hélas! a la blancheur
De la désolante innocence;
Mais de la craintive espérance
Ta feuille porte la couleur.

As-tu pour moi quelque message?
Tu peux parler, je suis discret.
Ta verdure est-elle un secret?
Ton parfum est-il un langage?

S'il en est ainsi, parle bas,
Mystérieuse messagère;
S'il n'en est rien, ne réponds pas;
Dors sur mon cœur, fraîche et légère.

Je connais trop bien cette main,
Pleine de grâce et de caprice,
Qui d'un brin de fil souple et fin
A noué ton pâle calice.

Cette main-là, petite fleur,
Ni Phidias ni Praxitèle
N'en auraient pu trouver la sœur
Qu'en prenant Vénus pour modèle.

Elle est blanche, elle est douce et belle,
Franche, dit-on, et plus encor;
A qui saurait s'emparer d'elle
Elle peut ouvrir un trésor.

Mais elle est sage, elle est sévère;
Quelque mal pourrait m'arriver.
Fleurette, craignons sa colère.
Ne dis rien, laisse-moi rêver.

                                                1838.

LE FILS DU TITIEN

Lorsque j'ai lu Pétrarque, étant encore enfant,
J'ai souhaité d'avoir quelque gloire en partage.
Il aimait en poète et chantait en amant;
De la langue des dieux lui seul sut faire usage.

Lui seul eut le secret de saisir au passage
Les battements du cœur qui durent un moment,
Et, riche d'un sourire, il en gravait l'image
Du bout d'un stylet d'or sur un pur diamant.

O vous qui m'adressez une parole amie,
Qui l'écriviez hier et l'oublierez demain,
Souvenez-vous de moi qui vous en remercie.

J'ai le cœur de Pétrarque et n'ai point son génie;
Je ne puis ici-bas que donner en chemin
Ma main à qui m'appelle, à qui m'aime ma vie.

3 mai 1838

SONNET

Béatrix Donato fut le doux nom de celle
Dont la forme terrestre eut ce divin contour.
Dans sa blanche poitrine était un cœur fidèle,
Et dans son corps sans tache un esprit sans détour.

Le fils du Titien, pour la rendre immortelle,
Fit ce portrait, témoin d'un mutuel amour;
Puis il cessa de peindre à compter de ce jour,
Ne voulant de sa main illustrer d'autre qu'elle.

Passant, qui que tu sois, si ton cœur sait aimer,
Regarde ma maîtresse avant de me blâmer,
Et dis si, par hasard, la tienne est aussi belle.

Vois donc combien c'est peu que la gloire ici bas,
Puisque tout beau qu'il est, ce portrait ne vaut pas
(Crois-m'en sur ma parole) un baiser du modèle.

                                        1838.

ADIEU [1]

Adieu! je crois qu'en cette vie
Je ne te reverrai jamais.
Dieu passe, il t'appelle et m'oublie;
En te perdant je sens que je t'aimais.

Pas de pleurs, pas de plainte vaine.
Je sais respecter l'avenir.
Vienne la voile qui t'emmène,
En souriant je la verrai partir.

Tu t'en vas pleine d'espérance,
Avec orgueil tu reviendras;
Mais ceux qui vont souffrir de ton absence,
Tu ne les reconnaîtras pas.

Adieu! tu vas faire un beau rêve
Et t'enivrer d'un plaisir dangereux;
Sur ton chemin l'étoile qui se lève
Longtemps encor éblouira tes yeux.

Un jour tu sentiras peut-être
Le prix d'un cœur qui nous comprend,
Le bien qu'on trouve à le connaître,
Et ce qu'on souffre en le perdant.

1839.

SONNET

Non, quand bien même une amère souffrance
Dans ce cœur mort pourrait se ranimer;
Non, quand bien même une fleur d'espérance
Sur mon chemin pourrait encor germer;

Quand la pudeur, la grâce et l'innocence
Viendraient en toi me plaindre et me charmer,
Non, chère enfant, si belle d'ignorance,
Je ne saurais, je n'oserais t'aimer.

Un jour pourtant il faudra qu'il te vienne,
L'instant suprême où l'univers n'est rien.
De mon respect alors qu'il te souvienne!

Tu trouveras, dans la joie ou la peine,
Ma triste main pour soutenir la tienne,
Mon triste cœur pour écouter le tien.

1839.

JAMAIS

Jamais, avez-vous dit, tandis qu'autour de nous
Résonnait de Schubert la plaintive musique;
Jamais, avez-vous dit, tandis que, malgré vous,
Brillait de vos grands yeux l'azur mélancolique.

Jamais, répétiez-vous, pâle et d'un air si doux
Qu'on eût cru voir sourire une médaille antique.
Mais des trésors secrets l'instinct fier et pudique
Vous couvrit de rougeur, comme un voile jaloux.

Quel mot vous prononcez, marquise, et quel dommage!
Hélas! je ne voyais ni ce charmant visage,
Ni ce divin sourire, en vous parlant d'aimer.

Vos yeux bleus sont moins doux que votre âme n'est
[belle.
Même en les regardant, je ne regrettais qu'elle,
Et de voir dans sa fleur un tel cœur se fermer.

1839.

IMPROMPTU

EN RÉPONSE A CETTE QUESTION : QU'EST-CE QUE LA POÉSIE?

Chasser tout souvenir et fixer la pensée,
Sur un bel axe d'or la tenir balancée,
Incertaine, inquiète, immobile pourtant;
Eterniser peut-être un rêve d'un instant;
Aimer le vrai, le beau, chercher leur harmonie;
Ecouter dans son cœur l'écho de son génie;
Chanter, rire, pleurer, seul, sans but, au hasard;
D'un sourire, d'un mot, d'un soupir, d'un regard

Faire un travail exquis, plein de crainte et de charme,
        Faire une perle d'une larme :
Du poète ici-bas voilà la passion,
Voilà son bien, sa vie et son ambition.

                                                    1839.

A MADEMOISELLE *** [1]

Oui, femmes, quoi qu'on puisse dire,
Vous avez le fatal pouvoir
De nous jeter par un sourire
Dans l'ivresse ou le désespoir.

Oui, deux mots, le silence même,
Un regard distrait ou moqueur,
Peuvent donner à qui vous aime
Un coup de poignard dans le cœur

Oui, votre orgueil doit être immense,
Car, grâce à notre lâcheté,
Rien n'égale votre puissance,
Sinon votre fragilité.

Mais toute puissance sur terre
Meurt quand l'abus en est trop grand,
Et qui sait souffrir et se taire
S'éloigne de vous en pleurant.

Quel que soit le mal qu'il endure,
Son triste rôle est le plus beau.
J'aime encor mieux notre torture
Que votre métier de bourreau.

                                          Mars 1839.

UNE SOIRÉE PERDUE

J'étais seul, l'autre soir, au Théâtre-Français [1],
Ou presque seul; l'auteur n'avait pas grand succès.
Ce n'était que Molière, et nous savons de reste
Que ce grand maladroit, qui fit un jour *Alceste,*
Ignora le bel art de chatouiller l'esprit
Et de servir à point un dénoûment bien cuit.
Grâce à Dieu, nos auteurs ont changé de méthode,
Et nous aimons bien mieux quelque drame à la mode
Où l'intrigue, enlacée et roulée en feston,
Tourne comme un rébus autour d'un mirliton.

J'écoutais cependant cette simple harmonie,
Et comme le bon sens fait parler le génie.
J'admirais quel amour pour l'âpre vérité
Eut cet homme si fier en sa naïveté,
Quel grand et vrai savoir des choses de ce monde,
Quelle mâle gaieté, si triste et si profonde
Que, lorsqu'on vient d'en rire, on devrait en pleurer!
Et je me demandais : Est-ce assez d'admirer?
Est-ce assez de venir, un soir, par aventure,
D'entendre au fond de l'âme un cri de la nature,
D'essuyer une larme, et de partir ainsi,
Quoi qu'on fasse d'ailleurs, sans en prendre souci?
Enfoncé que j'étais dans cette rêverie,
Çà et là, toutefois, lorgnant la galerie,
Je vis que, devant moi, se balançait gaiement
Sous une tresse noire un cou svelte et charmant;

Et, voyant cet ébène enchâssé dans l'ivoire,
Un vers d'André Chénier chanta dans ma mémoire,
Un vers presque inconnu, refrain inachevé,
Frais comme le hasard, moins écrit que rêvé.
J'osai m'en souvenir, même devant Molière;
Sa grande ombre, à coup sûr, ne s'en offensa pas;
Et, tout en écoutant, je murmurais tout bas,
Regardant cette enfant, qui ne s'en doutait guère :
« Sous votre aimable tête, un cou blanc, délicat,
Se plie, et de la neige effacerait l'éclat. »

Puis je songeais encore (ainsi va la pensée)
Que l'antique franchise, à ce point délaissée,
Avec notre finesse et notre esprit moqueur,
Ferait croire, après tout, que nous manquons de cœur;
Que c'était une triste et honteuse misère
Que cette solitude à l'entour de Molière,
Et qu'il est *pourtant temps,* comme dit la chanson [1],
De sortir de ce siècle ou d'en avoir raison;
Car à quoi comparer cette scène embourbée,
Et l'effroyable honte où la muse est tombée?
La lâcheté nous bride, et les sots vont disant
Que, sous ce vieux soleil, tout est fait à présent;
Comme si les travers de la famille humaine
Ne rajeunissaient pas chaque an, chaque semaine.
Notre siècle a ses mœurs, partant, sa vérité;
Celui qui l'ose dire est toujours écouté.

Ah! j'oserais parler, si je croyais bien dire,
J'oserais ramasser le fouet de la satire,
Et l'habiller de noir, cet homme aux rubans verts,
Qui se fâchait jadis pour quelques mauvais vers.
S'il rentrait aujourd'hui dans Paris, la grand'ville,
Il y trouverait mieux pour émouvoir sa bile

Qu'une méchante femme et qu'un méchant sonnet;
Nous avons autre chose à mettre au cabinet.
O notre maître à tous, si ta tombe est fermée,
Laisse-moi dans ta cendre, un instant ranimée,
Trouver une étincelle, et je vais t'imiter!
J'en aurai fait assez si je puis le tenter.
Apprends moi de quel ton, dans ta bouche hardie,
Parlait la vérité, ta seule passion,
Et, pour me faire entendre, à défaut du génie,
J'en aurai le courage et l'indignation!

Ainsi je caressais une folle chimère.
Devant moi cependant, à côté de sa mère,
L'enfant restait toujours, et le cou svelte et blanc
Sous les longs cheveux noirs se berçait mollement.
Le spectacle fini, la charmante inconnue
Se leva. Le beau cou, l'épaule à demi nue,
Se voilèrent; la main glissa dans le manchon;
Et, lorsque je la vis au seuil de sa maison
S'enfuir, je m'aperçus que je l'avais suivie.
Hélas! mon cher ami, c'est là toute ma vie.
Pendant que mon esprit cherchait sa volonté,
Mon corps avait la sienne et suivait la beauté;
Et, quand je m'éveillai de cette rêverie,
Il ne m'en restait plus que l'image chérie :
« Sous votre aimable tête, un cou blanc, délicat,
Se plie, et de la neige effacerait l'éclat. »

Juillet 1840.

SIMONE [1]

CONTE IMITÉ DE BOCCACE

J'aimais les romans à vingt ans.
Aujourd'hui je n'ai plus le temps;
Le bien perdu rend l'homme avare.
J'y veux voir moins loin, mais plus clair;
Je me console de Werther
Avec la reine de Navarre [2].
Et pourquoi pas? Croyez-vous donc,
Quand on n'a qu'une page en tête,
Qu'il en faille chercher si long,
Et que tant parler soit honnête?
Qui des deux est stérilité
Ou l'antique sobriété
Qui n'écrit que ce qu'elle pense,
Ou la moderne intempérance
Qui croit penser dès qu'elle écrit?
Béni soit Dieu! Les gens d'esprit
Ne sont pas rares cette année!
Mais dès qu'il nous vient une idée
Pas plus grosse qu'un petit chien,
Nous essayons d'en faire un âne.
L'idée était femme de bien,
Le livre est une courtisane.
Certes, lorsque le Florentin
Ecrivait un conte, un matin,
Sans poser ni tailler sa plume,
Il aurait pu faire un volume

D'un seul mot chaste ou libertin.
Cette belle âme si hardie,
Qui pleura tant après Pavie,
Et, dans la fleur de ses beaux jours,
Quitta la France et les amours
Pour aller consoler son frère,
Au fond des prisons de Madrid [1],
Croyez-vous qu'elle n'eût pu faire
Un roman comme Scudéry?
Elle aima mieux mettre en lumière
Une larme qui lui fut chère,
Un bon mot dont elle avait ri.
Et ceux qui lisaient son doux livre
Pouvaient passer pour connaisseurs;
C'étaient des gens qui savaient vivre,
Ayant failli mourir ailleurs,
A Rebec, à Fontarabie,
A la Bicoque, à Marignan,
Car alors le seul vrai roman
Etait l'amour de la patrie.
Mais ne parlons pas de cela,
Je ne fais pas une satire,
Et je ne veux que vous traduire
Une histoire de ce temps-là.

Les gens d'esprit ni les heureux
Ne sont jamais bien amoureux :
Tout ce beau monde a trop affaire.
Les pauvres en tout valent mieux;
Jésus leur a promis les cieux,
L'amour leur appartient sur terre.
Dans le beau pays des Toscans
Vivait jadis, au bon vieux temps,
La pauvre enfant d'un pauvre père,

Dont Simonette fut le nom;
Fille d'humble condition,
Passablement jeune et jolie,
Avenante et douce en tout point,
Mais de l'argent n'en ayant point.
Et donc, elle gagnait sa vie
De la laine qu'elle filait,
Au jour le jour, pour qui voulait.
Bien qu'elle ne pût qu'à grand'peine
Tirer son pain de cette laine,
Encor sut-elle avoir du cœur,
Et, dans sa tête florentine,
Loger la joie et la douleur.
Ce ne fut pas un grand seigneur
Qui voulut d'elle, on l'imagine,
Mais un garçon de bonne mine
Dont la besogne était d'aller,
Donnant de la laine à filer
Pour un marchand de drap, son maître.
Pascal, c'est le nom du garçon,
Avait, en mainte occasion,
Laissé son amitié paraître;
Et, soit faute de s'y connaître,
Soit qu'elle n'y vît point de mal,
L'heure où devait venir Pascal
Mettait Simone à la fenêtre.
Là, lui répondant de son mieux,
Sans en souhaiter davantage,
En le voyant jeune et joyeux,
Elle montrait sur son visage
Le plaisir que prenaient ses yeux;
Puis, travaillant en son absence,
De tout son cœur elle filait,
Songeant, pour prendre patience,

De qui sa laine lui venait,
Et baisant tout bas son rouet,
Non sans chanter quelque romance.
D'autre part, le garçon montrait
De jour en jour un nouveau zèle
Pour sa laine, et ne trouvait rien
(J'ai dit que Simone était belle)
Qui fût plus tôt fait ni si bien
Qu'un fuseau dévidé par elle.
L'un soupirant, l'autre filant,
La saison des fleurs s'en mêlant,
Enfin, comme il n'est en ce monde
Si petite herbe sous le pied
Qu'un jour de printemps ne féconde,
Ni si fugitive amitié
Dont il ne germe une amourette,
Un jour advint que le fuseau
Tomba par terre, et la fillette
Entre les bras du jouvenceau.

Près des barrières de la ville
Etait alors un beau jardin,
Lieu charmant, solitaire asile,
Ouvert pourtant soir et matin.
L'écolier, son livre à la main,
Le rêveur avec sa paresse,
L'amoureux avec sa maîtresse,
Entraient là comme en paradis
(Car la liberté fut jadis
Un des trésors de l'Italie,
Comme la musique et l'amour).
Le bon Pascal voulut un jour
En ce lieu mener son amie,
Non pour lire ni pour rêver,

Mais voir s'ils n'y pourraient trouver
Quelque banc au coin d'une allée
Où se dire, sans trop de mots,
De ces secrets que les oiseaux
Se racontent sous la feuillée.
Sitôt formé, sitôt conclu,
Ce projet n'avait point déplu
A la brunette filandière,
Et, le dimanche étant venu,
Après avoir dit à son père
Qu'elle avait dessein d'aller faire
Ses dévotions à Saint-Gal,
Au lieu marqué, brave et légère,
Elle courut trouver Pascal.
Avant de se mettre en campagne,
Il faut savoir qu'elle avait pris,
Selon l'usage du pays,
Une voisine pour compagne;
Ce n'est pas là comme à Paris;
L'amour ne va pas sans amis.
Bien est-il que cette voisine
Causa plus de mal que de bien.
Belle ou laide, je n'en sais rien,
Boccace la nomme Lagine.
Le jeune homme, de son côté,
Vint pareillement escorté
D'un voisin surnommé le Strambe,
Ce qui veut dire proprement
Que, sans boiter précisément,
Il louchait un peu d'une jambe.
Mais n'importe. Entrés au jardin,
Nos couples se prirent la main,
Le voisin avec la voisine,
Et chacun suivit son chemin.

Pendant que le Strambe et Lagine
Au soleil allaient faire un tour,
Cherchant à coudre un brin d'amour,
Au fond des bois, sous la ramée,
Pascal, menant sa bien-aimée,
Trouva bientôt ce qu'il cherchait,
Une touffe d'herbe entassée,
Et le bonheur qui l'attendait.
Comment cette heure fut passée,
Le dira qui sait ce que c'est;
Deux bras amis, blancs comme lait,
Un rideau vert, un lit de mousse,
La vie, hélas! c'est ce qui fait
Qu'elle est si cruelle et si douce.
Le hasard voulut que ce lieu
Fût au penchant d'une prairie.
Çà et là, comme il plaît à Dieu,
L'herbe courait fraîche et fleurie;
Et comme un peu de causerie
Vient toujours après le plaisir,
Toujours du moins lorsque l'on aime,
Car autrement le bonheur même
Est sans espoir ni souvenir,
Nos amoureux, assis par terre,
Commencèrent à deviser,
Entre le rire et le baiser,
D'un bon dîner qu'ils voulaient faire
En ce lieu même, à leur loisir;
La place leur devenait chère,
Il leur fallait y revenir.
Tout en jasant sous la verdure,
Le jouvenceau, par aventure,
Prit une fleur dans un buisson.
Quelle fleur? Le pauvre garçon

N'en savait rien, et je l'ignore;
N'y pouvant croire aucun danger,
Il la porta, sans y songer,
A sa lèvre brûlante encore
De ces baisers si désirés,
Et si lentement savourés.
Puis, revenant à la pensée
Qu'ils avaient tous deux caressée,
Il parla d'abord quelque temps,
Tenant cette herbe entre ses dents;
Mais il ne continua guère
Que le visage lui changea.
Pâle et mourant sur la bruyère
Tout à coup il se souleva,
Appelant Simone, et déjà
Entouré de l'ombre éternelle;
Il étendit les bras vers elle,
Perdit la parole et tomba.
Bien que ce fût chose trop claire
Qu'il eût ainsi trouvé la mort,
La pauvre Simone d'abord
Ne put croire à tant de misère
Que d'avoir perdu son ami,
Et le voir s'en aller ainsi
Sans adieu, plainte, ni prière.
Tremblante elle courut à lui,
Croyant qu'il s'était endormi
Dans quelque douleur passagère,
Et le serra tout défailli,
Non plus en amant, mais en frère.
Qu'eût-elle fait? Les pauvres gens,
Habitués à la souffrance,
Gardent jusqu'aux derniers instants
Leur unique bien, l'espérance;

Mais la Mort vient, qui le leur prend.
Déjà le spectre aux mains avides
Etalait ses traces livides
Sur l'homme presque encor vivant;
Les beaux yeux, les lèvres chéries,
Se couvraient d'un masque de sang
Marqué du fouet des Furies.
Bientôt ce corps inanimé,
Si beau naguère et tant aimé,
Fut un tel objet d'épouvante,
Que le regard de son amante
Avec horreur s'en détourna.

Aux cris que Simone jeta,
Strambe accourut avec Lagine,
Et par malheur vinrent aussi
Les gens d'une maison voisine.
Quand le peuple s'assemble ainsi,
C'est toujours sur quelque ruine.
Ici surtout ce fut le cas.
Ceux qui firent les premiers pas
Trouvèrent Simone étendue
Auprès du corps de son amant,
En sorte qu'on crut un moment
Que, par une cause inconnue,
Ils avaient expiré tous deux.
Plût au ciel! Telle mort pour eux
Eût été douce et bienvenue.
Mais Simone rouvrit les yeux :
« Malheureuse, dit le boiteux,
Voyant son compagnon sans vie,
C'est toi qui l'as assassiné! »
A ce mot, le peuple étonné
S'approche en foule; on se récrie;

Un médecin est amené.
Il voit un mort, il s'en empare,
Observe, consulte et déclare
Que Pascal est empoisonné.
A tous ces discours, Simonette
Ne comprenant que son chagrin,
Restait, la tête dans sa main,
Plus immobile et plus muette
Qu'une pierre sur un tombeau.
Qui devait parler? C'est Lagine.
Venant d'une âme féminine,
Un tel courage eût été beau.
Ce qu'elle fit, on le devine;
Elle se tut, faute de cœur,
Et, voyant tomber l'infamie
Sur sa compagne et son amie,
Au lieu d'avoir de son malheur
Compassion, elle en eut peur.
Moyennant quoi l'infortunée,
Seule et sans aide contre tous,
Devant le juge fut traînée,
Et là tomba sur ses genoux,
De ses larmes toute baignée,
Et plus qu'à demi condamnée.
Le juge, ayant tout entendu,
Ne se trouva pas convaincu,
Et, soupçonnant quelque mystère,
Voulut, sans remettre l'affaire,
Incontinent l'examiner,
Ne se pouvant imaginer,
Ni que la fille fût coupable,
Voyant qu'elle pleurait si fort,
Ni que le jeune homme fût mort
Sans une cause vraisemblable.

Il prit Simone par la main,
Et s'acheminant, sans mot dire,
Avec ses gens, vers le jardin,
Lui-même il voulut la conduire
Devant le corps du trépassé,
Afin qu'elle pût se défendre
En sa présence, et faire entendre
Comment le fait s'était passé.
Alors, dans sa triste mémoire
Rappelant son fidèle amour,
Du premier jusqu'au dernier jour,
Simone conta son histoire
Comme je l'ai dite à peu près, —
Bien mieux, car les pleurs seuls sont vrais;
Mais personne n'y voulut croire.
Quand elle en fut à raconter
Par quelle disgrâce inouïe
Pascal avait perdu la vie,
Voyant tout le monde en douter,
Et le juge même sourire,
Pour mieux prouver son simple dire,
Elle s'en vint vers l'arbrisseau
Sous lequel le froid jouvenceau
Dormait, pâle et méconnaissable;
Puis, cueillant une fleur semblable
A cette fleur que son ami
Sur ses lèvres avait placée,
Sa pauvre âme eut une pensée,
Qui fut de faire comme lui.
Fut-ce douleur, crainte, ignorance?
Qu'importe? Pascal l'attendait,
Ouvrant ses bras qu'il lui tendait,
Dans un asile où l'espérance
N'a plus à craindre le malheur.

Sitôt qu'elle eut touché la fleur,
Elle mourut. Ames heureuses,
A qui Dieu fit cette faveur
De partir encore amoureuses,
De vous rejoindre sur le seuil,
L'un joyeux, l'autre à peine en deuil,
Et de finir votre misère
En vous embrassant sur la terre,
Pour aller aussitôt après
Là-haut vous aimer à jamais!

Or maintenant quelle est la plante
Qui sut tirer si promptement
De tant de délices l'amant,
De tant de désespoir l'amante?
Boccace dit en peu de mots,
Dans sa simplesse accoutumée,
Que la cause de tant de maux
Fut une sauge envenimée
Par un crapaud; mais, Dieu merci!
Nous en savons trop aujourd'hui
Pour croire aux erreurs de nos pères.
Ce serait un cent de vipères,
Qu'un enfant leur rirait au nez.
Quand les gens sont empoisonnés,
Dans notre siècle de lumière,
On n'y croit pas si promptement.
N'en restât-il qu'un ossement,
Il faut qu'il sorte de la terre,
Pour prouver par-devant notaire
Qu'il est mort de telle manière,
A telle heure, et non autrement.
Pauvre bonhomme de Florence,
A qui, selon toute apparence,

Dans les faubourgs de la cité
Ce conte avait été conté
Qui l'aurait voulu croire en France?
Braves gens qui riez déjà,
L'histoire n'en est pas moins vraie.
Cherchez la plante, et trouvez-la,
Demain peut-être on la verra
Dans le sentier ou dans la haie;
La Faculté l'appellera
Pavot, ciguë ou belladone.
Ici-bas tout peut se prouver.
Le plus difficile à trouver
N'est pas la plante, c'est Simone.

Octobre 1840.

SUR LES DÉBUTS

DE MESDEMOISELLES
RACHEL ET PAULINE GARCIA

Ainsi donc, quoi qu'on dise, elle ne tarit pas,
        La source immortelle et féconde
Que le coursier divin fit jaillir sous ses pas[1];
Elle existe toujours, cette sève du monde,
Elle coule, et les dieux sont encore ici-bas!

A quoi nous servent donc tant de luttes frivoles,
Tant d'efforts toujours vains et toujours renaissants?
Un chaos si pompeux d'inutiles paroles,

    Et tant de marteaux impuissants
    Frappant les anciennes idoles?

Discourons sur les arts, faisons les connaisseurs;
    Nous aurons beau changer d'erreurs
    Comme un libertin de maîtresse,
Les lilas au printemps seront toujours en fleurs,
Et les arts immortels rajeuniront sans cesse.

Discutons nos travers, nos rêves et nos goûts,
Comparons à loisir le moderne et l'antique,
    Et ferraillons sous ces drapeaux jaloux!
Quand nous serons au bout de notre rhétorique,
Deux enfants nés d'hier en sauront plus que nous.

O jeunes cœurs remplis d'antique poésie,
Soyez les bienvenus, enfants chéris des dieux
Vous avez le même âge et le même génie.
    La douce clarté soit bénie
    Que vous ramenez dans nos yeux!

    Allez! que le bonheur vous suive!
Ce n'est pas du hasard un caprice inconstant
    Qui vous fit naître au même instant.
Votre mère ici-bas, c'est la Muse attentive
Qui sur le feu sacré veille éternellement.

Obéissez sans crainte au dieu qui vous inspire.
Ignorez, s'il se peut, que nous parlons de vous.
Ces plaintes, ces accords, ces pleurs, ce doux sourire,
    Tous vos trésors, donnez-les-nous :
    Chantez enfants, laissez-nous dire.

                       1839.

CHANSON

Lorsque la coquette Espérance
Nous pousse le coude en passant,
Puis à tire-d'aile s'élance,
Et se retourne en souriant;

Où va l'homme? Où son cœur l'appelle.
L'hirondelle suit le zéphyr,
Et moins légère est l'hirondelle
Que l'homme qui suit son désir.

Ah! fugitive enchanteresse,
Sais-tu seulement ton chemin?
Faut-il donc que le vieux Destin
Ait une si jeune maîtresse!

1840.

TRISTESSE

J'ai perdu ma force et ma vie,
Et mes amis et ma gaieté;
J'ai perdu jusqu'à la fierté
Qui faisait croire à mon génie.

Quand j'ai connu la Vérité,
J'ai cru que c'était une amie;
Quand je l'ai comprise et sentie,
J'en étais déjà dégoûté.

Et pourtant elle est éternelle,
Et ceux qui se sont passés d'elle
Ici-bas ont tout ignoré.

Dieu parle, il faut qu'on lui réponde.
Le seul bien qui me reste au monde
Est d'avoir quelquefois pleuré.

1840.

LE RHIN ALLEMAND
PAR BECKER [1]

TRADUCTION FRANÇAISE

Ils ne l'auront pas, le libre Rhin allemand, quoi-qu'ils le demandent dans leurs cris comme des corbeaux avides;

Aussi longtemps qu'il roulera paisible, portant sa robe verte; aussi longtemps qu'une rame frappera ses flots.

Ils ne l'auront pas, le libre Rhin allemand, aussi longtemps que les cœurs s'abreuveront de son vin de feu;

Aussi longtemps que les rocs s'élèveront au milieu de son courant; aussi longtemps que les hautes cathédrales se refléteront dans son miroir.

Ils ne l'auront pas, le libre Rhin allemand, aussi longtemps que de hardis jeunes gens feront la cour aux jeunes filles élancées.

Ils ne l'auront pas, le libre Rhin allemand, jusqu'à ce que les ossements du dernier homme soient ensevelis dans ses vagues.

LE RHIN ALLEMAND

RÉPONSE A LA CHANSON DE BECKER

Nous l'avons eu, votre Rhin allemand,
  Il a tenu dans notre verre.
  Un couplet qu'on s'en va chantant
  Efface-t-il la trace altière
Du pied de nos chevaux marqué dans votre sang?

Nous l'avons eu, votre Rhin allemand.
  Son sein porte une plaie ouverte,
  Du jour où Condé triomphant
  A déchiré sa robe verte.
Où le père a passé, passera bien l'enfant.

Nous l'avons eu, votre Rhin allemand.
  Que faisaient vos vertus germaines,

> Quand notre César tout-puissant
> De son ombre couvrait vos plaines?
Où donc est-il tombé, ce dernier ossement?

> Nous l'avons eu, votre Rhin allemand.
> Si vous oubliez votre histoire,
> Vos jeunes filles, sûrement,
> Ont mieux gardé notre mémoire;
Elles nous ont versé votre petit vin blanc.

> S'il est à vous, votre Rhin allemand,
> Lavez-y donc votre livrée;
> Mais parlez-en moins fièrement.
> Combien, au jour de la curée,
Etiez-vous de corbeaux contre l'aigle expirant?

> Qu'il coule en paix, votre Rhin allemand;
> Que vos cathédrales gothiques
> S'y reflètent modestement;
> Mais craignez que vos airs bachiques
Ne réveillent les morts de leur repos sanglant.

1841.

SOUVENIR

J'espérais bien pleurer, mais je croyais souffrir
En osant te revoir, place à jamais sacrée,
O la plus chère tombe et la plus ignorée
> Où dorme un souvenir!

Que redoutiez-vous donc de cette solitude,
Et pourquoi, mes amis, me preniez-vous la main,
Alors qu'une si douce et si vieille habitude
      Me montrait ce chemin?

Les voilà, ces coteaux, ces bruyères fleuries,
Et ces pas argentins sur le sable muet,
Ces sentiers amoureux, remplis de causeries,
      Où son bras m'enlaçait.

Les voilà, ces sapins à la sombre verdure,
Cette gorge profonde aux nonchalants détours,
Ces sauvages amis, dont l'antique murmure
      A bercé mes beaux jours.

Les voilà, ces buissons où toute ma jeunesse,
Comme un essaim d'oiseaux, chante au bruit de mes
                       [pas.
Lieux charmants, beau désert où passa ma maîtresse,
      Ne m'attendiez-vous pas?

Ah! laissez-les couler, elles me sont bien chères,
Ces larmes que soulève un cœur encor blessé!
Ne les essuyez pas, laissez sur mes paupières
      Ce voile du passé!

Je ne viens point jeter un regret inutile
Dans l'écho de ces bois témoins de mon bonheur.
Fière est cette forêt dans sa beauté tranquille,
      Et fier aussi mon cœur.

Que celui-là se livre à des plaintes amères,
Qui s'agenouille et prie au tombeau d'un ami.
Tout respire en ces lieux; les fleurs des cimetières
      Ne poussent point ici.

Voyez! la lune monte à travers ces ombrages.
Ton regard tremble encor, belle reine des nuits;
Mais du sombre horizon déjà tu te dégages,
      Et tu t'épanouis.

Ainsi de cette terre, humide encor de pluie,
Sortent, sous tes rayons, tous les parfums du jour;
Aussi calme, aussi pur, de mon âme attendrie
      Sort mon ancien amour.

Que sont-ils devenus, les chagrins de ma vie?
Tout ce qui m'a fait vieux est bien loin maintenant;
Et rien qu'en regardant cette vallée amie
      Je redeviens enfant.

O puissance du temps! ô légères années!
Vous emportez nos pleurs, nos cris et nos regrets;
Mais la pitié vous prend, et sur nos fleurs fanées
      Vous ne marchez jamais.

Tout mon cœur te bénit, bonté consolatrice!
Je n'aurais jamais cru que l'on pût tant souffrir
D'une telle blessure, et que sa cicatrice
      Fût si douce à sentir.

Loin de moi les vains mots, les frivoles pensées,
Des vulgaires douleurs linceul accoutumé,
Que viennent étaler sur leurs amours passées
      Ceux qui n'ont point aimé!

Dante, pourquoi dis-tu qu'il n'est pire misère
Qu'un souvenir heureux dans les jours de douleur?
Quel chagrin t'a dicté cette parole amère,
      Cette offense au malheur?

En est-il donc moins vrai que la lumière existe,
Et faut-il l'oublier du moment qu'il fait nuit?
Est-ce bien toi, grande âme immortellement triste,
   Est-ce toi qui l'as dit?

Non, par ce pur flambeau dont la splendeur m'éclaire,
Ce blasphème vanté ne vient pas de ton cœur.
Un souvenir heureux est peut-être sur terre
   Plus vrai que le bonheur.

Eh quoi! l'infortuné qui trouve une étincelle
Dans la cendre brûlante où dorment ses ennuis,
Qui saisit cette flamme et qui fixe sur elle
   Ses regards éblouis;

Dans ce passé perdu quand son âme se noie,
Sur ce miroir brisé lorsqu'il rêve en pleurant,
Tu lui dis qu'il se trompe, et que sa faible joie
   N'est qu'un affreux tourment!

Et c'est à ta Françoise, à ton ange de gloire,
Que tu pouvais donner ces mots à prononcer,
Elle qui s'interrompt, pour conter son histoire,
   D'un éternel baiser [1]!

Qu'est-ce donc, juste Dieu, que la pensée humaine,
Et qui pourra jamais aimer la vérité,
S'il n'est joie ou douleur si juste et si certaine
   Dont quelqu'un n'ait douté?

Comment vivez-vous donc, étranges créatures?
Vous riez, vous chantez, vous marchez à grands pas;
Le ciel et sa beauté, le monde et ses souillures
   Ne vous dérangent pas;

Mais, lorsque par hasard le destin vous ramène
Vers quelque monument d'un amour oublié,
Ce caillou vous arrête, et cela vous fait peine
      Qu'il vous heurte le pié².

Et vous criez alors que la vie est un songe;
Vous vous tordez les bras comme en vous réveillant,
Et vous trouvez fâcheux qu'un si joyeux mensonge
      Ne dure qu'un instant.

Malheureux! cet instant où votre âme engourdie
A secoué les fers qu'elle traîne ici-bas,
Ce fugitif instant fut toute votre vie;
      Ne le regrettez pas!

Regrettez la torpeur qui vous cloue à la terre,
Vos agitations dans la fange et le sang,
Vos nuits sans espérance et vos jours sans lumière :
      C'est là qu'est le néant!

Mais que vous revient-il de vos froides doctrines?
Que demandent au ciel ces regrets inconstants
Que vous allez semant sur vos propres ruines,
      A chaque pas du Temps?

Oui, sans doute, tout meurt; ce monde est un grand
              [rêve,
Et le peu de bonheur qui nous vient en chemin,
Nous n'avons pas plus tôt ce roseau dans la main,
      Que le vent nous l'enlève.

Oui, les premiers baisers, oui, les premiers serments
Que deux êtres mortels échangèrent sur terre,
Ce fut au pied d'un arbre effeuillé par les vents,
      Sur un roc en poussière.

Ils prirent à témoin de leur joie éphémère
Un ciel toujours voilé qui change à tout moment,
Et des astres sans nom que leur propre lumière
   Dévore incessamment.

Tout mourait autour d'eux, l'oiseau dans le feuillage,
La fleur entre leurs mains, l'insecte sous leurs piés,
La source desséchée où vacillait l'image
   De leurs traits oubliés;

Et sur tous ces débris joignant leurs mains d'argile,
Etourdis des éclairs d'un instant de plaisir,
Ils croyaient échapper à cet Etre immobile
   Qui regarde mourir!

— Insensés! dit le sage. — Heureux! dit le poète.
Et quels tristes amours as-tu donc dans le cœur,
Si le bruit du torrent te trouble et t'inquiète,
   Si le vent te fait peur?

J'ai vu sous le soleil tomber bien d'autres choses
Que les feuilles des bois et l'écume des eaux,
Bien d'autres s'en aller que le parfum des roses
   Et le chant des oiseaux.

Mes yeux ont contemplé des objets plus funèbres
Que Juliette morte au fond de son tombeau,
Plus affreux que le toast à l'ange des ténèbres
   Porté par Roméo.

J'ai vu ma seule amie, à jamais la plus chère,
Devenue elle-même un sépulcre blanchi,
Une tombe vivante où flottait la poussière
   De notre mort chéri,

De notre pauvre amour, que, dans la nuit profonde,
Nous avions sur nos cœurs si doucement bercé!
C'était plus qu'une vie, hélas! c'était un monde
    Qui s'était effacé!

Oui, jeune et belle encor, plus belle, osait-on dire,
Je l'ai vue, et ses yeux brillaient comme autrefois.
Ses lèvres s'entr'ouvraient, et c'était un sourire,
    Et c'était une voix;

Mais non plus cette voix, non plus ce doux langage,
Ces regards adorés dans les miens confondus;
Mon cœur, encor plein d'elle, errait sur son visage,
    Et ne la trouvait plus.

Et pourtant j'aurais pu marcher alors vers elle
Entourer de mes bras ce sein vide et glacé,
Et j'aurais pu crier : « Qu'as-tu fait, infidèle,
    Qu'as-tu fait du passé? »

Mais non : il me semblait qu'une femme inconnue
Avait pris par hasard cette voix et ces yeux;
Et je laissai passer cette froide statue
    En regardant les cieux.

Eh bien! ce fut sans doute une horrible misère
Que ce riant adieu d'un être inanimé.
Eh bien! qu'importe encore? O nature! ô ma mère!
    En ai-je moins aimé?

La foudre maintenant peut tomber sur ma tête :
Jamais ce souvenir ne peut m'être arraché!
Comme le matelot brisé par la tempête,
    Je m'y tiens attaché.

Je ne veux rien savoir, ni si les champs fleurissent;
Ni ce qu'il adviendra du simulacre humain,
Ni si ces vastes cieux éclaireront demain
        Ce qu'ils ensevelissent.

Je me dis seulement : « A cette heure, en ce lieu,
Un jour, je fus aimé, j'aimais, elle était belle.
J'enfouis ce trésor dans mon âme immortelle,
        Et je l'emporte à Dieu! »

                    Février 1841.

SUR LA PARESSE [1]

A M. B...

« Oui, j'écris rarement et me plais de le faire :
Non pas que la paresse en moi soit ordinaire;
Mais, sitôt que je prends la plume à ce dessein,
Je crois prendre en galère une rame à la main [2]. »

Qui croyez-vous, mon cher, qui parle de la sorte?
C'est Alfred, direz-vous, ou le diable m'emporte!
Non, ami. Plût à Dieu que j'eusse dit si bien
Et si net et si court pourquoi je ne dis rien!
L'esprit mâle et hautain dont la sobre pensée
Fut dans ces rudes vers librement cadencée
(Otez votre chapeau), c'est Mathurin Régnier,
De l'immortel Molière immortel devancier;
Qui ploya notre langue, et dans sa cire molle
Sut pétrir et dresser la romaine hyperbole,

Premier maître jadis sous lequel j'écrivis,
Alors que du voisin je prenais les avis,
Et qui me fut montré, dans l'âge où tout s'ignore,
Par de plus fiers que moi, qui l'imitent encore;
Mais la cause était bonne, et, quel qu'en soit l'effet,
Quiconque m'a fait voir cette route a bien fait.
Or je me demandais hier dans la solitude;
Ce cœur sans peur, sans gêne et sans inquiétude,
Qui vécut et mourut dans un si brave ennui,
S'il se taisait jadis, qu'eût-il fait aujourd'hui?
Alors à mon esprit se présentaient en hâte
Nos vices, nos travers, et toute cette pâte
Dont il aurait su faire un plat de son métier
A nous désopiler pendant un siècle entier :
D'abord, le grand fléau qui nous rend tous malades,
Le seigneur Journalisme et ses pantalonnades;
Ce droit quotidien qu'un sot a de berner
Trois ou quatre milliers de sots, à déjeuner;
Le règne du papier, l'abus de l'écriture,
Qui d'un plat feuilleton fait une dictature,
Tonneau d'encre bourbeux par Fréron défoncé [1],
Dont, jusque sur le trône, on est éclaboussé;
En second lieu, nos mœurs, qui se croient plus sévères,
Parce que nous cachons et nous rinçons nos verres,
Quand nous avons commis dans quelque coin honteux
Ces éternels péchés dont pouffaient nos aïeux;
Puis nos discours pompeux, nos fleurs de bavardage,
L'esprit européen de nos coqs de village,
Ce bel art si choisi d'offenser poliment,
Et de se souffleter parlementairement;
Puis, nos livres mort-nés, nos poussives chimères,
Pâture des portiers; et ces pauvres commères,
Qui, par besoin d'amants ou faute de maris,
Font du moins leur besogne en pondant leurs écrits;

Ensuite, un mal profond, la croyance envolée,
La prière inquiète, errante et désolée,
Et, pour qui joint les mains, pour qui lève les yeux,
Une croix en poussière et le désert aux cieux;
Ensuite, un mal honteux, le bruit de la monnaie,
La jouissance brute, et qui croit être vraie,
La mangeaille, le vin, l'égoïsme hébété,
Qui se berce en ronflant dans sa brutalité;
Puis un tyran moderne, une peste nouvelle,
La médiocrité qui ne comprend rien qu'elle,
Qui, pour chauffer la cuve où son fer fume et bout,
Y jetterait le bronze où César est debout [1],
Instinct de la basoche, odeur d'épicerie,
Qui fait lever le cœur à la mère patrie,
Capable, avec le temps, de la déshonorer,
Si sa fierté native en pouvait s'altérer;
Ensuite, un tort léger, tant il est ridicule,
Et qui ne vaut pas même un revers de férule,
Les lamentations des chercheurs d'avenir,
Ceux qui disent : Ma sœur, ne vois-tu rien venir?
Puis, un mal dangereux qui touche à tous les crimes,
La sourde ambition de ces tristes maximes
Qui ne sont même pas de vieilles vérités,
Et qu'on vient nous donner comme des nouveautés;
Vieux galons de Rousseau, défroque de Voltaire,
Carmagnole en haillons volée à Robespierre,
Charmante garde-robe où sont emmaillotés
Du peuple souverain les courtisans crottés;
Puis enfin, tout au bas, la dernière de toutes,
La fièvre de ces fous qui s'en vont par les routes
Arracher la charrue aux mains du laboureur,
Dans l'atelier désert corrompre le malheur,
Au nom d'un Dieu de paix qui nous prescrit l'aumône
Traîner au carrefour le pauvre qui frissonne,

D'un fer rouillé de sang armer sa maigre main,
Et se sauver dans l'ombre en poussant l'assassin [1].

Qu'aurait dit à cela ce grand traîneur d'épée,
Ce flâneur « qui prenait les vers à la pipée »?
Si dans ce gouffre obscur son regard eût plongé,
Sous quel étrange aspect l'eût-il envisagé?
Quelle affreuse tristesse ou quel rire homérique
Eût ouvert ou serré ce cœur mélancolique?
Se fût-il contenté de nous prendre en pitié,
De consoler sa vie avec quelque amitié,
Et de laisser la foule étourdir ses oreilles,
Comme un berger qui dort au milieu des abeilles?
Ou bien, le cœur ému d'un mépris généreux,
Aurait-il là-dessus versé, comme un vin vieux,
Ses hardis hiatus, flot jailli du Parnasse,
Où Despréaux mêla sa tisane à la glace?
Certes, s'il eût parlé, ses robustes gros mots
Auraient de pied en cap ébouriffé les sots :
Qu'il se fût abattu sur une telle proie,
L'ombre de Juvénal en eût frémi de joie,
Et sur ce noir torrent qui mène tout à rien
Quelques mots flotteraient, dits pour les gens de bien.
Franchise du vieux temps, muse de la patrie,
Où sont ta verte allure et ta sauvagerie?
Comme ils tressailleraient, les paternels tombeaux,
Si ta voix douce et rude en frappait les échos!
Comme elles tomberaient, nos gloires mendiées,
De patois étrangers nos muses barbouillées [2],
Devant toi qui puisas ton immortalité
Dans ta beauté féconde et dans ta liberté!
Avec quelle rougeur et quel piteux visage
Notre bégueulerie entendrait ton langage,

Toi qu'un juron gaulois n'a jamais fait bouder,
Et qui, ne craignant rien, ne sais rien marchander.
Quel régiment de fous, que de marionnettes,
Quel troupeau de mulets dandinant leurs sonnettes,
Quelle procession de pantins désolés,
Passeraient devant nous, par ta voix appelés!
Et quel plaisir de voir, sans masque ni lisières,
A travers le chaos de nos folles misères,
Courir en souriant tes beaux vers ingénus,
Tantôt légers, tantôt boiteux, toujours pieds nus!
Gaieté, génie heureux, qui fus jadis le nôtre,
Rire dont on riait d'un bout du monde à l'autre,
Esprit de nos aïeux, qui te réjouissais
Dans l'éternel bon sens, lequel est né français,
Fleurs de notre pays, qu'êtes-vous devenues?
L'aigle s'est-il lassé de planer dans les nues,
Et de tenir toujours son regard arrêté
Sur l'astre tout-puissant d'où jaillit la clarté?

Voilà donc, l'autre soir, quelle était ma pensée,
Et plus je m'y tenais la cervelle enfoncée,
Moins je m'imaginais que le vieux Mathurin
Eût montré, de ce temps, ni gaieté ni chagrin.
« Eh quoi! me direz-vous, il nous eût laissé faire,
Lui qu'un mauvais dîner pouvait mettre en colère!
Lui qui s'effarouchait, grand enfant sans raison,
D'une femme infidèle et d'une trahison!
Lui qui se redressait, comme un serpent dans l'herbe,
Pour une balourdise échappée à Malherbe,
Et qui poussa l'oubli de tout respect humain
Jusqu'à daigner rosser Berthelot de sa main [1]! »
Oui, mon cher, ce même homme, et par la raison
                                              [même
Que son cœur débordant poussait tout à l'extrême,

Et qu'au moindre sujet qui venait l'animer,
Sachant si bien haïr, il savait tant aimer,
Il eût trouvé ce siècle indigne de satire,
Trop vain pour en pleurer, trop triste pour en rire,
Et, quel qu'en fût son rêve, il l'eût voulu garder,
Il n'est que trop facile, à qui sait regarder,
De comprendre pourquoi tout est malade en France;
Le mal des gens d'esprit, c'est leur indifférence,
Celui des gens de cœur, leur inutilité.
Mais à quoi bon venir prêcher la vérité,
Et devant les badauds étaler sa faconde,
Pour répéter en vers ce que dit tout le monde?
Sur notre état présent qui s'abuse aujourd'hui?
Comme dit Figaro : « Qui trompe-t-on ici [1]? »
D'ailleurs est-ce un plaisir d'exprimer sa pensée?
L'hirondelle s'envole, un goujat l'a blessée;
Elle tombe, palpite et meurt, et le passant
Aperçoit par hasard son pied taché de sang.
Hélas! pensée écrite, hirondelle envolée!
Dieu sait par quel chemin elle s'en est allée!
Et quelle main la tue au sortir de son nid!
Non, j'en suis convaincu, Mathurin n'eût rien dit.

Ce n'est pas, en parlant, qu'il en eût craint la suite;
Sa tête allait bon train, son cœur encor plus vite,
Et de lui dire non à ce qu'il avait vu
Un journaliste même eût été mal venu.
Il n'eut pas craint non plus que sa faveur trahie
Eût fait au cardinal rayer son abbaye;
Des compliments de cour et des canonicats,
Si ce n'est pour l'argent, il n'en fit pas grand cas.
Encor moins eût-il craint qu'on fût venu lui dire :
Et vous, d'où venez-vous pour faire une satire?

De quel droit parlez-vous, n'ayant jamais rien **fait**
Que d'aller chez Margot, sortant du cabaret?
Car il eût répondu : N'en soyez point en peine;
Plus que votre bon sens ma déraison est saine;
Chancelant que je suis de ce jus du caveau,
Plus honnête est mon cœur, et plus franc mon cerveau
Que vos grands airs chantés d'un ton de Jérémie.
A la barbe du siècle il eût aimé sa mie,
Et qui l'eût abordé n'aurait eu pour tout prix
Que beaucoup de silence, et qu'un peu de mépris.
Ami, vous qui voyez vivre, et qui savez comme,
Vous dont l'habileté fut d'être un honnête homme,
A vous s'en vont ces vers, au hasard ébauchés,
Qui vaudraient encor moins s'ils étaient plus cherchés.
Mais vous me reprochez sans cesse mon silence;
C'est vrai : l'ennui m'a pris de penser en cadence,
Et c'est pourquoi, lisant ces vers d'un fainéant,
Qui n'a fait que trois pas, mais trois pas de géant,
De vous les envoyer il m'a pris fantaisie,
Afin que vous sachiez comment la poésie
A vécu de tout temps, et que les paresseux
Ont été quelquefois des gens aimés des dieux.
Après cela, mon cher, je désire et j'espère
(Pour finir à peu près par un vers de Molière)
Que vous vous guérirez du soin que vous prenez
De me venir toujours jeter ma lyre au nez.

Novembre 1842.

LE MIE PRIGIONI [1]

On dit : « Triste comme la porte
    D'une prison. » —
Et je crois, le diable m'emporte!
    Qu'on a raison.

D'abord, pour ce qui me regarde,
    Mon sentiment
Est qu'il vaut mieux monter sa garde,
    Décidément.

Je suis, depuis une semaine,
    Dans un cachot,
Et je m'aperçois avec peine
    Qu'il fait très chaud.

Je vais bouder à la fenêtre,
    Tout en fumant;
Le soleil commence à paraître
    Tout doucement.

C'est une belle perspective,
    De grand matin,
Que des gens qui font la lessive
    Dans le lointain.

Pour se distraire, si l'on bâille,
    On aperçoit
D'abord une longue muraille,
    Puis un long toit.

Ceux à qui ce séjour tranquille
    Est inconnu
Ignorent l'effet d'une tuile
    Sur un mur nu.

Je n'aurais jamais cru moi-même,
    Sans l'avoir vu,
Ce que ce spectacle suprême
    A d'imprévu.

Pourtant les rayons de l'automne
    Jettent encor
Sur ce toit plat et monotone
    Un réseau d'or.

Et ces cachots n'ont rien de triste,
    Il s'en faut bien :
Peintre ou poète, chaque artiste
    Y met du sien [1].

De dessins, de caricatures
    Ils sont couverts.
Çà et là quelques écritures
    Semblent des vers.

Chacun tire une rêverie
    De son bonnet :
Celui-ci, la Vierge Marie,
    L'autre, un sonnet.

Là, c'est Madeleine en peinture,
    Pieds nus, qui lit;
Vénus rit sous la couverture,
    Au pied du lit.

Plus loin, c'est la Foi, l'Espérance,
    La Charité,
Grands croquis faits à toute outrance,
    Non sans beauté.

Une Andalouse assez gaillarde,
    Au cou mignon,
Est dans un coin qui vous regarde
    D'un air grognon.

Celui qui fit, je le présume,
    Ce médaillon,
Avait un gentil brin de plume
    A son crayon.

Le Christ regarde Louis-Philippe.
    D'un air surpris;
Un bonhomme fume sa pipe
    Sur le lambris.

Ensuite vient un paysage
    Très compliqué,
Où l'on voit qu'un monsieur très sage
    S'est appliqué.

Dirai-je quelles odalisques
    Les peintres font,
A leurs très grands périls et risques,
    Jusqu'au plafond?

Toutes ces lettres effacées
    Parlent pourtant;
Elles ont vécu, ces pensées,
    Fût-ce un instant.

Que de gens, captifs pour une heure,
    Tristes ou non,
Ont à cette pauvre demeure
    Laissé leur nom!

Sur ce vieux lit où je rimaille
    Ces vers perdus,
Sur ce traversin où je bâille
    A bras tendus,

Combien d'autres ont mis leur tête,
    Combien ont mis
Un pauvre corps, un cœur honnête
    Et sans amis!

Qu'est-ce donc? en rêvant à vide
    Contre un barreau,
Je sens quelque chose d'humide
    Sur le carreau.

Que veut donc dire cette larme
    Qui tombe ainsi,
Et coule de mes yeux, sans charme
    Et sans souci?

Est-ce que j'aime ma maîtresse?
    Non, par ma foi!
Son veuvage ne l'intéresse
    Pas plus que moi.

Est-ce que je vais faire un drame?
    Par tous les dieux!
Chanson pour chanson, une femme
    Vaut encor mieux.

Sentirais-je quelque ingénue
      Velléité
D'aimer cette belle inconnue,
      La Liberté?

On dit, lorsque ce grand fantôme
      Est verrouillé,
Qu'il a l'air triste comme un tome
      Dépareillé.

Est-ce que j'aurais quelque dette?
      Mais, Dieu merci!
Je suis en lieu sûr : on n'arrête
      Personne ici.

Cependant cette larme coule,
      Et je la vois
Qui brille en tremblant et qui roule
      Entre mes doigts.

Elle a raison, elle veut dire :
      Pauvre petit,
A ton insu ton cœur respire
      Et t'avertit

Que le peu de sang qui l'anime
      Est ton seul bien,
Que tout le reste est pour la rime
      Et ne dit rien.

Mais nul être n'est solitaire,
      Même en pensant,
Et Dieu n'a pas fait pour te plaire
      Ce peu de sang.

Lorsque tu railles ta misère
                D'un air moqueur,
Tes amis, ta sœur et ta mère
                Sont dans ton cœur.

Cette pâle et faible étincelle
                Qui vit en toi,
Elle marche, elle est immortelle,
                Et suit sa loi.

Pour la transmettre, il faut soi-même
                La recevoir,
Et l'on songe à tout ce qu'on aime
                Sans le savoir.

20 septembre 1842.

RAPPELLE-TOI [1]

(VERGISS MEIN NICHT)

PAROLES FAITES SUR LA MUSIQUE DE MOZART

Rappelle-toi, quand l'Aurore craintive
Ouvre au Soleil son palais enchanté;
Rappelle-toi, lorsque la nuit pensive
Passe en rêvant sous son voile argenté;
A l'appel du plaisir lorsque ton sein palpite,
Aux doux songes du soir lorsque l'ombre t'invite,
                Ecoute au fond des bois
                Murmurer une voix :
                Rappelle-toi.

Rappelle-toi, lorsque les destinées
M'auront de toi pour jamais séparé,
Quand le chagrin, l'exil et les années
Auront flétri ce cœur désespéré;
Songe à mon triste amour, songe à l'adieu suprême!
L'absence ni le temps ne sont rien quand on aime.
Tant que mon cœur battra,
Toujours il te dira :
Rappelle-toi.

Rappelle-toi, quand sous la froide terre
Mon cœur brisé pour toujours dormira;
Rappelle-toi, quand la fleur solitaire
Sur mon tombeau doucement s'ouvrira.
Je ne te verrai plus; mais mon âme immortelle
Reviendra près de toi comme une sœur fidèle.
Ecoute dans la nuit,
Une voix qui gémit :
Rappelle-toi.

1842.

MARIE [1]

SONNET

Ainsi, quand la fleur printanière
Dans les bois va s'épanouir,
Au premier souffle du zéphyr
Elle sourit avec mystère;

Et sa tige fraîche et légère,
Sentant son calice s'ouvrir,
Jusque dans le sein de la terre
Frémit de joie et de désir.

Ainsi, quand ma douce Marie
Entr'ouvre sa lèvre chérie,
Et lève, en chantant, ses yeux bleus,

Dans l'harmonie et la lumière
Son âme semble tout entière
Monter en tremblant vers les cieux.

1842.

RONDEAU

Fut-il jamais douceur de cœur pareille
A voir Manon dans mes bras sommeiller?
Son front coquet parfume l'oreiller;
Dans son beau sein j'entends son cœur qui veille.
Un songe passe, et s'en vient l'égayer.

Ainsi s'endort une fleur d'églantier,
Dans son calice enfermant une abeille.
Moi, je la berce; un plus charmant métier
            Fut-il jamais?

Mais le jour vient, et l'Aurore vermeille
Effeuille au vent son bouquet printanier,

Le peigne en main et la perle à l'oreille,
A son miroir Manon court m'oublier.
Hélas! l'amour sans lendemain ni veille
    Fut-il jamais?

1842.

A MADAME G. [1]

SONNET

C'est mon avis qu'en route on s'expose à la pluie,
Au vent, à la poussière, et qu'on peut, le matin,
S'éveiller chiffonnée avec un mauvais teint,
Et qu'à la longue, en poste, un tête-à-tête ennuie.

C'est mon avis qu'au monde il n'est pire folie
Que d'embarquer l'amour pour un pays lointain.
Quoi qu'en dise Héloïse ou madame Cottin [2],
Dans un miroir d'auberge on n'est jamais jolie.

C'est mon avis qu'en somme un bas blanc bien tiré,
Sur une robe blanche un beau ruban moiré,
Et des ongles bien nets, sont le bonheur suprême.

Que dites-vous, madame, à ce raisonnement?
Un point, à ce sujet, m'étonne seulement :
C'est qu'on n'a pas le temps d'y penser quand on aime.

1842.

A MADAME G.

RONDEAU

Dans dix ans d'ici seulement,
Vous serez un peu moins cruelle.
C'est long, à parler franchement.
L'amour viendra probablement
Donner à l'horloge un coup d'aile.

Votre beauté nous ensorcelle,
Prenez-y garde cependant :
On apprend plus d'une nouvelle
     En dix ans.

Quand ce temps viendra, d'un amant
Je serai le parfait modèle,
Trop bête pour être inconstant,
Et trop laid pour être infidèle.
Mais vous serez encor trop belle
     Dans dix ans.

1842.

APRÈS UNE LECTURE

I

Ton livre est ferme et franc, brave homme, il fait
Au milieu des bavards qui se font imprimer, [aimer.
Des grands noms inconnus dont la France est lassée,
Et de ce bruit honteux qui salit la pensée,
Il est doux de rêver avant de le fermer,
Ton livre, et de sentir tout son cœur s'animer.

II

L'avez-vous jamais lu, marquise? et toi, Lisette?
Car ce n'est que pour vous, grande dame ou grisette,
Sexe adorable, absurde, exécrable et charmant,
Que ce pauvre badaud qu'on appelle un poète
Par tous les temps qu'il fait s'en va le nez au vent,
Toujours fier et trompé, toujours humble et rêvant.

III

Que nous font, je vous prie, et que pourraient nous
                                        [faire,
A nous autres, rimeurs, de qui la grande affaire
Est de nous consoler en arrangeant des mots,
Que nous font les sifflets, les cris ou les bravos?

Nous chantons à tue-tête; il faut bien que la terre
Nous réponde, après tout, par quelques vains échos

IV

Mais quel bien fait le bruit et qu'importe la gloire?
Est-on plus ou moins mort quand on est embaumé?
Qu'importe un écolier, sachant trois mots d'histoire,
Qui tire son bonnet devant une écritoire,
Ou salue en passant un marbre inanimé?
Etre admiré n'est rien; l'affaire est d'être aim

V

Vive le vieux roman, vive la page heureuse
Que tourne sur la mousse une belle amoureuse!
Vive d'un doigt coquet le livre déchiré,
Qu'arrose dans le bain le robinet doré!
Et que tous les pédants frappent leur tête creuse,
Vive le mélodrame où Margot a pleuré.

VI

Oh! oh! dira quelqu'un, la chose est un peu rude.
N'est-ce rien de rimer avec exactitude?
Et pourquoi mettrait-on son fils en pension,
Si, pour unique juge, après quinze ans d'étude,
On n'a qu'une cornette au bout d'un cotillon?
J'en suis bien désolé, c'est mon opinion.

VII

Les femmes, j'en conviens, sont assez ignorantes.
On ne dit pas tout haut ce qui les rend contentes;
Et comme, en général, un peu de fausseté
Est leur plus grand plaisir après la vanité,
On en peut, par hasard, trouver qui sont méchantes.
Mais qu'y voulez-vous faire? elles ont la beauté.

VIII

Or la beauté, c'est tout. Platon l'a dit lui-même :
La beauté, sur la terre, est la chose suprême.
C'est pour nous la montrer qu'est faite la clarté.
Rien n'est beau que le vrai, dit un vers respecté;
Et moi, je lui réponds, sans crainte d'un blasphème :
Rien n'est vrai que le beau, rien n'est vrai sans beauté.

IX

Quand le soleil entra dans sa route infinie,
A son premier regard, de ce monde imparfait
Sortit le peu de bien que le ciel avait fait;
De la beauté l'amour, de l'amour l'harmonie;
Dans ce rayon divin s'élança le génie;
Voilà pourquoi je dis que Margot s'y connaît.

X

Et j'en dirais bien plus si je me laissais faire.
Ma poétique, un jour, si je puis la donner,

Sera bien autrement savante et salutaire.
C'est trop peu que d'aimer, c'est trop peu que de
Le jour où l'Hélicon m'entendra sermonner, [plaire :
Mon premier point sera qu'il faut déraisonner.

XI

Celui qui ne sait pas, quand la brise étouffée
Soupire au fond des bois son tendre et long chagrin,
Sortir seul au hasard, chantant quelque refrain,
Plus fou qu'Ophélia de romarin coiffée,
Plus étourdi qu'un page amoureux d'une fée,
Sur son chapeau cassé jouant du tambourin;

XII

Celui qui ne voit pas, dans l'aurore empourprée,
Flotter, les bras ouverts, une ombre idôlatrée;
Celui qui ne sent pas, quand tout est endormi,
Quelque chose qui l'aime errer autour de lui;
Celui qui n'entend pas une voix éplorée
Murmurer dans la source et l'appeler ami;

XIII

Celui qui n'a pas l'âme à tout jamais aimante,
Qui n'a pas pour tout bien, pour unique bonheur,
De venir lentement poser son front rêveur
Sur un front jeune et frais, à la tresse odorante,

Et de sentir ainsi d'une tête charmante
La vie et la beauté descendre dans son cœur;

XIV

Celui qui ne sait pas, durant les nuits brûlantes
Qui font pâlir d'amour l'étoile de Vénus,
Se lever en sursaut, sans raison, les pieds nus,
Marcher, prier, pleurer des larmes ruisselantes,
Et devant l'infini joindre des mains tremblantes,
Le cœur plein de pitié pour des maux inconnus;

XV

Que celui-là rature et barbouille à son aise;
Il peut, tant qu'il voudra, rimer à tour de bras,
Ravauder l'oripeau qu'on appelle antithèse,
Et s'en aller ainsi jusqu'au Père-Lachaise,
Traînant à ses talons tous les sots d'ici-bas;
Grand homme, si l'on veut; mais poète, non pas.

XVI

Certes, c'est une vieille et vilaine famille
Que celle des frelons et des imitateurs;
Allumeurs de quinquets, qui voudraient être acteurs.
Aristophane en rit, Horace les étrille;
Mais ce n'est rien auprès des versificateurs.
Le dernier des humains est celui qui cheville [1].

XVII

Est-il, je le demande, un plus triste souci
Que celui d'un niais qui veut dire une chose,
Et qui ne la dit pas, faute d'écrire en prose?
J'ai fait de mauvais vers, c'est vrai; mais Dieu merci!
Lorsque je les ai faits, je les voulais ainsi,
Et de Wailly ni Boiste, au moins, n'en sont la cause [1].

XVIII

Non, je ne connais pas de métier plus honteux,
Plus sot, plus dégradant pour la pensée humaine,
Que de se mettre ainsi la cervelle à la gêne,
Pour écrire trois mots quand il n'en faut que deux,
Traiter son propre cœur comme un chien qu'on en-
                            [chaîne
Et fausser jusqu'aux pleurs que l'on a dans les yeux.

XIX

O toi qu'appelle encor ta patrie abaissée,
Dans ta tombe précoce à peine refroidi,
Sombre amant de la Mort, pauvre Léopardi,
Si, pour faire une phrase un peu mieux cadencée,
Il t'eût fallu jamais toucher à ta pensée,
Qu'aurait-il répondu, ton cœur simple et hardi?

XX

Telle fut la vigueur de ton sobre génie,
Tel fut ton chaste amour pour l'âpre vérité,

Qu'au milieu des langueurs du parler d'Ausonie[1]
Tu dédaignas la rime et sa molle harmonie,
Pour ne laisser vibrer sur ton luth irrité
Que l'accent du malheur et de la liberté.

XXI

Et pourtant il s'y mêle une douceur divine;
Hélas! c'est ton amour, c'est la voix de Nérine,
Nérine aux yeux brillants[2] qui te faisaient pâlir,
Celle que tu nommais ton « éternel soupir ».
Hélas! sa maison peinte au pied de la colline
Resta déserte un jour, et tu la vis mourir;

XXII

Et tu mourus aussi. Seul, l'âme désolée,
Mais toujours calme et bon, sans te plaindre du sort.
Tu marchais en chantant dans ta route isolée.
L'heure dernière vint, tant de fois appelée.
Tu la vis arriver, sans crainte et sans remord
Et tu goûtas enfin le *charme de la mort*.

Novembre 1842.

A M. V. H. [1]

SONNET

Il faut, dans ce bas monde, aimer beaucoup de choses,
Pour savoir, après tout, ce qu'on aime le mieux,
Les bonbons, l'Océan, le jeu, l'azur des cieux,
Les femmes, les chevaux, les lauriers et les roses.

Il faut fouler aux pieds des fleurs à peine écloses;
Il faut beaucoup pleurer, dire beaucoup d'adieux.
Puis le cœur s'aperçoit qu'il est devenu vieux,
Et l'effet qui s'en va nous découvre les causes.

De ces biens passagers que l'on goûte à demi,
Le meilleur qui nous reste est un ancien ami.
On se brouille, on se fuit. — Qu'un hasard nous ras-
                                          [semble,

On s'approche, on sourit, la main touche la main,
Et nous nous souvenons que nous marchions ensemble,
Que l'âme est immortelle, et qu'hier c'est demain.

                                    26 avril 1843.

MIMI PINSON [1]

CHANSON

Mimi pinson est une blonde,
Une blonde que l'on connaît.
Elle n'a qu'une robe au monde,
    Landerirette!
      Et qu'un bonnet.
Le Grand Turc en a davantage.
Dieu voulut de cette façon
      La rendre sage.
On ne peut pas la mettre en gage,
La robe de Mimi Pinson.

Mimi Pinson porte une rose,
Une rose blanche au côté.
Cette fleur dans son cœur éclose,
    Landerirette!
      C'est la gaieté.
Quand un bon souper la réveille,
Elle fait sortir la chanson
      De la bouteille.
Parfois il penche sur l'oreille,
Le bonnet de Mimi Pinson.

Elle a les yeux et la main prestes.
Les carabins, matin et soir,
Usent les manches de leurs vestes,
    Landerirette!

A son comptoir.
Quoique sans maltraiter personne,
Mimi leur fait mieux la leçon
    Qu'à la Sorbonne.
Il ne faut pas qu'on la chiffonne,
La robe de Mimi Pinson.

Mimi Pinson peut rester fille,
Si Dieu le veut, c'est dans son droit.
Elle aura toujours son aiguille,
        Landerirette!
        Au bout du doigt.
Pour entreprendre sa conquête,
Ce n'est pas tout qu'un beau garçon :
        Faut être honnête;
Car il n'est pas loin de sa tête,
Le bonnet de Mimi Pinson.

D'un gros bouquet de fleurs d'orange
Si l'amour veut la couronner,
Elle a quelque chose en échange,
        Landerirette!
        A lui donner.
Ce n'est pas, on se l'imagine,
Un manteau sur un écusson
        Fourré d'hermine;
C'est l'étui d'une perle fine,
La robe de Mimi Pinson.

Mimi n'a pas l'âme vulgaire,
Mais son cœur est républicain :
Aux trois jours elle a fait la guerre,
        Landerirette!

En casaquin.
A défaut d'une hallebarde,
On l'a vue avec son poinçon
Monter la garde.
Heureux qui mettra la cocarde
Au bonnet de Mimi Pinson!

LE TREIZE JUILLET [1]

STANCES

I

La joie est ici-bas toujours jeune et nouvelle,
Mais le chagrin n'est vrai qu'autant qu'il a vieilli.
A peine si le prince, hier enseveli,
Commence à s'endormir dans la nuit éternelle;
L'ange qui l'emporta n'a pas fermé son aile;
Peut-être est-ce bien vite oser parler de lui.

II

Ce fut un triste jour, quand, sur une civière,
Cette mort sans raison vint nous épouvanter.
Ce fut un triste aspect, quand la nef séculaire
Se para de son deuil comme pour le fêter.
Ce fut un triste bruit, quand, au glas funéraire,
Les faiseurs de romans se mirent à chanter.

III

Nous nous tûmes alors, nous, ses amis d'enfance.
Tandis qu'il cheminait vers le sombre caveau,
Nous suivions le cercueil en pensant au berceau;
Nos pleurs, que nous cachions, n'avaient pas d'élo-
Et son ombre peut-être entendit le silence   [quence,
Qui se fit dans nos cœurs autour de son tombeau.

IV

Maintenant qu'elle vient, plus vieille d'une année,
Réveiller nos regrets et nous frapper au cœur,
Il faut la saluer, la sinistre journée
Où ce jeune homme est mort dans sa force et sa fleur,
Préservé du néant par l'excès du malheur,
Par sa jeunesse même et par sa destinée.

V

A qui donc, juste Dieu, peut-on dire : A demain?
L'Espérance et la Mort se sont donné la main,
Et traversent ainsi la terre désolée.
L'une marche à pas lents, toujours calme et voilée;
Sur ses genoux tremblants l'autre tombe en chemin,
Et se traîne en pleurant, meurtrie et mutilée.

VI

O Mort! tes pas sont lents, mais ils sont bien comptés.
Qui donc t'a jamais crue aveugle, inexorable?

Qui donc a jamais dit que ton spectre implacable
Errait, ivre de sang, frappant de tous côtés,
Balayant au hasard, comme des grains de sable,
Les temples, les déserts, les champs et les cités?

VII

Non, non, tu sais choisir. Par instant, sur la terre,
Tu peux sembler commettre, il est vrai, quelque
[erreur;
Ta main n'est pas toujours bien sûre, et ta colère
Ménage obscurément ceux qui savent te plaire,
Epargne l'insensé, respecte l'imposteur,
Laisse blanchir le vice et languir le malheur.

VIII

Mais, quand la noble enfant d'une race royale,
Fuyant des lourds palais l'antique oisiveté,
S'en va dans l'atelier chercher la vérité,
Et là, créant en rêve une forme idéale,
Entr'ouvre un marbre pur de sa main virginale,
Pour en faire sortir la vie et la beauté;

IX

Quand cet esprit charmant, quand ce naïf génie
Qui courait à sa mère au doux nom de Marie,
Sur son œuvre chéri penche son front rêveur,
Et, pour nous peindre Jeanne interrogeant son cœur,
A la fille des champs qui sauva la patrie
Prête sa piété, sa grâce et sa pudeur [1];

X

Alors ces nobles mains, qui, du travail lassées
Ne prenaient de repos que le temps de prier,
Ces mains riches d'aumône et pleines de pensées,
Ces mains où tant de pleurs sont venus s'essuyer,
Frissonnent tout à coup et retombent glacées.
Le cercueil est à Pise; on va nous l'envoyer.

XI

Et lui, mort l'an passé, qu'avait-il fait, son frère?
A quoi bon le tuer? Pourquoi, sur ce brancard,
Ce jeune homme expirant suivi par un vieillard?
Quel cœur fut assez froid, sur notre froide terre,
Ou pour ne pas frémir, ou pour ne pas se taire,
Devant ce meurtre affreux commis par le hasard?

XII

Qu'avait-il fait que naître et suivre sa fortune,
Sur les bancs avec nous venir étudier,
Avec nous réfléchir, avec nous travailler,
Prendre au soleil son rang sur la place commune,
De grandeur, hors du cœur, n'en connaissant aucune,
Et, puisqu'il était prince, apprendre son métier?

XIII

Qu'avait-il fait qu'aimer, chercher, voir par lui-même
Ce que Dieu fit de bon dans sa bonté suprême,

Ce qui pâlit déjà dans ce monde ennuyé?
Patrie, honneur, vieux mots dont on rit et qu'on aime,
Il vous savait, donnait au pauvre aide et pitié,
Au plus sincère estime, au plus brave amitié.

XIV

Qu'avait-il fait enfin, que ce qu'il pouvait faire?
Quand le canon grondait, marcher sous la bannière;
Quand la France dormait, s'exercer dans les camps.
Il s'en fût souvenu peut-être avec le temps;
Pendant qu'il écoutait les tambours battre aux
[champs.
Car parfois sa pensée était sur la frontière,

XV

Que lui reprocherait même la calomnie?
Jamais coup plus cruel fut-il moins mérité?
A défaut de regret, qui ne l'a respecté?
Faites parler la foule, et la haine, et l'envie :
Ni tache sur son front, ni faute dans sa vie.
Nul n'a laissé plus pur le nom qu'il a porté.

XVI

Qu'importe tel parti qui triomphe ou succombe?
Quel ennemi du père ose haïr le fils?
Qui pourrait insulter une pareille tombe?
On dit que, dans un bal, du temps de Charles Dix,
Sur les marches du trône il s'arrêta jadis.
Qu'il y dorme en repos du moins, puisqu'il y tombe.

XVII

Hélas! mourir ainsi, pauvre prince, à trente ans!
Sans un mot de sa femme, un regard de sa mère,
Sans avoir rien pressé dans ses bras palpitants!
Pas même une agonie, une douleur dernière!
Dieu seul lut dans son cœur l'ineffable prière
Que les anges muets apprennent aux mourants.

XVIII

Que ce Dieu, qui m'entend, me garde d'un blasphème!
Mais je ne comprends rien à ce lâche destin
Qui va sur un pavé briser un diadème,
Parce qu'un postillon n'a pas sa bride en main.
O vous, qui passerez sur ce fatal chemin,
Regardez à vos pas, songez à qui vous aime!

XIX

Il aimait nos plaisirs, nos maux l'ont attristé.
Dans ce livre éternel où le temps est compté,
Sa main avec la nôtre avait tourné la page.
Il vivait avec nous, il était de notre âge.
Sa pensée était jeune, avec l'ancien courage;
Si l'on peut être roi de France, il l'eût été.

XX

Je le pense et le dis à qui voudra m'en croire,
Non pas en courtisan qui flatte la douleur,

Mais je crois qu'une place est vide dans l'histoire.
Tout un siècle était là, tout un siècle de gloire,
Dans ce hardi jeune homme appuyé sur sa sœur,
Dans cette aimable tête, et dans ce brave cœur.

XXI

Certes, c'eût été beau, le jour où son épée
Dans le sang étranger lavée et retrempée,
Eût au pays natal ramené la fierté;
Pendant que de son art l'enfant préoccupée,
Sur le seuil entr'ouvert laissant la Charité,
Eût fait, avec la Muse, entrer la Liberté.

XXII

A moi, Nemours! à moi, d'Aumale! à moi, Joinville!
Certes, c'eût été beau, ce cri, dans notre ville,
Par le peuple entendu, par les murs répété;
Pendant qu'à l'Oratoire, attentive et tranquille,
Pâle, et les yeux brillants d'une douce clarté,
La sœur eût invoqué l'éternelle Bonté.

XXIII

Certes, c'eût été beau, la jeunesse et la vie,
Ce qui fut tant aimé, si longtemps attendu,
Se réveillant ainsi dans la mère patrie.
J'en parle par hasard pour l'avoir entrevu;
Quelqu'un peut en pleurer pour l'avoir mieux connu;
C'est sa veuve, c'était sa femme et son amie [1].

XXIV

Pauvre prince! quel rêve à ses derniers instants!
Une heure (qu'est-ce donc qu'une heure pour le
[Temps?)
Une heure a détourné tout un siècle. O misère!
Il partait, il allait au camp, presque à la guerre.
Une heure lui restait; il était fils et père :
Il voulut embrasser sa mère et ses enfants.

XXV

C'était là que la Mort attendait sa victime
Il en fut épargné dans les déserts brûlants
Où l'Arabe fuyant, qui recule à pas lents,
Autour de nos soldats, que la fièvre décime,
Rampe, le sabre au poing, sous les buissons sanglants [1]
Mais il voulut revoir Neuilly; ce fut son crime.

XXVI

Neuilly! charmant séjour, triste et doux souvenir
Illusions d'enfants, à jamais envolées!
Lorsqu'au seuil du palais, dans les vertes allées,
La reine, en souriant, nous regardait courir,
Qui nous eût dit qu'un jour il faudrait revenir
Pour y trouver la mort et des têtes voilées!

XXVII

Quels projets nous faisions à cet âge ingénu
Où toute chose parle, où le cœur est à nu!

Quand, avec tant de force, eut-on tant d'espérance?
Innocente bravoure, audace de l'enfance!
Nous croyions l'heure prête et le moment venu;
Nous étions fiers et fous, mais nous avions la France.

XXVIII

Songe étrange! il est mort, et tout s'est endormi.
Comment une espérance et si juste et si belle
Peut-elle devenir inutile et cruelle?
Il est mort l'an dernier, et son deuil est fini;
La sanglante masure est changée en chapelle :
Qui nous dira le reste, et quel âge a l'oubli?

XXIX

Il n'est pas tombé seul en allant à Neuilly.
Sur neuf que nous étions, marchant en compagnie,
Combien sont morts! — Albert, son jeune et brave
                                                    [ami,

Et Mortemart, et toi, pauvre Laborderie,
Qui te hâtais d'aimer pour jouir de la vie,
Le meilleur de nous tous et le premier parti!

XXX

Si le regret vivait, vos noms seraient célèbres!
Amis! — Que cette sombre et triste déité
Qui prête à notre temps sa tremblante clarté
Vous éclaire en passant de ses torches funèbres!
Et nous, enfants perdus d'un siècle de ténèbres,
Tenons-nous bien la main dans cette obscurité;

XXXI

Car la France, hier encor la maîtresse du monde,
A reçu, quoi qu'on dise, une atteinte profonde,
Et, comme Juliette, au fond des noirs arceaux,
A demi réveillée, à demi moribonde,
Trébuchant dans les plis de sa pourpre en lambeaux,
Elle marche au hasard, errant sur des tombeaux.

1843.

A M. A. T.

SONNET [1]

Ainsi, mon cher ami, vous allez donc partir!
Adieu; laissez les sots blâmer votre folie.
Quel que soit le chemin, quel que soit l'avenir,
Le seul guide en ce monde est la main d'une amie.

Vous me laissez pourtant bien seul, moi qui m'ennuie.
Mais qu'importe? L'espoir de vous voir revenir
Me donnera, malgré les dégoûts de la vie,
Ce courage d'enfant qui consiste à vieillir.

Quelquefois seulement, près de votre maîtresse,
Souvenez-vous d'un cœur qui prouva sa noblesse
Mieux que l'épervier d'or dont mon casque est
                                    [armé [2];

Qui vous a tout de suite et librement aimé,
Dans la force et la fleur de la belle jeunesse,
Et qui dort maintenant à tout jamais fermé.

17 mai 1843.

SONNET A MADAME M. N. [1]

Je vous ai vue enfant, maintenant que j'y pense,
Fraîche comme une rose et le cœur dans les yeux,
— Je vous ai vu bambin, boudeur et paresseux;
Vous aimiez lord Byron, les grands vers et la danse. »

Ainsi nous revenaient les jours de notre enfance,
Et nous parlions déjà le langage des vieux;
Ce jeune souvenir riait entre nous deux,
Léger comme un écho, gai comme l'espérance.

Le lâche craint le temps parce qu'il fait mourir;
Il croit son mur gâté lorsqu'une fleur y pousse.
O voyageur ami, père du souvenir!

C'est ta main consolante, et si sage et si douce,
Qui consacre à jamais un pas fait sur la mousse,
Le hochet d'un enfant, un regard, un soupir.

Mai 1843.

A LA MÊME

SONNET

Quand, par un jour de pluie, un oiseau de passage
Jette au hasard un cri dans un chemin perdu,
Au fond des bois fleuris, dans son nid de feuillage,
Le rossignol pensif a parfois répondu.

Ainsi fut mon appel de votre âme entendu,
Et vous me répondez dans notre cher langage.
Ce charme triste et doux, tant aimé d'un autre âge,
Ce pur toucher du cœur, vous me l'avez rendu.

Etait-ce donc bien vous? Si bonne et si jolie,
Vous parlez de regrets et de mélancolie.
— Et moi peut-être aussi, j'avais un cœur blessé.

Aimer n'importe quoi, c'est un peu de folie.
Qui nous rapportera le bouquet d'Ophélie
De la rive inconnue où les flots l'ont laissé?

1843.

A LA MÊME

SONNET

Vous les regrettiez presque en me les envoyant,
Ces vers, beaux comme un rêve et purs comme
[l'aurore.
Ce malheureux garçon, disiez-vous en riant,
Va se croire obligé de me répondre encore.

Bonjour, ami sonnet, si doux, si bienveillant,
Poésie, amitié que le vulgaire ignore,
Gentil bouquet de fleurs, de larmes tout brillant,
Que dans un noble cœur un soupir fait éclore.

Oui, nous avons ensemble, à peu près, commencé
A songer ce grand songe où le monde est bercé.
J'ai perdu des procès très chers, et j'en appelle.

Mais en vous écoutant tout regret a cessé.
Meure mon triste cœur, quand ma pauvre cervelle
Ne saura plus sentir le charme du passé.

1843.

STANCES DE M. CHARLES NODIER [1]

A M. ALFRED DE MUSSET

J'ai lu ta vive Odyssée
            Cadencée,
J'ai lu tes sonnets aussi,
            Dieu merci!

Pour toi seul l'aimable Muse,
            Qui t'amuse,
Réserve encor des chansons
            Aux doux sons.

Par le faux goût exilée
            Et voilée,
Elle va dans ton réduit
            Chaque nuit.

Là, penchée à ton oreille
            Qui s'éveille,
Elle te berce aux concerts
            Des beaux vers.

Elle sait les harmonies
            Des Génies,
Et les contes favoris
            Des péris;

Les jeux, les danses légères
            Des bergères,

Et les récits gracieux
    Des aïeux.

Puis, elle se trouve heureuse,
    L'amoureuse,
De prolonger son séjour
    Jusqu'au jour.

Quand, du haut d'un char d'opale,
    L'Aube pâle
Chasse les chœurs clandestins
    Des lutins,

Si l'Aurore malapprise
    L'a surprise,
Peureuse, elle part sans bruit
    Et s'enfuit,

En exhalant dans l'espace
    Qui s'efface
Le soupir mélodieux
    Des adieux.

Fuis, fuis le pays morose
    De la prose,
Ses journaux et ses romans
    Assommants.

Fuis l'altière période
    A la mode,
Et l'ennui des sots discours,
    Longs ou courts.

Fuis les grammes et les mètres
    De nos maîtres,

Jurés experts en argot
    Visigoth.

Fuis la loi des pédagogues
    Froids et rogues,
Qui soumettraient tes appas
    Au compas.

Mais reviens à la vesprée,
    Peu parée,
Bercer encor ton ami
    Endormi.

                      Juin 1843.

RÉPONSE A M. CHARLES NODIER

Connais-tu deux pestes femelles
    Et jumelles
Qu'un beau jour tira de l'enfer
    Lucifer?

L'une au teint blême, au cœur de lièvre,
    C'est la Fièvre;
L'autre est l'Insomnie aux grands yeux
    Ennuyeux.

Non pas cette fièvre amoureuse,
    Trop heureuse,
Qui sait chiffonner l'oreiller
    Sans bâiller;

Non pas cette belle insomnie
        Du génie,
Où Trilby vient, prêt à chanter[1],
        T'écouter.

C'est la fièvre qui s'emmaillote
        Et grelotte
Sous un drap sale et trois coussins
        Très malsains.

L'autre, comme une huître qui bâille
        Dans l'écaille,
Rêve ou rumine, ou fait des vers
        De travers.

Voilà, depuis une semaine
        Toute pleine,
L'aimable et gai duo que j'ai
        Hébergé.

Que ce soit donc, si l'on m'accuse,
        Mon excuse,
Pour n'avoir rien ni répondu
        Ni pondu.

Ne me fais pas, je t'en conjure,
        Cette injure
De supposer que j'ai faibli
        Par oubli.

L'oubli, l'ennui, font, ce me semble,
        Route ensemble,
Traînant, deux à deux, leurs pas lents,
        Nonchalants.

Tout se ressent du mal qu'ils causent,
    Mais ils n'osent
Approcher de toi seulement
    Un moment.

Que ta voix si jeune et si vieille,
    Qui m'éveille,
Vient me délivrer à propos
    Du repos!

Ta muse, ami, toute française,
    Tout à l'aise,
Me rend la sœur de la santé,
    La gaieté.

Elle rappelle à ma pensée
    Délaissée
Les beaux jours et les courts instants,
    Du bon temps.

Lorsque, rassemblés sous ton aile
    Paternelle,
Echappés de nos pensions,
    Nous dansions;

Gais comme l'oiseau sur la branche,
    Le dimanche,
Nous rendions parfois matinal
    L'Arsenal.

La tête coquette et fleurie
    De Marie
Brillait comme un bluet mêlé
    Dans le blé.

Tachés déjà par l'écritoire,
    Sur l'ivoire
Ses doigts légers allaient sautant
    Et chantant;

Quelqu'un récitait quelque chose,
    Vers ou prose,
Puis nous courions recommencer
    A danser.

Chacun de nous, futur grand homme.
    Ou tout comme,
Apprenait plus vite à t'aimer
    Qu'à rimer.

Alors, dans la grande boutique
    Romantique,
Chacun avait, maître ou garçon,
    Sa chanson.

Nous allions, brisant les pupitres
    Et les vitres,
Et nous avions plume et grattoir
    Au comptoir.

Hugo portait déjà dans l'âme
    Notre-Dame,
Et commençait à s'occuper
    D'y grimper.

De Vigny chantait sur sa lyre
    Ce beau sire [1]
Qui mourut sans mettre à l'envers
    Ses bas verts.

Antony battait avec Dante
  Un andante [1];
Emile ébauchait [2] vite et tôt
  Un presto.

Sainte-Beuve faisait dans l'ombre,
  Douce et sombre,
Pour un œil noir, un blanc bonnet,
  Un sonnet.

Et moi, de cet honneur insigne
  Trop indigne,
Enfant par hasard adopté
  Et gâté,

Je brochais des ballades, l'une
  A la lune,
L'autre à deux yeux noirs et jaloux,
  Andaloux.

Cher temps, plein de mélancolie,
  De folie,
Dont il faut rendre à l'amitié
  La moitié!

Pourquoi sur ces flots où s'élance
  L'Espérance,
Ne voit-on que le Souvenir
  Revenir?

Ami, toi qu'a piqué l'abeille,
  Ton cœur veille,
Et tu n'en saurais ni guérir
  Ni mourir;

Mais comment fais-tu donc, vieux maître,
　　　Pour renaître?
Car tes vers, en dépit du temps,
　　　Ont vingt ans.

Si jamais ta tête qui penche
　　　Devient blanche,
Ce sera comme l'amandier,
　　　Cher Nodier.

Ce qui le blanchit n'est pas l'âge,
　　　Ni l'orage;
C'est la fraîche rosée en pleurs
　　　Dans les fleurs.

Août 1843.

A MON FRÈRE, REVENANT D'ITALIE

Ainsi, mon cher, tu t'en reviens
Du pays dont je me souviens
　　　Comme d'un rêve,
De ces beaux lieux où l'oranger
Naquit pour nous dédommager
　　　Du péché d'Eve.

Tu l'as vu, ce ciel enchanté
Qui montre avec tant de clarté

Le grand mystère;
Si pur, qu'un soupir monte à Dieu
Plus librement qu'en aucun lieu
Qui soit sur terre.

Tu les as vus, les vieux manoirs
De cette ville aux palais noirs
Qui fut Florence,
Plus ennuyeuse que Milan
Où, du moins, quatre ou cinq fois l'an,
Cerrito danse [1].

Tu l'as vue, assise dans l'eau,
Portant gaiement son mezzaro [2],
La belle Gênes,
Le visage peint, l'œil brillant,
Qui babille et joue en riant
Avec ses chaînes.

Tu l'as vu, cet antique port,
Où, dans son grand langage mort,
Le flot murmure,
Où Stendhal, cet esprit charmant,
Remplissait si dévotement
Sa sinécure [3].

Tu l'as vu, ce fantôme altier
Qui jadis eut le monde entier
Sous son empire.
César dans sa pourpre est tombé;
Dans un petit manteau d'abbé
Sa veuve expire.

Tu t'es bercé sur ce flot pur
Où Naple enchâsse dans l'azur

              Sa mosaïque,
Oreiller des lazzaroni
Où sont nés le macaroni
              Et la musique.

Qu'il soit rusé, simple ou moqueur,
N'est-ce pas qu'il nous laisse au cœur
              Un charme étrange,
Ce peuple ami de la gaieté
Qui donnerait gloire et beauté
              Pour une orange?

Catane et Palerme t'ont plu.
Je n'en dis rien; nous t'avons lu;
              Mais on t'accuse
D'avoir parlé bien tendrement,
Moins en voyageur qu'en amant,
              De Syracuse.

Ils sont beaux, quand il fait beau temps,
Ces yeux presque mahométans
              De la Sicile;
Leur regard tranquille est ardent,
Et bien dire en y répondant
              N'est pas facile.

Ils sont doux surtout quand, le soir,
Passe dans son domino noir
              La toppatelle [1].
On peut l'aborder sans danger,
Et dire : « Je suis étranger,
              Vous êtes belle. »

Ischia! C'est là qu'on a des yeux,
C'est là qu'un corsage amoureux

       Serre la hanche.
Sur un bas rouge bien tiré
Brille, sous le jupon doré,
       La mule blanche.

Pauvre Ischia! bien des gens n'ont vu
Tes jeunes filles que pied nu
       Dans la poussière.
On les endimanche à prix d'or;
Mais ton pur soleil brille encor
       Sur leur misère.

Quoi qu'il en soit, il est certain
Que l'on ne parle pas latin
       Dans les Abruzzes,
Et que jamais un postillon
N'y sera l'enfant d'Apollon
       Ni des neuf Muses.

Il est bizarre, assurément,
Que Minturnes soit justement
       Près de Capoue.
Là tombèrent deux demi-dieux,
Tout barbouillés, l'un de vin vieux,
       L'autre de boue[1].

Les brigands t'ont-ils arrêté
Sur le chemin tant redouté
       De Terracine?
Les as-tu vus dans les roseaux
Où le buffle aux larges naseaux
       Dort et rumine?

Hélas! hélas! tu n'as rien vu.
O (comme on dit) temps dépourvu

De poésie!
Ces grands chemins, sûrs nuit et jour,
Sont ennuyeux comme un amour
Sans jalousie.

Si tu t'es un peu détourné,
Tu t'es à coup sûr promené
Près de Ravenne,
Dans ce triste et charmant séjour
Où Byron noya dans l'amour
Toute sa haine.

C'est un pauvre petit cocher
Qui m'a mené sans accrocher
Jusqu'à Ferrare.
Je désire qu'il t'ait conduit.
Il n'eut pas peur, bien qu'il fît nuit;
Le cas est rare.

Padoue est un fort bel endroit,
Où de très grands docteurs en droit
Ont fait merveille;
Mais j'aime mieux la polenta
Qu'on mange aux bords de la Brenta
Sous une treille.

Sans doute tu l'as vue aussi,
Vivante encore, Dieu merci!
Malgré nos armes,
La pauvre vieille du Lido,
Nageant dans une goutte d'eau
Pleine de larmes.

Toits superbes! froids monuments!
Linceul d'or sur des ossements!

   Ci-gît Venise.
Là mon pauvre cœur est resté.
S'il doit m'en être rapporté,
   Dieu le conduise!

Mon pauvre cœur, l'as-tu trouvé
Sur le chemin, sous un pavé,
   Au fond d'un verre?
Ou dans ce grand palais Nani [1],
Dont tant de soleils ont jauni
   La noble pierre?

L'as-tu vu sur les fleurs des prés,
Ou sur les raisins empourprés
   D'une tonnelle?
Ou dans quelque frêle bateau,
Glissant à l'ombre et fendant l'eau
   A tire-d'aile?

L'as-tu trouvé tout en lambeaux
Sur la rive où sont les tombeaux?
   Il y doit être.
Je ne sais qui l'y cherchera,
Mais je crois bien qu'on ne pourra
   L'y reconnaître.

Il était gai, jeune et hardi;
Il se jetait en étourdi
   A l'aventure.
Librement il respirait l'air,
Et parfois il se montrait fier
   D'une blessure.

Il fut crédule, étant loyal,
Se défendant de croire au mal

Comme d'un crime.
Puis tout à coup il s'est fondu
Ainsi qu'un glacier suspendu
Sur un abîme...

Mais de quoi vais-je ici parler?
Que ferais-je à me désoler,
Quand toi, cher frère,
Ces lieux où j'ai failli mourir,
Tu t'en viens de les parcourir
Pour te distraire?

Tu rentres tranquille et content;
Tu tailles ta plume en chantant
Une romance.
Tu rapportes dans notre nid
Cet espoir qui toujours finit
Et recommence.

Le retour fait aimer l'adieu;
Nous nous asseyons près du feu,
Et tu nous contes
Tout ce que ton esprit a vu,
Plaisirs, dangers, et l'imprévu,
Et les mécomptes.

Et tout cela sans te fâcher,
Sans te plaindre, sans y toucher
Que pour en rire;
Tu sais rendre grâce au bonheur,
Et tu te railles du malheur
Sans en médire.

Ami, ne t'en va plus si loin.
D'un peu d'aide j'ai grand besoin,

Quoi qu'il m'advienne.
Je ne sais où va mon chemin,
Mais je marche mieux quand ma main
Serre la tienne.

Mars 1844.

CONSEILS A UNE PARISIENNE

Oui, si j'étais femme, aimable et jolie,
Je voudrais, Julie,
Faire comme vous;
Sans peur ni pitié, sans choix ni mystère,
A toute la terre
Faire les yeux doux.

Je voudrais n'avoir de soucis au monde
Que ma taille ronde,
Mes chiffons chéris,
Et de pied en cap être la poupée
La mieux équipée
De Rome à Paris.

Je voudrais garder pour toute science
Cette insouciance
Qui vous va si bien;
Joindre, comme vous, à l'étourderie
Cette rêverie
Qui ne pense à rien.

Je voudrais pour moi qu'il fût toujours fête,
Et tourner la tête,

Au plus orgueilleux;
Etre en même temps de glace et de flamme,
La haine dans l'âme,
L'amour dans les yeux.

Je détesterais, avant toute chose,
Ces vieux teints de rose
Qui font peur à voir.
Je rayonnerais, sous ma tresse brune,
Comme un clair de lune
En capuchon noir.

Car c'est si charmant et c'est si commode,
Ce masque à la mode,
Cet air de langueur!
Ah! que la pâleur est d'un bel usage!
Jamais le visage
N'est trop loin du cœur.

Je voudrais encore avoir vos caprices,
Vos soupirs novices,
Vos regards savants.
Je voudrais enfin, tant mon cœur vous aime,
Etre en tout vous-même...
Pour deux ou trois ans.

Il est un seul point, je vous le confesse,
Où votre sagesse
Me semble en défaut.
Vous n'osez pas être assez inhumaine.
Votre orgueil vous gêne;
Pourtant il en faut.

Je ne voudrais pas, à la contredanse,
Sans quelque prudence
Livrer mon bras nu;

Puis, au cotillon, laisser ma main blanche
    Traîner sur la manche
    Du premier venu.

Si mon fin corset, si souple et si juste,
    D'un bras trop robuste
    Se sentait serré,
J'aurais, je l'avoue, une peur mortelle
    Qu'un bout de dentelle
    N'en fût déchiré.

Chacun, en valsant, vient sur votre épaule
    Réciter son rôle
    D'amoureux transi;
Ma beauté, du moins, sinon ma pensée,
    Serait offensée
    D'être aimée ainsi.

Je ne voudrais pas, si j'étais Julie,
    N'être que jolie
    Avec ma beauté.
Jusqu'au bout des doigts je serais duchesse.
    Comme ma richesse,
    J'aurais ma fierté.

Voyez-vous, ma chère, au siècle où nous sommes,
    La plupart des hommes
    Sont très inconstants.
Sur deux amoureux pleins d'un zèle extrême,
    La moitié vous aime
    Pour passer le temps.

Quand on est coquette, il faut être sage.
    L'oiseau de passage
    Qui vole à plein cœur

Ne dort pas en l'air comme une hirondelle,
    Et peut, d'un coup d'aile,
    Briser une fleur.

                        Décembre 1845.

PAR UN MAUVAIS TEMPS

Elle a mis, depuis que je l'aime
(Bien longtemps, peut-être toujours),
Bien des robes, jamais la même;
Palmire a dû compter les jours[1].

Mais, quand vous êtes revenue,
Votre bras léger sur le mien,
Il faisait, dans cette avenue,
Un froid de loup, un temps de chien.

Vous m'aimiez un peu, mon bel ange,
Et, tandis que vous bavardiez,
Dans cette pluie et cette fange
Se mouillaient vos chers petits pieds.

Songeait-elle, ta jambe fine,
Quand tu parlais de nos amours,
Qu'elle allait porter sous l'hermine
Le satin, l'or et le velours?

Si jamais mon cœur désavoue
Ce qu'il sentit en ce moment,
Puisse à mon front sauter la boue
Où tu marchais si bravement!

                         Avril 1847.

A MADAME C^ne T. [2]

RONDEAU

Dans son assiette arrondi mollement,
Un pâté chaud, d'un aspect délectable,
D'un peu trop loin m'attirait doucement.
J'allais à lui. Votre instinct charitable
Vous fit lever pour me l'offrir gaiement.
Jupin, qu'Hébé grisait au firmament,
Voyant ainsi Vénus servir à table,
Laissa son verre en choir d'étonnement
   Dans son assiette.

Pouvais-je alors vous faire un compliment?
La grâce échappe, elle est inexprimable;
Les mots sont faits pour ce qu'on trouve aimable,
Les regards seuls pour ce qu'on voit charmant;
Et je n'eus pas l'esprit en ce moment
   Dans son assiette.

SUR TROIS MARCHES
DE MARBRE ROSE

Depuis qu'Adam, ce cruel homme,
A perdu son fameux jardin,

Où sa femme, autour d'une pomme,
Gambadait sans vertugadin,
Je ne crois pas que sur la terre
Il soit un lieu d'arbres planté
Plus célébré, plus visité,
Mieux fait, plus joli, mieux hanté
Mieux exercé dans l'art de plaire,
Plus examiné, plus vanté,
Plus décrit, plus lu, plus chanté,
Que l'ennuyeux parc de Versailles.
O dieux! ô bergers! ô rocailles!
Vieux Satyres, Termes grognons,
Vieux petits ifs en rangs d'oignons,
O bassins, quinconces, charmilles!
Boulingrins pleins de majesté,
Où les dimanches, tout l'été,
Bâillent tant d'honnêtes familles!
Fantômes d'empereurs romains,
Pâles nymphes inanimées
Qui tendez aux passants les mains,
Par des jets d'eau tout enrhumées!
Tourniquets d'aimables buissons,
Bosquets tondus où les fauvettes
Cherchent en pleurant leurs chansons,
Où les dieux font tant de façons
Pour vivre à sec dans leurs cuvettes!
O marronniers! n'ayez pas peur;
Que votre feuillage immobile,
Me sachant versificateur,
N'en demeure pas moins tranquille.
Non, j'en jure par Apollon
Et par tout le sacré vallon,
Par vous, Naïades ébréchées,
Sur trois cailloux si mal couchées,

Par vous, vieux maîtres de ballets,
Faunes dansant sur la verdure,
Par toi-même, auguste palais,
Qu'on n'habite plus qu'en peinture [1],
Par Neptune, sa fourche au poing,
Non, je ne vous décrirai point.
Je sais trop ce qui vous chagrine;
De Phœbus je vois les effets :
Ce sont les vers qu'on vous a faits
Qui vous donnent si triste mine.
Tant de sonnets, de madrigaux,
Tant de ballades, de rondeaux,
Où l'on célébrait vos merveilles,
Vous ont assourdi les oreilles,
Et l'on voit bien que vous dormez
Pour avoir été trop rimés.

En ces lieux où l'ennui repose,
Par respect aussi j'ai dormi.
Ce n'était, je crois, qu'à demi :
Je rêvais à quelque autre chose.
Mais vous souvient-il, mon ami,
De ces marches de marbre rose,
En allant à la pièce d'eau
Du côté de l'Orangerie,
A gauche, en sortant du château?
C'était par là, je le parie,
Que venait le roi sans pareil,
Le soir, au coucher du soleil,
Voir dans la forêt, en silence,
Le jour s'enfuir et se cacher
(Si toutefois en sa présence
Le soleil osait se coucher).
Que ces trois marches sont jolies!

Combien ce marbre est noble et doux!
Maudit soit du ciel, disions-nous,
Le pied qui les aurait salies!
N'est-il pas vrai? Souvenez-vous.
— Avec quel charme est nuancée
Cette dalle à moitié cassée!
Voyez-vous ces veines d'azur,
Légères, fines et polies,
Courant, sous les roses pâlies,
Dans la blancheur d'un marbre pur?
Tel, dans le sein robuste et dur
De la Diane chasseresse,
Devait courir un sang divin;
Telle, et plus froide, est une main
Qui me menait naguère en laisse.
N'allez pas, du reste, oublier
Que ces marches dont j'ai mémoire
Ne sont pas dans cet escalier
Toujours désert et plein de gloire,
Où ce roi, qui n'attendait pas,
Attendit un jour, pas à pas,
Condé, lassé par la victoire [1].
Elles sont près d'un vase blanc,
Proprement fait et fort galant.
Est-il moderne? est-il antique?
D'autres que moi savent cela;
Mais j'aime assez à le voir là,
Etant sûr qu'il n'est point gothique.
C'est un bon vase, un bon voisin;
Je le crois volontiers cousin
De mes marches couleur de rose;
Il les abrite avec fierté.
O mon Dieu! dans si peu de chose
Que de grâce et que de beauté!

Dites-nous, marches gracieuses,
Les rois, les princes, les prélats,
Et les marquis à grand fracas,
Et les belles ambitieuses,
Dont vous avez compté les pas;
Celles-là surtout, j'imagine,
En vous touchant ne pesaient pas.
Lorsque le velours ou l'hermine
Frôlaient vos contours délicats,
Laquelle était la plus légère?
Est-ce la reine Montespan?
Est-ce Hortense avec un roman[1],
Maintenon avec son bréviaire,
Ou Fontange avec son ruban?
Beau marbre, as-tu vu la Vallière?
De Parabère ou de Sabran
Laquelle savait mieux te plaire?
Entre Sabran et Parabère
Le Régent même, après souper,
Chavirait jusqu'à s'y tromper.
As-tu vu le puissant Voltaire,
Ce grand frondeur des préjugés,
Avocat des gens mal jugés,
Du Christ ce terrible adversaire,
Bedeau du temple de Cythère,
Présentant à la Pompadour
Sa vieille eau bénite de cour?
As-tu vu, comme à l'ermitage,
La rondelette Dubarry
Courir, en buvant du laitage,
Pieds nus, sur le gazon fleuri?
Marches qui savez notre histoire,
Aux jours pompeux de votre gloire,

Quel heureux monde en ces bosquets!
Que de grands seigneurs, de laquais,
Que de duchesses, de caillettes,
De talons rouges, de paillettes,
Que de soupirs et de caquets,
Que de plumets et de calottes,
De falbalas et de culottes,
Que de poudre sous ces berceaux,
Que de gens, sans compter les sots!
Règne auguste de la perruque,
Le bourgeois qui te méconnaît
Mérite sur sa plate nuque
D'avoir un éternel bonnet.
Et toi, siècle à l'humeur badine,
Siècle tout couvert d'amidon,
Ceux qui méprisent ta farine
Sont en horreur à Cupidon!...
Est-ce ton avis, marbre rose?
Malgré moi, pourtant, je suppose
Que le hasard qui t'a mis là
Ne t'avait pas fait pour cela.
Aux pays où le soleil brille,
Près d'un temple grec ou latin,
Les beaux pieds d'une jeune fille,
Sentant la bruyère et le thym,
En te frappant de leurs sandales,
Auraient mieux réjoui tes dalles
Qu'une pantoufle de satin.
Est-ce d'ailleurs pour cet usage
Que la nature avait formé
Ton bloc jadis vierge et sauvage
Que le génie eût animé?
Lorsque la pioche et la truelle
T'ont scellé dans ce parc boueux,

En t'y plantant malgré les dieux,
Mansard insultait Praxitèle.
Oui, si tes flancs devaient s'ouvrir,
Il fallait en faire sortir
Quelque divinité nouvelle.
Quand sur toi leur scie a grincé,
Les tailleurs de pierre ont blessé
Quelque Vénus dormant encore,
Et la pourpre qui te colore
Te vient du sang qu'elle a versé.

Est-il donc vrai que toute chose
Puisse être ainsi foulée aux pieds,
Le rocher où l'aigle se pose,
Comme la feuille de la rose
Qui tombe et meurt dans nos sentiers?
Est-ce que la commune mère,
Une fois son œuvre accompli,
Au hasard livre la matière,
Comme la pensée à l'oubli?
Est-ce que la tourmente amère
Jette la perle au lapidaire
Pour qu'il l'écrase sans façon?
Est-ce que l'absurde vulgaire
Peut tout déshonorer sur terre
Au gré d'un cuistre ou d'un maçon?

1848.

SONNET

Se voir le plus possible et s'aimer seulement,
Sans ruse et sans détours, sans honte ni mensonge,

Sans qu'un désir nous trompe, ou qu'un remords nous
                                        [ronge,
Vivre à deux et donner son cœur à tout moment;

Respecter sa pensée aussi loin qu'on y plonge,
Faire de son amour un jour au lieu d'un songe,
Et dans cette clarté respirer librement —
Ainsi respirait Laure et chantait son amant.

Vous dont chaque pas touche à la grâce suprême,
C'est vous, la tête en fleurs, qu'on croirait sans souci,
C'est vous qui me disiez qu'il faut aimer ainsi.

Et c'est moi, vieil enfant du doute et du blasphème,
Qui vous écoute, et pense, et vous réponds ceci :
Oui, l'on vit autrement, mais c'est ainsi qu'on aime.

A. M. REGNIER [1]

DE LA COMÉDIE-FRANÇAISE

APRÈS LA MORT DE SA FILLE

Quel est donc ce chagrin auquel je m'intéresse?
Nous nous étions connus par l'esprit seulement;
Nous n'avions fait que rire, et causé qu'un moment,
Quand sa vivacité coudoya ma paresse.

Puis j'allais par hasard au théâtre, en fumant,
Lorsque du maître à tous la vieille hardiesse,
De sa verve caustique aiguisant la finesse,
En Pancrace ou Scapin le transformait gaiement.

Pourquoi donc, de quel droit, le connaissant à peine,
Est-ce que je m'arrête et ne puis faire un pas,
Apprenant que sa fille est morte dans ses bras?

Je ne sais. — Dieu le sait! Dans la pauvre âme hu-
La meilleure pensée est toujours incertaine,   [maine.
Mais une larme coule et ne se trompe pas.

CHANSON

Quand on perd, par triste occurrence,
        Son espérance
        Et sa gaieté,
Le remède au mélancolique,
        C'est la musique
        Et la beauté!

Plus oblige et peut davantage
        Un beau visage
        Qu'un homme armé,
Et rien n'est meilleur que d'entendre
        Air doux et tendre
        Jadis aimé!

A MADAME O*** [1]

QUI AVAIT FAIT DES DESSINS
POUR LES NOUVELLES DE L'AUTEUR

Dieu défend d'oublier les petits ici-bas.
La fleur qui, dans l'herbier, doucement se dessèche,
Rend grâces à celui qui la vit sous ses pas,
La cueillit au passage, et la mit dans l'eau fraîche

Ma brunette Margot, que Balzac n'aime pas,
Est là, le cœur battant, prête à mordre à sa pêche.
(Dites-moi son idée et ce qui l'en empêche.)
Puis voici Béatrix qui montre ses beaux bras [1].

Pauvre et pâle bouquet, ô mes chères pensées,
Dans ce bruyant torrent où vous devez mourir,
Heureuse soit la main qui vous a ramassées!

Puisses-tu désormais modestement t'ouvrir,
Petit livre, et songer qu'il te faut soutenir
Dans ton sein tout ému ces perles enchâssées!

LE RIDEAU DE MA VOISINE

IMITÉ DE GŒTHE

Le rideau de ma voisine
Se soulève lentement.
Elle va, je l'imagine,
    Prendre l'air un moment.

On entr'ouvre la fenêtre :
Je sens mon cœur palpiter.
Elle veut savoir peut-être
    Si je suis à guetter.

Mais, hélas! ce n'est qu'un rêve;
Ma voisine aime un lourdaud,
Et c'est le vent qui soulève
    Le coin de son rideau.

SOUVENIR DES ALPES [1]

Fatigué, brisé, vaincu par l'ennui,
Marchait le voyageur dans la plaine altérée,
Et du sable brûlant la poussière dorée
        Voltigeait devant lui.

        Devant la pauvre hôtellerie,
    Sous un vieux pont, dans un site écarté,
        Un flot de cristal argenté
        Caressait la rive fleurie.

    Deux oisillons, dans un pin d'Italie,
    En sautillant s'envoyaient tour à tour
Leur chansonnette ailée, où la mélancolie
        Jasait avec amour.

        Pendant qu'une mule rétive
Piétinait sous le pampre où rit le dieu joufflu,
        Sans toucher aux fleurs de la rive,
Le voyageur monta sur le pont vermoulu.

    Là, le cœur plein d'un triste et doux mystère,
        Il s'arrêta silencieux,
        Le front incliné vers la terre;
L'ardent soleil séchait les larmes de ses yeux.

        Aveugle, inconstante, ô fortune!
        Supplice enivrant des amours!
        Ote-moi, mémoire importune,
    Ote-moi ces yeux que je vois toujours!

Pourquoi, dans leur beauté suprême,
Pourquoi les ai-je vus briller?
Tu ne veux plus que je les aime,
Toi qui me défends d'oublier!...

Comme après la douleur, comme après la tempête,
L'homme supplie encore et regarde le ciel,
Le voyageur, levant la tête,
Vit les Alpes debout dans leur calme éternel,

Et, devant lui, le sommet du mont Rose,
Où la neige et l'azur se disputaient gaiement;
Si parmi nous tu descends un moment,
C'est là, blanche Diane, où ton beau pied se pose.

Les chasseurs de chamois en savent quelque chose,
Lorsque, sans peur, mais non pas sans danger,
A travers la prairie au matin fraîche éclose,
On les voit, l'arme au poing, dans ces pics s'engager.

Pendant que le soleil, paisible et fort à l'aise,
Brûle, sans la dorer, la cité milanaise,
Et dans cet horizon, plein de grâce et d'ennui,
S'endort de lassitude à force d'avoir lui,

La montagne se montre : — à vos pieds est l'abîme;
L'avalanche au-dessus. — Ne vous effrayez pas;
Prenez garde au mulet qui peut faire un faux pas.
L'œil perçant du chamois suspendu sur la cime,
Vous voyant trébucher, s'en moquerait tout bas.

Un ravin tortueux conduit à la montagne.
Le voyageur pensif prit ce sentier perdu;
Puis il se retourna. — La plaine et la campagne,
Tout avait disparu.

Le spectre du glacier dans sa pourpre pâlie,
    Derrière lui s'était dressé.
Les chansons et les pleurs et la belle Italie
    Devenaient déjà le passé.

Un aigle noir, planant sur la sombre verdure
Et regardant au loin, tout chargé de souci,
Semblait dire au désert : Quelle est la créature
    Qui vient ici?

    Byron, dans sa tristesse altière,
  Disait un jour, passant par ce pays :
« Quand je vois aux sapins cet air de cimetière,
    Cela ressemble à mes amis. »

Ils sont pourtant beaux, ces pins foudroyés,
    Byron, dans ce désert immense;
Quand leurs rameaux morts craquaient sous tes pieds,
    Ton cœur entendait leur silence.

Peut-être en savent-ils autant et plus que nous,
Ces vieux êtres muets attachés à la terre,
Qui, sur le sein fécond de la commune mère,
Dorment dans un repos si superbe et si doux.

                      1851.

ADIEUX A SUZON

    Adieu, Suzon, ma rose blonde,
    Qui m'as aimé pendant huit jours;
    Les plus courts plaisirs de ce monde
    Souvent font les meilleurs amours.

Sais-je, au moment où je te quitte,
Où m'entraîne mon astre errant?
Je m'en vais pourtant, ma petite,
    Bien loin, bien vite,
    Toujours courant.

Je pars, et sur ma lèvre ardente
Brûle encore ton dernier baiser.
Entre mes bras, chère imprudente,
Ton beau front vient de reposer.
Sens-tu mon cœur, comme il palpite?
Le tien, comme il battait gaiement!
Je m'en vais pourtant, ma petite,
    Bien loin, bien vite,
    Toujours t'aimant.

Paf! c'est mon cheval qu'on apprête.
Enfant, que ne puis-je en chemin
Emporter ta mauvaise tête,
Qui m'a tout embaumé la main!
Tu souris, petite hypocrite,
Comme la nymphe, en t'enfuyant.
Je m'en vais pourtant, ma petite,
    Bien loin, bien vite,
    Tout en riant.

Que de tristesse, et que de charmes,
Tendre enfant, dans tes doux adieux!
Tout m'enivre, jusqu'à tes larmes,
Lorsque ton cœur est dans tes yeux.
A vivre ton regard m'invite;
Il me consolerait mourant.
Je m'en vais pourtant, ma petite,
    Bien loin, bien vite,
    Tout en pleurant.

Que notre amour, si tu m'oublies,
Suzon, dure encore un moment;
Comme un bouquet de fleurs pâlies,
Cache-le dans ton sein charmant!
Adieu; le bonheur reste au gîte,
Le souvenir part avec moi :
Je l'emporterai, ma petite,
      Bien loin, bien vite,
      Toujours à toi.

SONNET AU LECTEUR

Jusqu'à présent, lecteur, suivant l'antique usage,
Je te disais bonjour à la première page.
Mon livre, cette fois, se ferme moins gaiement;
En vérité, ce siècle est un mauvais moment.

Tout s'en va, les plaisirs et les mœurs d'un autre âge;
Les rois, les dieux vaincus, le hasard triomphant,
Rosalinde et Suzon qui me trouvent trop sage,
Lamartine vieilli qui me traite en enfant[1].

La politique, hélas! voilà notre misère.
Mes meilleurs ennemis me conseillent d'en faire.
Etre rouge ce soir, blanc demain, ma foi, non.

Je veux, quand on m'a lu, qu'on puisse me relire.
Si deux noms, par hasard, s'embrouillent sur ma lyre,
Ce ne sera jamais que Ninette ou Ninon.

                         Janvier 1850.

CHRONOLOGIE

1810 — *11 décembre*. Naissance, à Paris, d'Alfred de Musset.

1827 — *Juillet.* Fin d'études. Second prix de dissertation latine au concours général.

27 septembre. « Je voudrais être Shakspeare ou Schiller. »

1828 — Sans doute l'année de la première trahison amoureuse et de l'inguérissable « blessure ». Est-il le « chandelier » de Mme de Beaulieu?

Présenté à Victor Hugo, il est admis dans le Cénacle romantique.

1829 — *Avril.* Il entre comme employé dans une entreprise de « chauffage militaire » *(sic).*

1830 — *Janvier* (ou fin décembre précédent). Parution de *Les Contes d'Espagne et d'Italie,* avec *Les Marrons du Feu.*

Il abandonne le « chauffage militaire ».

Avril. La Quittance du Diable qu'il vient d'écrire est reçue par le Théâtre des Nouveautés. Non représentée.

1er-2 décembre. Création et deux seules représentations de *La Nuit vénitienne* à l'Odéon.

1832 — Le premier *Spectacle dans un fauteuil* paraît chez

Renduel. Le recueil comprend *La Coupe et les Lèvres* et *A quoi rêvent les jeunes filles.*

1833 — *1er avril et 15 mai.* La *Revue des Deux Mondes* publie successivement *André del Sarto* et *Les Caprices de Marianne.*

Juin. Rencontre avec George Sand.

Décembre. Départ avec George Sand pour l'Italie.

1834 — *1er janvier. Fantasio* paraît dans la *Revue des Deux Mondes.*

Février-mars. Musset tombe dangereusement malade. Rupture. Il s'efface devant Pagello et quitte Venise.

Mai-juin. Remise à Buloz du manuscrit de *Lorenzaccio.*

1er juillet. On ne badine pas avec l'amour. (Revue des Deux Mondes.)

Août. Un spectacle dans un fauteuil, nouvelle édition en deux volumes, contient toutes les pièces en prose précédemment publiées, plus un inédit : *Lorenzaccio.*

1835 — *1er août. La Quenouille de Barberine (Revue des Deux Mondes).*

1er novembre. Le Chandelier (Revue des Deux Mondes).

1836 — *1er juillet. Il ne faut jurer de rien. (Revue des Deux Mondes.)*

Septembre. Faire sans dire.

1837 — *15 juin. Un Caprice. (Revue des Deux Mondes.)*

8 décembre. Représentation et succès d'*Un Caprice* à Saint-Pétersbourg.

1838 — *1er novembre.* Article *De la tragédie.* Musset s'est épris de Rachel.

1839 — Musset entreprend pour Rachel une tragédie historique : *La Servante du roi.*

Mars. Souper chez Rachel. Ils font un séjour ensemble à Montmorency.

1840 — Longue et grave maladie. Les *Comédies et Proverbes* paraissent chez Charpentier (ainsi que les *Poésies complètes*).

1843 — Fiançailles manquées. Projets de pièces, non aboutis.

1845 — *Avril.* Musset est nommé chevalier de la Légion d'honneur. Reprise de sa maladie.

   1er novembre. Il faut qu'une porte soit ouverte ou fermée (Revue des Deux Mondes).

1847 — *25 novembre.* Création, à la Comédie-Française, d'*Un Caprice*.

1848 — *Janvier.* Candidature à l'Académie française.

   7 avril. Première à la Comédie-Française d'*Il faut qu'une porte soit ouverte ou fermée.*

   22 juin. Il ne faut jurer de rien à la Comédie-Française.

   10 août. Création du *Chandelier* au Théâtre Historique.

   24 novembre. Création d'*André del Sarto* à la Comédie-Française.

1849 — *22 février. Louison* à la Comédie-Française.

   25 février. L'Habit vert (en collaboration avec Emile Augier) aux Variétés.

   29 mai. On ne saurait penser à tout à la Comédie-Française.

1850 — *Mars.* Deuxième candidature à l'Académie française.

   23 octobre. Carmosine paraît dans *Le Constitutionnel.*

1851 — *14 juin.* Création des *Caprices de Marianne* à la Comédie-Française.

   30 octobre. Première et échec de *Bettine* au Gymnase.

1852 — *12 février.* Election à l'Académie française. Musset écrit ses scènes en vers du *Songe d'Auguste.*

1853 — *23 février.* Edition complète des *Comédies et Proverbes.*

1855 — Musset écrit *L'Ane et le Ruisseau.* (Ni publié, ni représenté.)

1857 — *2 mai.* Mort à Paris d'Alfred de Musset.

1861 — *18 novembre.* Création d'*On ne badine pas avec l'amour* à la Comédie-Française.

1865 — *7 novembre.* Création de *Carmosine* à l'Odéon.

1866 — *18 août.* Création de *Fantasio* à la Comédie-Française.

1876 — *6 mai.* Unique représentation de *L'Ane et le Ruisseau* au Conservatoire.

1880 — *29 novembre.* Création d'*A quoi rêvent les jeunes filles* à la Comédie-Française.

1882 — *27 février.* Création de *Barberine* à la Comédie-Française.

1896 — *3 décembre.* Création, par Sarah Bernhardt, de *Lorenzaccio* au Théâtre de la Renaissance.

NOTICE

Être romantique, c'est d'abord croire à la poésie, mais c'est surtout procéder d'une certaine manière de sentir. Aujourd'hui, nous sommes quelque peu rebutés par l'affectivité facile, la langueur larmoyante des poètes de la première moitié du XIXᵉ siècle, ceux que Baudelaire — à propos de Musset — dit appartenir à l'école « mélancolicofarceuse ». C'est ce ton d'épanchement confidentiel dans l'œuvre poétique de Musset qui fait s'exclamer à Gide : « Dieu! ce que l'*Amour* peut être embêtant! chez les autres. » Quant à Valéry, on sait la haine qu'il voue au ronron prosodique de Musset.

Pourtant, ce qu'on ne peut négliger de voir dans les effusions sentimentales d'un Musset ou d'un Lamartine et qui fait oublier leur grandiloquence et leurs oripeaux scéniques, c'est qu'elles sont prisonnières d'un ensemble historique qui ressemble à une lame de fond. Si l'on met à part André Chénier, la poésie du XVIIIᵉ siècle n'est qu'un jeu d'esprit, certes rehaussée de philosophie généreuse, mais vide de sentiments personnels. A la démesure et à l'ivresse de la révolution politique de 1789, devait forcément correspondre le bouleversement des conceptions esthétiques.

Ce lyrisme débridé qui caractérise la maladie romantique,

n'est pas seulement un état d'âme littéraire, elle est bien réellement une affection qui atteint le corps et l'esprit, une fièvre même, puisqu'elle a tué Alfred de Musset. Cet étrange enfant qui, à dix-sept ans, écrit à son ami Paul Foucher : « Je n'ai plus le courage de rien penser. Si je me trouvais dans ce moment à Paris, j'éteindrais ce qui me reste d'un peu noble dans le punch et la bière... », est en effet déjà un malade dont les crises d'hystérie et les hallu-cinations présagent l'existence douloureuse. La précoce mé-lancolie d'une telle phrase est tout un programme. Musset le remplira exactement.

Quand il entre dans le monde, en 1828, il ne se sent guère de vocation particulière. Si, dès l'âge de quatorze ans, il a composé quelques vers, il n'en est pas pour autant convaincu de la nécessité d'écrire. Il affirme même : « Je ne serai jamais un poète. » Mais c'est le cri d'un être déjà écartelé, qui pressent la douleur et tente de la rejeter. Il ajoute en effet : « La poésie chez moi est sœur de l'amour. » Il a peur de cette fatalité qui l'entraîne « à tomber amoureux comme on s'enrhume »; il la devine inéluctable quand il s'écrie, en sa juvénile présomption : « Je voudrais être un homme à bonnes fortunes; non pour être heureux, mais pour les tourmenter toutes jusqu'à la mort. »

Sa première mésaventure amoureuse avec celle que Paul de Musset désigne par des initiales — « Madame B » — donne l'impulsion au choix de sa carrière et à sa des-tinée de poète.

Paul Foucher, son condisciple et ami, beau-frère de Vic-tor Hugo, l'introduit au Cénacle, chez Nodier à l'Arsenal et chez Nadar. C'est un éblouissement pour Musset que ce monde de jeunes écrivains, de jeunes artistes, de jeunes dandys. La fièvre qui règne chez les habitués de Charles et de Marie Nodier : Lamartine, Hugo, Vigny, Sainte-

Cénacle non plus qui pourtant l'applaudit et trouve ses
vers charmants et impertinents. Ce qu'il a dans la tête,
c'est plutôt de faire figure au sein de cette jeunesse dorée,
d'être un dandy illustre, à la manière de Brummel ou de
ce Byron qu'il lit et qu'il admire. On l'appelle d'ailleurs
Mademoiselle Byron. Il monte à cheval, perd à la bouillotte, fait des dettes, passe ses nuits en orgies et joue à
l'Italien de la Renaissance; Devéria le représente d'ailleurs
en costume de page de la cour des Médicis. *Les Contes
d'Espagne et d'Italie,* paraissent en 1830; certes pleins de
promesses, ils ne sont encore que l'œuvre d'un enfant de
génie. On peut donc s'étonner que la plupart des journaux
consacrent à un jeune homme, inconnu la veille encore,
de longs articles qui détaillent minutieusement sa manière.
Si la critique s'attarde aux expressions bizarres, aux formes
incorrectes, si elle blâme la volonté de singularité, voire
d'immoralité (*La Ballade à la Lune, Mardoche,* etc.) et se
scandalise, elle n'ignore pas non plus que de cette hardiesse et de cette liberté naît parfois un vers coloré, sonore,
original. Sans doute les outrances du jeune poète sont-elles
un peu trop voyantes. Musset prétend dès l'abord se dé-
gager du peloton des « romantiques barbus au visage
bruni » autant que des « classiques bien rasés à la face
vermeille ». Il s'amuse, certes, mais n'en fait pas moins
l'inventaire du magasin aux accessoires du romantisme et
en étale toute la verroterie. Le titre seul de ce premier
recueil indique assez sa volonté d'exotisme disparate, de
couleur locale à peu de frais. Ces affiches pour agence de
voyages qui ont le dessein d'évoquer l'Andalousie ou
Venise, il ne trouve d'ailleurs aucunement nécessaire de
visiter ces pays pour les décrire, cette émotion tapageuse
qui n'est pas exempte d'une certaine vulgarité, utilisent
sans scrupule tous les clichés à la mode : frénésie, jalousie,
rugissements, invocations, se déchaînaient comme autant

d'attributs indispensables à la « passion romantique ».
Don Paez est un exemple remarquable de cette rhétorique
qui ne résout les crises qu'à coup de poignard en acier
de Tolède ou de fioles de poison avalées dans les sanglots.
De la volupté, du sang, de la mort, ce sont bien là les
armes de ceux qu'on appelle « les jeunes France ». Leur
manie est de jongler en vers avec des crânes, pour bien
montrer qu'ils sont des esprits forts. Mais, tout en mo-
quant les poncifs de l'école romantique, tout en préten-
dant se libérer de l'asservissement à la richesse de la rime
coupable d'entraver l'expression de la pensée, Musset, qui
veut que « la poésie soit essentiellement musicale »,
n'en utilise pas moins abondamment les procédés même
qu'il condamne : métaphores usées, apostrophes, comparai-
sons oiseuses. Pourtant, chez Musset appelé par un contem-
porain « garçon coiffeur qui a dans son cœur une belle
boîte à musique », certaines platitudes parviennent, grâce
à la vivacité, la sincérité du sentiment, à prendre la forme
d'une image fraîche et éclatante.

Ce qui le distingue de ses confrères — dès les *Premières
Poésies* que sont *Portia, Mardoche,* etc., c'est qu'il laisse
sans cesse passer le bout de l'oreille et marque nettement
qu'il ne croit pas à ce qu'il raconte — du moins pas entièrement. Il garde l'esprit assez libre pour sourire de la pa-
cotille romantique dont il se sert et reste disponible aux
sollicitations de sa véritable inspiratrice : la fantaisie. Avec
Mardoche, il délaisse l'Italie et l'Espagne en faveur du
dandysme byronien. « Un dandy anglais, écrit Musset,
c'est un jeune homme qui a appris à se passer du monde
entier. » Ce parti pris de se moquer de tout afin de passer
pour supérieur à tous fait que Mardoche, en ce sens, est
un dandy parfait; ce dandy n'est autre que Musset lui-
même. La « haine du bourgeois », le désir de l'épater par
des inventions incongrues qui heurtent ses goûts tran-

urbain et facétieux, grandit un auteur qui prend conscience de sa force et entend affirmer son originalité. Son
nouvel idéal définit l'artiste en homme de cœur dont
le rôle est de servir la vérité. Les flèches gothiques, les
gouffres lunaires, les pages espiègles s'estompent à mesure
que la recherche d'une poésie plus humaine, plus vraie,
s'empare de son esprit, encore que, dans *Les Vœux stériles*,
il exhorte ceux « qu'un fatal génie — pousse à ce malheureux métier de poésie » à chasser hardiment toute sincérité. C'est que, si la gravité qu'il a tant raillée commence
à poindre sous sa plume, l'exaltation douloureuse de la
maturité et le souci de vérité qui suivent la rupture avec
George Sand ne l'ont pas effleuré. Pour le moment, il est
encore à débattre de questions théoriques comme en té-
moignent *Les Vœux stériles*, publiés en 1831, dans lesquels sa pensée qui n'est pour lors ni fixée ni précise,
s'interroge sur la dignité de l'art, l'art personnel ou im-
personnel. Mais, déjà éloigné des fantaisies romantiques,
on le sent cheminer vers un mode d'expression plus classique dont les *Nuits* seront presque l'accomplissement. Dans
Les Secrètes Pensées de Rafael, Racine voisine sur une
table avec Shakespeare et Boileau. Musset y raille les critiques qui ont « lu posément *La Ballade à la lune* » en
regrettant de ne les avoir pas avertis par un écriteau, mais
ce n'est plus simple goût de la saillie; il a désormais la
conviction qu'il doit se détacher de tout dogmatisme et
évoluer dans le sens d'une fusion de sa personnalité et
d'un art contrôlé. *Le Saule,* publié en 1831, marque la
transition et glisse vers une inspiration personnelle où
s'expriment son intelligence et son amour de la musique.
A cette époque, il décide, avec un peu d'emphase, de se
retirer dans sa thébaïde et de ne plus se consacrer qu'au
travail. Les soirées aux Italiens seront sa seule distraction.
Cette belle résolution ne tient évidemment pas longtemps;

L'histoire des amours de George Sand et de Musset est bien connue. Le monde et la littérature s'en sont emparé, l'ont si bien gonflée, en ont si bien poli les petits scandales que cette aventure, en soi banale, aussi simple que pitoyable, a pris le caractère d'une chose sacrée. Les moindres détails de la vie intime de ces deux héros romantiques, leurs injures en vers et en prose après leur séparation, ont donné lieu a tant de commentaires qu'ils forment à eux seuls toute une bibliothèque de la chronique scandaleuse du XIXᵉ siècle. « C'est dans le cœur, dit Musset, que réside le génie. » « C'est le cœur qu'il faut atteindre et percer afin d'en faire jaillir des chants d'amour. » Il proclame dans *Rolla* que la nature entière murmure le mot : j'aime. Si, pour Musset, l'amour et la douleur mènent à l'apogée du génie et de la création poétique, George Sand, celle que Baudelaire appelle « une possédée au cœur de concierge », mérite peut-être quelque indulgence pour avoir fait œuvre utile.

Après une première période, relativement heureuse et riante, faite de musique, de festins, de mascarades, Musset et Sand partent pour l'Italie : Gênes, Livourne, Pise, Ferrare, Florence, Bologne, Venise enfin, le 19 décembre 1833. La solide George Sand, elle, ne craint rien, mais Musset le fragile dandy, prématurément usé par les débauches de tous ordres, n'a guère de résistance. Terrassé par un accès de paludisme qui le plonge dans l'agitation et le délire, ce névropathe depuis l'enfance fait une crise d'épilepsie. George Sand, dont le dévouement se satisfait mieux de courtines que de potions, décline, cette pédante, en compagnie de Pagello, le médecin chargé de la santé du poète, les temps d'un verbe qui relègue ceux d' « aimer » et de « soigner » au musée des langues mortes.

Il rentre seul en France. Son « cœur en sang » a encore besoin de quelques égratignures. Il revoit George Sand, la foule sur un plateau, mais on ne peut être tout à fait insensible aux accents frémissants des *Nuits* qui tirent le meilleur de leur substance d'une souffrance authentique.

A l'époque de *La lettre à Lamartine,* Musset est toujours sous la domination des mêmes songes, mais une sorte de soulagement s'annonce. Il reprend, avec ses anciens amis, avec Alfred Tattet notamment, sa vie tapageuse d'autrefois. Il fréquente aussi beaucoup chez Mme Jaubert, sa marraine, où on aime les vers et la musique. Le prince Phosphore de Cœur-Volant — c'est l'un des surnoms que Mme Jaubert donne à Musset — se sent renaître. Mais avec quelles rechutes! L'athée de 1830 fait maintenant intervenir Dieu dans ses affaires personnelles. A la recherche de ce dieu, il se confie au premier qu'il rencontre : celui de Lamartine en vaut bien un autre pour cette âme tourmentée qui pense tout d'un coup que l'immortalité peut être un remède à l'inquiétude. Pourtant, cette *Lettre à Lamartine,* empreinte de sauce métaphysique et de grande affirmation est un nouveau jalon : Musset de son cas personnel s'élève jusqu'à une idée générale, de sa propre douleur il passe à celle de l'humanité. Après les *Nuits* dont la composition s'échelonne entre 1835 et 1837, dans lesquelles il fait alterner foi et débauche, Musset, en 1838, se dit qu'après tout le salut est bien au Ciel. *L'Espoir en Dieu* agite, parfois avec une poignante éloquence, la question de savoir si éternel rime avec charnel et si la divinité peut efficacement remplacer la volupté. Mais de ces interrogations ne sort qu'une religion vague et essoufflée et une prière poétique qui souffre mal la comparaison avec celle de Vigny, tragique de silence, de Lamartine, pleine de majestueuse sérénité ou de Victor Hugo, familièrement orgueilleuse.

De 1838 à 1840, Musset achève de régler ses comptes avec le passé. Après cette purge qu'est *La Confession d'un*

sa composition. Lors d'une promenade à cheval dans la
forêt de Fontainebleau, près de Franchard, là même où
il était aux côtés de George Sand, les fantômes assaillent
le poète. De la puissance d'évocation de ces lieux, de la
violence de cette confrontation avec sa mémoire naît
l'état poétique particulier à cette œuvre.

A ce point, la poésie de Musset atteint vraiment la
maîtrise qui le désigne comme l'un des représentants les
plus notables de cette moitié du XIXᵉ siècle. Cette fois,
débarrassé des procédés et des séquelles du romantisme
délirant, il revient à Molière et au XVIIIᵉ siècle. Si cette
dernière manière n'est pas classique à proprement parler,
elle sait en tout cas parer les déploiements de la sensi-
bilité des rigueurs du classicisme : la pensée devient nette,
franche; le vers est dépouillé et sait rester souple et spi-
rituel. *Une Soirée perdue* caractérise avec netteté le drame
romantique absorbé par le mélodrame et le revirement
qui s'amorce en faveur du théâtre classique dans le
public. Dans cette conversation spirituelle, ironique et
attendrie, le mouvement de la période atteint le degré
de souplesse où le vers est à peine senti comme tel.

De 1840 à 1857, pourtant, ce n'est plus le vrai Musset
qui parle et qui agit. C'est un poète déchu. Il en a
conscience et se retranche derrière une nonchalance osten-
tatoire et un dédain affecté auxquels il cède, non sans
hargne, dans *Après une lecture*. Musset tente, dans cette
œuvre, de définir sa Poétique; Poétique assez vague en
vérité dont le principe le plus positif est sa haine persis-
tante pour l'école des rimeurs. Mais le ton a retrouvé sa
désinvolture, et la pensée sa mobilité étourdissante : sans
doute la destinée tragique de Léopardi, la mélancolie,
la maladie de ce grand poète étaient-elles bien propres
à inspirer à Musset ces vers dont Sainte-Beuve prétend
qu' « avec tout leur esprit », ils « ont une sorte de pré-

tention et de fatuité dont son talent pourrait se passer ».
Sur la paresse est la dernière œuvre où s'exprime son penchant pour la satire. Le ton en est ferme, le mouvement
noble et il s'y montre digne de ce Mathurin Régnier qu'il
salue au passage et qu'il appelle « notre maître à tous »
dans *Une Soirée perdue.*

    Tristesse, enfin, et *L'Heure de ma mort,* le dernier poème
qu'il ait écrit, sont vraiment la « rencontre d'un écrivain
admirablement doué et de la poésie ». Musset se sent
incapable désormais d'écrire dans quelque genre que ce
soit. Mais il a souffert, il a pleuré; c'est son trésor, la
part de divin qu'il porte en lui et c'est de là que vient la
gravité lyrique qu'il allie si heureusement à l'aisance de
l'improvisateur.

    Pour avoir érigé les rêves romantiques en règles de vie,
Musset méritait-il, dix-huit mois après sa mort, la cynique
oraison funèbre que lui consacre George Sand : « Est-ce
que, sauf les pièces de courte haleine, vous trouvez que
ça se tient et que ce n'est pas frappé de délire? S'il eût
eu le don des vers, il en eût fait d'adorables! »

NOTES

PREMIÈRES POÉSIES

P. 9.

1. Ce poème a fourni la matière de deux pièces de théâtre qui reprennent le personnage de Don Paez : *Pourpres et Haillons,* par A. Burtal et *Don Paez* par Edouard Romilly.

2. Vers empruntés à l'*Othello* de Shakespeare, acte III, scène III. Othello parle à Iago de Desdémone, accusée par ce dernier d'infidélité : « Si même le camp tout entier, jusqu'au dernier terrassier, s'était frotté à son ventre, j'aurais voulu rester aveugle — et heureux comme avant! »

P. 10.

1. Allusion au sculpteur Pygmalion qui sut, par son amour, insuffler la vie à la matière. Sous les auspices de Vénus, la statue de Galatée s'anima.

P. 13.

1. *Don Paez* fut entendu, en première lecture, par l'habituel cénacle qui se réunissait chez Nodier : Lamartine, Vigny, Hugo, Dumas, etc. Dumas cite ce poème à de nombreuses reprises et s'arrête plus particulièrement à l'expression « seins étincelants » qui le ravit : « L'épithète

est magnifique, écrit-il. Je ne l'ai jamais vue nulle part
ailleurs. »

P. 16.

   1. On remarquera (également dans *Rolla :* « Lorsque,
dans le désert, la cavale sauvage... ») l'allure homérique
de ce vers.

P. 18.

   1. Assez longtemps.
   2. Tandis que Sainte-Beuve établit un rapprochement
entre ce vers et « Amour... *qui tient à la douleur par un
lien, par d'autres à la volupté* », lignes empruntées à une
préface de Latouche pour la première édition des *Œuvres*
d'André Chénier, que d'autres y voient l'expression même
du romantisme (Don Juan de Byron : « Amour, qu'y a-t-il
donc dans ce bas monde qui nous rend si fatal le don
d'être aimé »), Emile Montégut opte pour « une traduction admirablement modernisée » de ce vers d'Euripide :
« Amour, tyran des hommes et des dieux », qui transporta
un jour d'enthousiasme tout un public de la Grèce. »

P. 20.

   1. Dans *Le lyrisme d'Alfred de Musset,* Mme V. Brunet
compare la Belisa de Don Paez à la Célestine du théâtre
espagnol; elles offrent, en effet, dans leur situation et
leurs manières, de nombreux traits communs. L'appella-
tion « mon fils » donnée par Belisa à Don Paez dans la
suite du poème se retrouve également dans *La Célestine.*

P. 25.

   1. Allusion aux gouffres de l'enfer dans *La Divine Comédie* de Dante.

P. 28.

1. Admirateur de Shakespeare et de Byron, lecteur ardent de Casanova, c'est à travers ces auteurs que Musset rêve l'Italie où fleurissent les drames de jalousie que sont *Portia* et *Don Paez*. A l'époque où il écrit ces poèmes, il n'y est encore en effet jamais allé.

2. *Don Carlos,* acte III, scène IX. Monologue du marquis de Posa.

3. Musset cède ici à la régularité de la rime. *Aventure* devrait évidemment être employé au pluriel.

P. 29.

1. Prit-elle pour reprit-elle. Licence un peu exagérée, renouvelée quatorze vers plus loin.

P. 30.

1. Licence grammaticale pour *de quatre pas.*

P. 32.

1. Peut-être la barre du balcon.

P. 39.

1. Des vierges, c'est-à-dire des nonnes.

2. La mandore est une sorte de luth, un peu plus gros qu'une mandoline.

P. 42.

1. La Muranèse, c'est-à-dire de Murano, petite ville de Vénitie.

2. Littré désigne par « magnifiques » les seigneurs faisant partie du conseil souverain de quelques républiques

suisses. Il s'agit ici des membres du grand conseil de Venise.

P. 44.

1. Licence poétique pour la mer puisqu'il s'agit de l'Adriatique.

P. 47.

1. Nombreuses sont les œuvres de Musset à avoir été mises en musique, qu'elles y fussent destinées ou non. *L'Andalouse,* mise en musique par Robert de Beauplan, eut un grand succès.

2. Suzanne à Chérubin dans *Le Mariage de Figaro ou la Folle journée.*

3. Le lion qui succède au dandy n'a aucun rapport avec la lionne de Musset. Il y a souvent rapprochement et confusion entre ces deux termes.

P. 48.

1. C'est-à-dire du nord au sud, Tolose étant situé dans une province du Nord et le Guadalété coulant dans la province de Cadix.

P. 51.

1. *Dont jamais* ni brune ni blonde?... S'il y a incorrection, les exemples ne manquent pas qui l'autorisent.

P. 53.

1. Allusion à la comète de 1832 dont il fut beaucoup parlé.

2. Allusion à la première souffrance de Musset (*La Confession,* première partie, chapitre II).

P. 54.

1. Du vivant de Musset, ces vers ont été imprimés sans

titre. D'après Paul de Musset, il s'agirait de Mme Beaulieu. Alfred avait dix-sept ans au moment de cette passion.

2. Le ou la Yung-frau, c'est-à-dire la jeune fille, l'un des sommets les plus connus de l'Oberland bernois.

P. 55.

1. Ulric Guttinguer, ami de Musset et de vingt-cinq ans son aîné. Ses amours tourmentées justifient ce poème.

2. Ni les *héros* plongeurs, coquille de l'édition de 1830.

P. 58.

1. Pour les romantiques, l'Italie est à la fois le lieu des plus folles gaietés et des drames les plus sombres. Chez Musset, on retrouve également Italie rimant avec folie dans *Venise* et dans la chanson de *Bettine*.

P. 60.

1. L'intention railleuse de cette ballade fit beaucoup de bruit. Le *Chansonnier des Grâces* pour 1831 en publia quelques strophes sous le titre ironique de *Soleil des Romantiques*.

P. 62.

1. Il manque un complément : dépossédé de quoi? Certains critiques proposent d'y voir l'image du front de Phélie qu'on représente orné d'un croissant.

P. 63.

1. Diane surprise au bain par Actéon, le punit en le changeant en cerf; les chiens lancés à sa poursuite le dévorèrent.

2. A l'inverse d'Actéon, le pâtre Endymion fut surpris dans son sommeil par Diane qui lui donna un baiser.

P. 66.

1. L'éditeur Urbain Canel s'apprêtant à publier les *Contes d'Espagne et d'Italie* jugea le recueil un peu mince. Il lui fallait cinq cents vers de plus. Musset prit congé de ses employeurs pendant trois semaines et revint du Mans avec *Mardoche* qui, selon Paul de Musset, obtint plus que *Portia* ou *Don Paez* l'admiration des auditeurs du Cénacle.

2. Le premier journal de ce titre parut en 1777. A l'époque où Musset publiait *Mardoche* paraissait le troisième journal de ce nom : *Nouveau Journal de Paris et des départements.*

3. Edmond Kean, célèbre acteur anglais (1787-1833). En 1836, Alexandre Dumas le prit pour sujet d'une pièce de théâtre : *Kean ou désordre et génie.*

4. Victor Hugo et ses amis allaient souvent contempler le coucher du soleil au haut des tours de Notre-Dame.

5. Paul de Musset écrit en note : « Catherine du Lys, nièce de Jeanne-d'Arc, fut mariée par le roi Charles VII à François de Villebresne dont la famille fut alliée à celle des Musset. »

P. 67.

1. En 1821, la Grèce s'était insurgée contre la domination des Turcs dont Mahmoud était sultan depuis 1808. La plupart des poètes romantiques prirent le parti des Grecs et nombre d'entre eux écrivirent des poèmes en leur honneur.

P. 68.

1. Le boulevard des Italiens fréquenté par les émigrés qui avaient suivi le roi à Gand pendant les Cent-Jours.

P. 69.

1. Rime inexacte, fait rare chez Musset.

P. 70.

1. Cher enfant, je vous aime.

P. 71.

1. La comtesse Guiccioli, la plus célèbre et la plus passionnément aimée des maîtresses de Byron.

2. Giorgio Barbarelli, peintre de l'école vénitienne, maître du Titien.

P. 72.

1. Modiste alors fort courue.

P. 74.

1. Les panoramas étaient des tableaux représentant en perspective un paysage. Il y en avait, à Paris, boulevard Montmartre. On y accédait par un passage, nommé pour cette raison Passage des Panoramas; il conserve aujourd'hui encore ce nom.

2. Café-restaurant du boulevard des Italiens.

P. 79.

1. Dans l'édition de 1830 : *Je vois.* Musset a donc opté pour la faute de prosodie avant de choisir la faute d'orthographe.

P. 81.

1. Le monologue d'Hamlet « Etre ou n'être pas », acte I, scène III.

P. 85.

1. John Bull, les Anglais se donnent ce surnom, c'est-à-dire, Jean le taureau. Brummel, célèbre dandy, arbitre de l'élégance londonienne portait au contraire chaque soir un gilet blanc et des pantalons noirs.

2. Hésiode place le chœur des Muses sur l'Hélicon, montagne proche du Parnasse. Dans *Les Travaux et les Jours,* il les nomme Muses de Piérie parce que Mnemosyne les enfanta à la Piérie qui est une région située sur les pentes de l'Olympe. Mais les Piérides, filles de Piérus, roi de Macédoine, étaient neuf, comme les Muses qu'elles provoquèrent en combat poétique. Vaincues, elles furent en punition métamorphosées en pies.

P. 91.

1. Hector de Saint-Maur a pris pour épigraphe l'avant-dernier vers de *Mardoche* « Et que fit Mardoche » et composa une suite à ce poème qui parut le 15 décembre 1856 dans la *Revue de Paris.*

P. 92.

1. Extrait des *Pensées* de Jean-Paul.

P. 101.

1. Première publication, *Revue de Paris,* octobre 1830, avec en sous-titre : *Poésies.*

P. 102.

1. Ces vers furent écrits peu après la révolution de Juillet à laquelle le poète avait pris part. Ces événements passés, il pensait devoir continuer la lutte par l'intermédiaire de sa plume. Ainsi, quelques mois plus tard, il revendiquera dans ses *Revues fantastiques* l'indépendance de la littérature à l'égard de la politique.

2. Machiavel résidait dans une villa de San Cascanio près de Florence depuis la restauration des Médicis qui l'avaient condamné à l'exil. Musset rappelle plus loin les termes d'une lettre de l'auteur du *Prince* : « Ensuite, je voudrais bien que ces seigneurs Médicis commençassent à m'employer, dussent-ils d'abord ne me faire que retourner un rocher. »

P. 103.

1. Il n'a encore que vingt et un ans!

P. 104.

1. Oisiveté, doit être ici entendu au sens de loisir.
2. Antonio Allegri, dit le Corrège (1494-1534) né à Correggio, d'où son surnom; il fut l'émule de Raphaël.
3. Fra Bartholomé, peintre et dominicain; il s'appelait en réalité Baccio della Porta; il peignit d'abord des sujets profanes, mais, entré dans les ordres sous l'influence des prédications de Savonarole, il se consacra à la peinture religieuse.

P. 107.

1. Admirateur de Shakespeare et de Byron, lecteur ardent de Casanova, c'est à travers ces auteurs que Musset rêve l'Italie où fleurissent les drames de jalousie que sont *Portia, Don Paez* et aussi *Octave.*

P. 110.

1. Première publication dans la *Revue de Paris,* en juillet 1830, sans mention du mot *Fragment,* mais avec en note : « Ces vers inédits forment la première partie d'un poème intitulé *Les Secrètes pensées de Rafael* et qui sera publié, réuni à d'autres poèmes vers la fin de juillet chez

Urbain Canel et Levasseur. » Ce qui eût peut-être été le
traité d'esthétique poétique de Musset ne parut en tout cas
pas, probablement à cause de l'agressivité qu'il témoigne à
l'égard des romantiques.

2. Le Parnasse dont les classiques devaient garder l'entrée.

3. Guédés, selon Littré : « bien rempli, rassasié, soûlé. »

P. 111.

1. C'était proclamer tout haut que *La Ballade à la Lune*
était une parodie de la poésie romantique et qu'il fallait
être sot pour ne s'en être pas aperçu.

2. Ah! misérable que je suis!

3. John Falstaff personnage de *Henry IV* et des *Joyeuses Commères de Windsor* de Shakespeare. Il était gros,
bruyant et grand buveur.

4. Les romantiques décidèrent de porter la barbe pour
bien marquer un contraste avec la mode antérieure.

P. 112.

1. Le baron Louis-Jacques Thénard. Il était chimiste et
fut professeur à l'Ecole polytechnique et au Collège de
France.

2. *Le Globe* et le *Journal des Débats* étaient favorables
au mouvement romantique.

3. Il s'agit ici du Louvre et de la Seine. Le Musset italien
et espagnol devient parisien.

P. 115.

1. Il s'agit de la perle que Cléopâtre fit dissoudre dans
son breuvage.

2. Ce vers ne rime avec aucun autre, mais comme nous
l'avons dit, le poème devait avoir une suite.

P. 116.

1. Les *Stances à Pepa* sont adressées à Hermine Dubois que Musset rencontrait aux soirées de Dévéria.

P. 121.

1. Edouard Bocher avait été le condisciple de Musset à Henri-IV. Leur amitié y avait été vive. Edouard Bocher n'était pas toutefois le dramatique Guttinguer et, selon son fils, il ne s'était jamais frappé le front en lisant Lamartine.

P. 122.

1. Il ne s'agit ici d'Alfred Tattet qui fut l'un des plus chers amis de Musset. Son admiration pour la poésie de Musset fut à l'origine de leur amitié. Plus loin, il est fait allusion à la présence affectueuse de Tattet lors de la mort du père de Musset qui affecta très vivement le poète.

P. 123.

1. Marie Nodier, fille de Charles Nodier, devenue Mme Ménessier; elle était musicienne et poète.

P. 124.

1. Mme M. serait, selon Maurice Donnay, Mme Taigny. On ne sait rien du petit écu dont il est ici question.

2. Il s'agit de Marguerite, fille de Jacques Ier, roi d'Ecosse et femme du dauphin de France, que son admiration entraîna à baiser la bouche du poète Alain Chartier tandis qu'il dormait.

P. 125.

1. Il existe en fait plusieurs fragments de ce poème incomplet. Paul de Musset précise qu'il fut composé sous

l'excitation provoquée par la musique. Alfred de Musset atteignait alors vingt et un ans, selon lui « un grand âge » qui méritait qu'on fît retraite et ne se préoccupât plus que de travail, les loisirs se bornant à l'Opéra et à la musique. Sur la genèse et la publication de ce poème, se reporter à la notice.

2. Ces deux vers sont repris dans *Lucie*. Ce fait se renouvelle plusieurs fois au cours du poème et de façon assez longue.

P. 131.

1. La mise au tombeau de Raphaël au palais Borghèse à Rome.

P. 132.

1. Géricault (Jean-Louis-André-Théodore), (1791-1824), l'un des peintres les plus célèbres et les plus féconds de la Restauration. Musset admire fort ses qualités de coloriste.

2. Christophe Allori, dit le Bronzino (1577-1621), ayant été trompé par sa maîtresse, fit un tableau représentant Judith tenant la tête d'Holopherne. Le visage de Judith était le portrait de sa maîtresse, celui d'Holopherne, le sien. Musset, frappé par ce trait, voulut tour à tour en faire un roman, puis un drame.

3. C'est-à-dire qu'un marbre mutilé représentant Napoléon se trouvait dans ce château de Tiburce.

P. 135.

1. Ces vers sont une imitation d'Ossian dont Musset possédait la traduction par Letourneur. Il n'est d'ailleurs pas le seul à avoir puisé à cette source.

P. 138.

1. Horatio était l'ami et le confident d'Hamlet.

P. 151.

1. Ces vers ne rime avec aucun autre.

2. On remarquera, avec Mme Arvède Baride, que cet épigraphe contient le sujet des *Caprices de Marianne*.

P. 156.

1. Dans le *Don Juan* de Mozart (acte III, scène III). Revêtu du manteau de son serviteur, Leporello, Don Juan chante pour Zerline, la camériste de dona Elvire, tandis que Leporello, sous les habits de son maître, trompe Elvire en lui tenant des propos d'amour.

P. 158.

1. A propos de son sonnet « *Sur la fièvre de la princesse Uranie* », Trissotin dans *Les Femmes savantes* de Molière dit :

Hélas! C'est un enfant tout nouveau-né, madame,
Son sort assurément a lieu de vous toucher,
Et c'est dans votre cour que j'en viens d'accoucher.

2. Adage du droit romain que le code civil français formule ainsi : « L'enfant conçu pendant le mariage a pour père le mari. »

3. Dans *Le Mariage de Figaro* de Beaumarchais.

P. 159.

1. Il semble que cette stance soit une raillerie à l'adresse de Victor Hugo à propos de ses *Têtes du Sérail* dans *Les Orientales*.

2. *Mais, madame, après tout, je ne suis pas un ange*, précédé de : *Ah! pour être dévot, je n'en suis pas n oins homme;*

P. 168.

1. Les Elfride sont si nombreuses dans le théâtre et le roman allemands qu'on ne peut identifier celle-ci.

P. 171.

1. Il y eut trois statuaires grecs du nom de Cléomène. On attribue à l'un d'eux la Vénus de Médicis.

2. Tiberge, ami de Des Grieux dans *Manon Lescaut*, moralisateur impénitent.

P. 172.

1. Antoine Galland (1644-1715), orientaliste français, professeur au Collège de France et traducteur des *Mille et Une Nuits*, publiées en 1704, plusieurs fois rééditées depuis.

P. 176.

1. A défaut de figurer dans le dictionnaire de l'Académie, mahométanisme est dans le Littré.

2. L'*Enéide*.

P. 180.

1. Luigi Pulci, poète florentin (1432-1487).

2. Molière lisait, dit-on, ses pièces à sa servante Renée Vannier, dite la Forêt.

P. 182.

1. Robert Lovelace, héros de *Clarisse Harlowe*, roman de Richardson.

P. 185.

1. Le vicomte de Valmont des *Liaisons dangereuses* de Choderlos de Laclos.

P. 189.

1. *Lara*, poème de Lord Byron.

P. 190.

1. Blondel, favori de Richard Cœur de Lion qui par-
courut l'Allemagne pour trouver son roi fait prisonnier
par le duc Léopold d'Autriche.

2. Allusion au manteau magique sous lequel voyagent
Faust et Méphistophélès.

P. 191.

1. En fait mille et trois.

P. 192.

1. La légende de Don Juan fut mise pour la première
fois en scène dans *Le Trompeur de Séville,* pièce attribuée
à Tirso de Molina (1571-1648).

P. 196.

1. Allusion à l'échec de *La Nuit Vénitienne.*

P. 197.

1. Licence orthographique que Musset préfère à la
faute de prosodie.

NOTES

POÉSIES NOUVELLES

P. 203.

1. Astarté, fille du Ciel, déesse de l'Amour, fut d'abord adorée en Assyrie, puis en Phénicie, enfin en Syrie. Selon Hérodote, le temple le plus ancien qui lui ait été consacré se trouvait à Ascalon en Syrie.

2. Il s'agit du lion fameux qui ravageait la campagne de Némée. Hercule l'étrangla, puis en revêtit la peau qui devait le rendre invulnérable.

3. Les sylvains, dieux de la forêt, s'abritaient dans l'écorce des chênes, tandis que l'eau était l'élément naturel des naïades.

4. Ce nombre fantaisiste de quatre mille dieux n'a sans doute d'autre raison d'être que la soumission aux règles de la prosodie qui veulent qu'un alexandrin ait douze pieds.

5. Ce rapprochement entre Prométhée, qui ravit le feu du ciel pour en faire don aux hommes, et Satan, symbole de l'intelligence humaine condamnée pour oser vouloir s'égaler aux dieux, trouve probablement sa source dans cette phrase de Michelet : « La liberté sans dieu... en littérature l'*école satanique,* annoncée dans la Grèce par le Prométhée d'Eschyle... s'idéalise elle-même dans le Satan de Milton. »

P. 204.

1. Les invasions barbares du vi^e siècle.

P. 205.

1. Ce vers de Musset dont le sens n'est, certes, pas très clair, a déchaîné trop de commentaires pour qu'ils soient rapportés ici. De l'hypothèse qui suppose une faute de typographie et propose de lire « conquête » à celle qui voit là une allusion à la fameuse comète de 1832 dont Charles Nodier dit, dans l'un de ses contes, qu'elle détruisit Paris, en passant par toutes les explications métaphysiques et religieuses possibles, les commentateurs ont tout envisagé sans avoir pu apporter de réponse satisfaisante.

2. Allusion probable à la colonne de feu censée représenter Dieu précédant les Hébreux afin d'éclairer leur marche.

3. Marie Madeleine répandant du parfum sur les pieds de Jésus chez Lazare.

P. 207.

1. Selon Xenophon, Hercule méditant à propos de la conduite à tenir dans l'existence, vit apparaître deux femmes dont l'une lui proposa une vie de plaisirs, l'autre la vertu et le travail.

P. 208.

1. Vers assez obscur qui a donné lieu à de nombreuses interprétations : de qui, ou plutôt de quoi, l'audace et la fierté sont-elles les sœurs aînées? Voir à ce sujet la thèse de Paul Argelès.

P. 209.

1. Sur? Sous *ses palmiers poudreux!* Il faut croire à une erreur répétée d'édition en édition, à moins que cette cavale n'ait eu de bien étranges particularités physiques!

P. 217.

1. Le commandeur, convive de Don Juan.

P. 221.

1. Allusion à l'abolition de la censure prévue par la charte de Louis XVIII et rétablie deux ans plus tard, c'est-à-dire en septembre 1835.

2. Victor de Lasere, dit Escousse, né en 1813, après avoir connu un certain succès comme auteur dramatique, ne put supporter l'échec de *Raymond,* drame écrit en collaboration avec Auguste Lebras. Comme le rapporte Musset, tous deux choisirent de mourir et s'asphyxièrent avec un réchaud.

P. 224.

1. Il s'agit de la révolte des esclaves noirs d'Haïti en 1791.

P. 230.

1. Amoureuse de Tithon, frère de Priam, l'Aurore demanda à Jupiter de rendre son amant immortel. Mais n'ayant pas sollicité pour lui le don d'éternelle jeunesse, il tomba, avec l'âge, dans la plus cruelle décrépitude.

P. 231.

1. La Maison de la Conversation était un lieu fort animé et brillant. Salons, jeux, cabinets de lecture, café, on y trouvait tout réuni.

P. 238.

1. Les Muses, filles de Jupiter et de Mnémosyne, déesse de la mémoire. Voir note 2, page 85.

P. 241.

1. Comme on l'a vu à propos du *Saule,* on retrouve des

vers identiques dans *Lucie*. C'est que Musset voulut traiter
le sujet du *Saule* dans les proportions d'une simple élégie.

P. 242.

1. Ces six vers ont été gravés sur le monument funéraire
d'Alfred de Musset.

P. 244.

1. *La Nuit de Mai*, de même que *La Nuit d'Octobre,*
Souvenir, A mon frère, Revenant d'Italie, Souvenir des
Alpes, a été écrite après la rupture de Musset avec George
Sand. Tous ces poèmes sont les séquelles poétiques d'une
blessure prête à s'ouvrir encore. Mais, selon Paul de
Musset, « ce ne sera jamais que poétiquement ».

P. 246.

1. Allusion à la première trahison amoureuse dont souf-
frit Musset.

P. 247.

1. Les noms cités dans ce vers et dans les vers suivants sont
empruntés au deuxième chant de l'*Iliade*. Homère situe
Argos et Ptéléon en Thessalie.

2. Messa, ville de Laconie.

3. Le Pélion est une montagne de Thessalie élevée par
les Géants révoltés. Ils entassèrent Pélion sur Ossa afin de
pouvoir atteindre le Ciel.

4. Titarèse, rivière de Thessalie.

5. Les deux villes ne peuvent, certes, se mirer dans les
mêmes eaux puisque Camyre est située en bordure de
l'île de Rhodes et Oloossone, ville de Thessalie, est à l'in-
térieur des terres.

6. Sextus Tarquin, fils de Tarquin le Superbe.

P. 252.

1. Vers peu clair. Cette colline symbolise-t-elle l'ascension qu'il faut accomplir pour se rendre digne de la vie?

2. Le myrte, fleur fort honorée dans l'Antiquité, était consacré à Vénus. On en couronnait le front des vainqueurs.

P. 253.

1. Voir note 1, page 122.

P. 256.

1. Après leur rupture, George Sand demanda à Musset de lui rendre les lettres qu'elle lui avait écrites, une mèche de cheveux, une fleur, ce qu'il nomme ici *ce fragile et cher trésor.*

P. 259.

1. L'avarice, c'est-à-dire, en fait, le besoin de gagner de l'argent; allusion aux travaux de mercenaire de la littérature que doivent parfois faire les écrivains.

P. 262.

1. S'agit-il ici d'Hébé, déesse de l'éternelle jeunesse ou de Minerve, « sage et docte », portant dans un corps de femme la vigueur d'un guerrier?

P. 263.

1. Bien que publiée en 1837, c'est-à-dire deux ans après *La Nuit de Mai,* on considère *La Nuit d'Octobre* comme la suite et la conclusion de ce poème.

P. 264.

1. Orthographe sacrifiée à la rime : remord au lieu de remords.

P. 273.

1. Périphrase pompeuse pour désigner la lune.

P. 274.

1. C'est après une relecture des *Méditations* dont il éprouva les vertus calmantes que Musset eut l'idée d'écrire sa lettre à Lamartine.

2. Voir note 1, page 67. Byron partit en 1823 combattre dans les rangs de l'armée insurrectionnelle grecque. Il mourut en défendant Missolonghi, le 19 avril 1824.

3. Il s'agit de *L'homme*, des *Premières Méditations poétiques*, dédié à Byron obligé de quitter l'Angleterre après le scandale causé par la rupture de son mariage.

4. Ganymède dont la beauté merveilleuse suscita l'intérêt des dieux. Jupiter, métamorphosé en aigle, l'emporta dans le séjour des Immortels.

P. 277.

1. Musset, en 1836, et même en 1833, au temps de sa liaison avec George Sand, ne pouvait plus guère passer pour un enfant.

P. 280.

1. Alfred de Musset, alors âgé de vingt-cinq ans, ne pouvait guère avoir connu un lien amoureux de dix ans. Paul de Musset note, au sujet de ce vers, que le poète craignait sans doute qu'on ne veuille pas croire à tant de regrets pour un lien si vite rompu.

P. 282.

1. Il faut entendre : d'un caprice pour une femme.

P. 283.

1. Ces stances furent publiées dans la *Revue des Deux Mondes* du 15 octobre 1836; la Malibran était morte le

23 septembre. Paul de Musset précise que si son frère fut un fervent admirateur de la Malibran, il n'exista jamais d'autre lien entre eux, quoi que certains insinuent. Il ne la vit qu'une seule fois hors du théâtre et ne lui parla pas.

2. Le nom de jeune fille de la Malibran était Maria-Felicia Garcia; elle était la sœur de Pauline Garcia, femme de Viardot et maîtresse de Tourgueniev. Leur père, Manuel Garcia, fut un ténor réputé et leur mère comédienne. Son mariage avec François-Eugène Malibran, banquier français établi à New York, quand elle avait dix-huit ans, fut annulé et elle épousa en 1836 son amant, Charles de Bériot. Elle mourut des suites d'une chute de cheval.

3. Ce « rythme doré » peut donner lieu à plusieurs interprétations. Mais la première qui vient à l'esprit est évidemment l'allusion au nombre d'or et à Pythagore.

P. 284.

1. S'agit-il de la Vénus du temple de Gnide de Praxitèle ou de la Vénus de Milo qui venait alors d'être découverte, et qu'on attribuait, sans preuve, à Praxitèle?

2. Le corps de la Malibran fut déposé dans l'église de Manchester. Mais Bériot qui était belge voulut qu'elle fût inhumée en Belgique. A l'époque de ce transfert, les stances de Musset n'avaient pas encore parues.

P. 285.

1. Ninette, personnage de *La Pie voleuse,* livret de Gherardi, musique de Rossini. La Malibran eut un si grand succès dans ce rôle que ses familiers lui donnèrent le surnom de Ninette.

2. Corilla, personnage de *La Répétition d'un Opéra-Bouffe,* musique de Francesco Gnecco, Rosine du *Barbier de Séville* de Rossini, Desdémone de l'*Othello* du même.

P. 287.

1. Le peintre Léopold Robert (1794-1835) se coupa la gorge par désespoir d'amour à Venise.

2. Vicenzo Bellini, compositeur de musique (1802-1835) dont les œuvres les plus connues sont *La Norma* et *La Somnambule*.

3. Armand Carrel était le rédacteur en chef du *National*.

P. 289.

1. Guiditta Pasta fut, comme la Malibran, une grande cantatrice. Leur voix d'un registre pareillement étendu leur permettaient d'interpréter les mêmes rôles.

P. 291.

1. Première publication à la *Revue des Deux Mondes*, 1er février 1838. Ce poème est, comme l'indique la notice, l'aboutissement d'une crise mystique au cours de laquelle Musset s'interroge, à travers la pensée des philosophes, de Platon à Spinoza, sur le but final de la vie. Après la méditation et le doute, mais sans grande conviction encore — Musset est au fond un athée —, il en vient à penser que puisque « c'est un dieu qui nous a donné la faculté de pleurer, et puisque les larmes viennent de lui, la prière retourne à lui ». Il écrit alors *L'Espoir en Dieu*, en même temps qu'il achève sa nouvelle, *Frédéric et Bernerette*.

P. 292.

1. Effroi devant un dieu de miséricorde qui est avant tout un dieu de vengeance et que le poète appellera un dieu redoutable.

2. Sacrifice de l'orthographe aux règles de la prosodie.

P. 294.

1. Système des Manichéens (note d'A. de Musset). Dis-

ciples du Persan Manès (IIe siècle). Aux éléments du christianisme, ils ajoutaient la reconnaissance d'un dieu du Mal et d'un dieu du Bien, le second devant nécessairement finir par l'emporter sur le premier; il y avait donc là le germe d'une religion monothéiste.

2. Le « théisme » (note d'A. de Musset). Le théisme ou déisme admet une cause première et nécessaire du monde, mais exclut dogme et culte, pour ne se conformer, comme l'écrit Voltaire qu'aux « principes de morale communs au genre humain ».

3. Le dieu du catholicisme libéral, voire démocratique, comme celui de Lamennais.

P. 301.

1. La valse est une danse d'origine allemande; elle ne fut introduite en France qu'aux environs de 1790.

2. Les bacchanales étaient dédiées à Dionysos. La tragédie d'Euripide, *Les Bacchanales,* met en scène Penthès, le petit-fils de Cadmus, le vieux roi des Thébains. Penthès revêtu comme les bacchantes pour venir observer leur danse fut mis en pièces par elles.

3. Gothique qui appartient aux Goths. Par extension, et par mépris, se dit de ce qui est trop ancien et hors de mode (Littré).

P. 302.

1. Jeanne-Marie-Ignace Cabarrus (1773-1835). Son mariage avec Tallien était le troisième. Elle fut une des Merveilleuses les plus en vue. Divorcée d'avec Tallien en 1802, elle épousa ensuite le comte de Caraman qui devint prince de Chimay.

P. 303.

1. Première publication, *Revue des Deux Mondes,* 15

juillet 1838, sous le titre : « *Dupont et Durand, Idylle par Mlle Félicité-Athénais Dupuis, filleule de M. Cotonet, de La Ferté-sous-Jouarre,* avec en note la mention des quatre *Lettres de Dupuis et Cotonet* qui avaient paru dans la *Revue des Deux Mondes,* Musset y parlait des humanitaires qu'il tenait pour des utopistes.

2. Charles Fourier (1772-1837), chef de la doctrine pha-lanstérienne et sociologue, formula un système fondé sur l'analogie constante et l'unité générale entre l'homme et l'univers. André Breton lui a consacré une ode.

3. Flicoteau était restaurateur, place de la Sorbonne; il fit les beaux jours des étudiants qui pouvaient manger chez lui pour dix-huit sous. Balzac, entre autres, y fait dîner plusieurs de ses personnages.

P. 304.

1. L'hospice de Bicêtre, aujourd'hui l'hôpital Bicêtre, était alors un service hospitalier réservé aux vieillards et aux fous.

P. 305.

1. Hans Sachs de Nuremberg (1494-1576), cordonnier et poète, chef de file des Meister Singer.

P. 307.

1. Benazet était fermier des jeux. Il passait l'hiver à Paris et, pendant l'été, dirigeait à Bade la Maison de la Conversation dont parle Musset dans *Une bonne Fortune.*

2. Editeur et libraire qui fut fameux sous la Restauration. Sa boutique se trouvait au Palais-Royal.

P. 308.

1. Le coche humanitaire, c'est-à-dire le chemin de fer.

2. Littré désigne humanitairerie comme un mot du cru de Musset.

P. 309.

1. La Tuile ou Lathuile. Le cabaret du père Lathuile se
trouvait barrière de Clichy. Le combat qu'y livra Blücher,
lors du siège de Paris, en 1814, le rendit célèbre.

P. 312.

1. Le Procope, célèbre café littéraire du XVIIᵉ et XVIIIᵉ
siècle, fut créé en 1639, par le Sicilien François Procope rue
des Fossés-Saint-Germain, devenue rue de l'Ancienne-
Comédie. Ce café est aujourd'hui remplacé par un restau-
rant qui a conservé l'enseigne.

P. 313.

1. C'est le 28 décembre 1836 que Meunier tira sur la
voiture de Louis-Philippe. Cet attentat était le quatrième
que subissait Louis-Philippe. C'est à la suite de ces dif-
férents événements que furent votées les lois répressives
contre lesquelles s'élève A. de Musset dans *La Loi sur la
Presse*.

P. 315.

1. Allusion aux vers de Marie Stuart, veuve de François II, composés en hommage à la France au moment où
elle fut obligée de regagner l'Ecosse.

P. 317.

1. Allusion à la grande charité de la duchesse d'Orléans.

2. Publié le 1ᵉʳ octobre 1839 à la *Revue des Deux
Mondes*. *L'Idylle* devait prendre place dans une sorte de
roman autobiographique commencé par Musset en 1839,
mais qui ne fut jamais achevé et intitulé le *Poète déchu*
ou le *Rocher de Sisyphe*.

P. 323.

1. Ce conte est dédié à Mme Jaubert. Elle reprochait souvent à Musset, ainsi que l'éditeur Buloz, de ne pas assez travailler. Le prologue de *Silvia* est une réponse à ses conseils.

2. Allusion au fait que Mme Jaubert lui avait donné plusieurs surnoms : prince Café, prince Phosphore de Cœur-Volant, parfois prince Grognon.

P. 326.

1. Il s'agit ici de la huitième nouvelle de la Quatrième Journée du *Décaméron* de Boccace.

P. 327.

1. Proverbe italien (note d'A. de Musset). Le Maçon traduit plus littéralement « et d'une espine faire un oranger ».

P. 334.

1. Il me semble que cette chanson ait été composée à Venise dans le cabaret-restaurant du Sauvage près du Jardin de Saint-Blaise.

P. 335.

1. *La Quenouille de Barberine,* de deux actes passa à trois, lorsque Musset, remaniant sa comédie, en 1835, l'intitula simplement *Barberine.* Cette chanson figure au début du deuxième acte.

P. 336.

1. Cette chanson, insérée dans le deuxième acte du *Chandelier,* comédie de Musset, fut publiée la première fois dans la *Revue des Deux Mondes* le 1er novembre 1835.

P. 337.

1. Ces Stances furent d'abord insérées dans une nouvelle, *Emmeline,* parue à la *Revue des Deux Mondes* le 1er août 1837.

P. 339.

1. Dans cet article consacré à Millevoye, Sainte-Beuve écrit : « En nous tous, pour peu que nous soyons poètes, et si nous ne le sommes pas pourtant décidément, il existe une fleur de sentiments, de désirs, une certaine rêverie première, qui bientôt s'en va dans les travaux prosaïques, et qui expire dans l'occupation de la vie. Il se trouve, en un mot, dans les trois quarts des hommes, comme un poète qui meurt jeune, tandis que l'homme survit. »

P. 344.

1. Son ami intime Alfred Tattet. Ce sonnet fut composé dans la propriété du père de Tattet, à Bury, non loin de la forêt de Montmorency.

P. 349.

1. Ce poème est adressé à Pauline Garcia.

P. 352.

1. Tout comme *Adieu,* ce poème est adressé à Pauline Garcia, mais selon Paul de Musset, il lui serait antérieur d'un an; il devrait donc être daté de 1840.

P. 353.

1. On donnait ce soir-là *Le Misanthrope.*

P. 354.

1. Il s'agit peut-être d'une chanson du Vendômois dont

Musset était originaire et qui dit : « Il est pourtant temps, pourtant temps ma mère — Il est pourtant temps de me marier. »

P. 356.

1. Il s'agit de la septième nouvelle de la Quatrième Journée du *Décaméron*. L'affaire de l'empoisonneuse, Mme Lafarge occupait alors tous les esprits.

2. Marguerite de Valois, sœur de François Ier, femme en premières noces du duc d'Alençon, devenue veuve et re-mariée en 1527 avec Henri d'Albret, roi de Navarre. Elle est l'auteur de l'*Heptaméron*, recueil de contes imités de Boccace.

P. 357.

1. Après la défaite de Pavie (25 février 1525), Marguerite de Valois alla rejoindre François Ier, prisonnier en Espagne.

P. 367.

1. D'un coup de pied, Pégase fit jaillir la fontaine d'Hip-pocrène dont les eaux étaient inspiratrices de poésie.

P. 370.

1. Cette chanson était très répandue en Allemagne, lors des événements de 1840. La Russie, l'Angleterre, l'Autriche et la Prusse venaient de signer un traité d'alliance avec la Turquie contre l'Egypte, alors que la France protégeait le pacha d'Egypte. La presse s'émut si vivement de cette coalition qu'on estima nécessaire de remettre en question les accords de 1815, et par là même l'attribution à la France ou à l'Allemagne de la rive gauche du Rhin. On comprend que la chanson devint aussitôt en Allemagne une sorte de *Marseillaise*.

P. 371.

1. En 1841, Lamartine avait reçu un recueil des poésies de Becker (Voir la note ci-dessus). Le *Rhin allemand* y figurant, il décida d'y répondre. Mais, en France, les esprits s'étaient un peu calmés. Dans certains cercles — celui de Mme Girardin entre autres où fréquentait Musset — on jugea les strophes de Lamartine un peu tièdes. Pour relever le défi de Becker, Musset entreprit aussitôt la composition du *Rhin allemand*.

P. 375.

1. Rappel des amours de Françoise de Rimini et de Paul Malatesta dans la *Divine Comédie* de Dante (« Enfer », chant V).

P. 376.

1. Musset écrit à plusieurs reprises « pié » pour pied.

P. 379.

1. M. B., à qui est dédié *Sur la Paresse* n'est autre que Buloz, le directeur de la *Revue des Deux Mondes*.
2. Ce sont les quatre premiers vers de la *Satire XV* de Mathurin Régnier.

P. 380.

1. Elie-Catherine Fréron (1718-1776) écrivit essentiellement une œuvre critique. Son plus féroce ennemi fut certainement Voltaire.

P. 381.

1. La colonne Vendôme faite du bronze des canons pris à l'ennemi.

P. 382.

1. Allusion aux attentats commis contre Louis-Philippe.

2. Les mots étrangers, anglais surtout, commençaient à envahir notre langage; c'est contre ces emplois abusifs que s'élève Musset.

P. 383.

1. On ignore à peu près tout du poète satirique Berthelot; mais ses démêlés avec Mathurin Régnier sont restés célèbres.

P. 384.

1. Dans *Le Barbier de Séville* de Beaumarchais. Mais c'est Basile et non Figaro qui demande : « Qui diable est-ce qu'on trompe ici? »

P. 386.

1. Le titre de ces Stances est emprunté au livre autobiographique de l'écrivain piémontais Silvio Pellico de *Mie Prigioni* (*Mes Prisons*). Pour Musset, il s'agit de prisons moins rudes. Les écrivains, comme les autres citoyens, étaient astreints au service de la garde nationale. Mais plus rétifs, ils déployaient maintes astuces pour s'y dérober. C'est ainsi que Balzac, Musset, Gautier et bien d'autres tâtèrent de la prison. On donnait alors à cette prison le sobriquet d'hôtel des Haricots; sise d'abord rue des Fossés-Saint-Bernard, elle fut transférée rue de la Gare, derrière le Jardin des plantes.

P. 387.

1. Musset logeait en effet dans une cellule que ses précédents occupants avaient décorée de dessins et de peintures.

P. 391.

1. Ce poème parut en premier lieu dans *Voyage où il vous plaira*, conte fantastique de J.-P. Stahl, c'est-à-dire

l'éditeur Hetzel. Alfred de Musset, réticent d'abord, puis séduit par les gravures dues à Tony Johannot, accepta de collaborer à cet ouvrage. Selon Edmond Duméril, auteur d'une thèse sur le lied allemand, la musique de *Vergiss mein nicht* n'est pas de Mozart, mais de Porenz Schneider.

P. 392.

1. *Marie* fut également publié dans *Voyage où il vous plaira.*

P. 394.

1. Madame G. serait la marquise de la Grange. Le rondeau suivant lui est également dédié.

2. Sophie Restaud (1773-1807), veuve du banquier Cottin. Pour subsister, elle écrivit des romans dont le plus connu est *Mathilde.*

P. 400.

1. *Après une lecture* est inspiré par l'œuvre du poète italien Leopardi. Musset, qui l'admirait beaucoup, avait commencé un article sur lui sur l'instigation de la princesse Beljioso. Un autre Leopardi, qui n'a rien à voir avec celui de Musset et de Valery Larbaud dans *Jaune Bleu Blanc*, prit pour lui les deux derniers vers de la strophe XVI et menaça Musset d'un duel.

P. 401.

1. Noël-François de Wailly (1724-1801) auteur du *Nouveau Vocabulaire français et du Dictionnaire portatif de la langue française.* Pierre Claude Boiste (1765-1824), auteur du *Dictionnaire universel de la langue française.*

P. 402.

1. Nom d'une ancienne partie de la Campanie habitée

par les Ausones. Les Grecs appelaient l'Ausonie l'Italie en général; de même les poètes.

2. Leopardi fut amoureux de Nérine, jeune fille de Récanati, le pays du poète; elle lui inspira les plus beaux vers de *le Ricordanze* (*Les Souvenirs*).

P. 403.

1. Ce sonnet a été écrit pour célébrer la réconciliation de Musset avec V. Hugo. Des dissentiments s'étaient élevés au sein du Cénacle qui avaient séparé les deux poètes.

P. 404.

1. Cette chanson est insérée dans le conte de *Mimi Pinson* qui parut en recueil collectif dans *Le Diable à Paris : Paris et les Parisiens, mœurs et coutumes, caractères et portraits des habitants de Paris*. Il était signé par G. Sand, J.-P. Stahl, L. Gozlan, Th. Gautier, A. de Musset et illustré par Gavarni, Champin, Bertrand, etc. (Hetzel, 1845).

P. 406.

1. Ce poème fut publié, le 18 juillet 1843, dans *La Presse,* à l'occasion du premier anniversaire de la mort du duc d'Orléans. Il avait été le condisciple de Musset à Henri-IV.

P. 408.

1. La princesse Marie, née à Palerme le 12 avril 1813, avait épousé le duc Alexandre de Wurtemberg. Elle avait non pas peint, mais sculpté la statue de Jeanne d'Arc, conservée au musée de Versailles.

P. 412.

1. La duchesse d'Orléans, née princesse Hélène de Mecklembourg-Schwerin.

P. 413.

1. Allusion à la part prise par le duc d'Orléans à la campagne d'Algérie.

P. 415.

1. Alfred Tattet.

2. La famille de Musset portait d'azur à un épervier d'or chaperonné, longé et perché de gueules.

P. 416.

1. Marie Nodier, devenue Mme Ménessier; les deux sonnets suivants lui sont également dédiés.

P. 419.

1. Ces Stances ont été publiées le 1ᵉʳ juillet 1843 dans la *Revue des Deux Mondes.* L' « Odyssée cadencée », C'est *le Voyage à Pontchartrain,* et les sonnets, les trois qui précèdent et qui étaient adressés à la fille de Nodier.

P. 422.

1. Trilby ou le Lutin d'Argail, de Charles Nodier.

P. 424.

1. Le cardinal de Richelieu, personnage du roman de Vigny, *Cinq-Mars.*

P. 425.

1. Antoine-François-Marie Deschamps (dit Antony) (1800-1869) auteur d'une traduction de la *Divine Comédie.*

2. Emile Deschamps (1791-1871), frère d'Antony, poète, auteur dramatique et critique.

P. 427.

1. Francesca, dite Fanny Cerrito, danseuse napolitaine,

était célèbre dans toute l'Europe. Elle dansa à l'Opéra de Paris en 1847.

2. Mezzaro : sorte de mantille.

3. Civita-Vecchia où Stendhal fut consul de France.

P. 428.

1. Les grisettes de Catane s'enveloppent dans un domino qui a nom *toppa;* on appelle celles qui le portent *topatelles* (note de Paul de Musset).

P. 429.

1. Après que Sylla l'eut chassé de Rome, Marius se réfugia dans les marais de Minturnes; après la victoire de Cannes, Annibal mena une vie de plaisirs dans Capoue.

P. 431.

1. G. Sand et Musset avaient habité le « grand palais Nani », devenu Albergo Reale, pendant leur séjour à Venise.

P. 436.

1. Palmire était une couturière renommée. Elle avait titre de fournisseur de la reine des Français, de la reine des Belges et de diverses princesses étrangères.

P. 437.

1. Mme Caroline Tattet.

P. 439.

1. Depuis que le palais de Versailles est devenu un musée.

P. 440.

1. Allusion au fait que Condé, revenant de Belgique

après la victoire d'Oudenarde, s'excusa auprès du roi qui l'attendait en haut des marches de la difficulté qu'il avait à les gravir. Louis XIV lui répondit : « Mon cousin, ne vous pressez pas, quand on est aussi chargé de lauriers que vous l'êtes, il est tout simple que l'on ait de la peine à marcher... »

P. 441.

1. Hortense Mancini (1640-1690), nièce de Mazarin. Dans l'énumération qui suit, il est évidemment question des différentes favorites du roi.

P. 444.

1. L'acteur Régnier, en réalité Jean-Paul-François Tousez (1807-1887), était peu connu de Musset mais le poète admirait vivement ses talents de comédien.

P. 445.

1. Mme Mathilde Odier, femme d'Edouard Odier et fille du comte de Laborde.

P. 446.

1. Béatrice Loredano dont le fils du Titien fit le portrait.

P. 447.

1. *Souvenir des Alpes* rappelle une halte au retour de Venise après la séparation de Musset et de George Sand.

P. 451.

1. Lamartine ne répondit qu'en 1860 à l'épître que lui avait adressée A. de Musset en 1836.

TABLE

PREMIÈRES POÉSIES

POÉSIES NOUVELLES

TABLE

511

BRODARD ET TAUPIN — IMPRIMEUR - RELIEUR
Paris-Coulommiers. — Imprimé en France.
1273-1-10 - Dépôt légal n° 5873, 4ᵉ trimestre 1966.
LE LIVRE DE POCHE - 4, rue de Galliéra, Paris.
30 - 23 - 1982 - 01